2025年度版

TAC 税理士講座

税理士受験シリーズ

5

財務諸表論

個別計算問題集

はじめに

本書は、税理士試験の財務諸表論を受験しようとする方を対象に書かれたものである。

最近の税理士試験における財務諸表論の試験問題は、量・質ともに２時間の制限時間内ですべての資料に手をつけ、納得のいく解答を出していくにはかなり困難を要する問題となってきている。

しかし、このような困難な試験であっても、基礎力を充実させることにより突破は十分可能となるのである。難関試験だからといって、難問・奇問ばかり解いてみたり、非常に些細なことを気にしたりするのは全く誤った考え方である。

最近の試験でも、計算の最低合格ラインは７～８割前後のところを推移している。つまり、２～３割前後のところは間違えてもよいのである。このことを考えれば、基礎力の充実こそが合格への絶対条件ということがおわかりいただけると思う。

本書は、１回の受験で確実に合格できるように、完璧な基礎力のマスターを第一に考え、さらに、上級者の方でも意欲をもって学習できるよう、本試験レベルの問題までも効率良く収録し、全受験生の要望に応えたものとなっている。

本書を利用した受験生が一人でも多く合格の栄冠を勝ち取られることを切に願う次第である。

ＴＡＣ税理士講座

本書の特長

1　基本的事項の確認

個別計算問題集は、税理士試験の出題範囲を10章に分け、さらに、各章ごとに基本的事項の確認ができるように小問を中心としたテーマ別問題集の形式をとっています。

したがって、個別計算問題集のすべての問題を一通り解くことにより、合格に必要な知識を網羅できるよう構成されています。

2　最新の改正に対応

最新の会計基準等の改正等に対応しています。

（令和６年７月までに公表された会計基準等に準拠）

3　重要度を明示

問題ごとに、本試験の出題実績に応じた重要度を明示しています。重要度に応じたメリハリをつけた学習を行うことが可能です。

Ａランク…非常に重要度の高い論点

Ｂランク…比較的重要度の高い論点

Ｃランク…比較的重要度の低い論点

4　本試験の出題の傾向と分析を掲載

本試験の出題傾向と分析を掲載しています。学習を進めるにあたって、参考にしてください。

（注）本書掲載の「出題の傾向と分析」は、「2024年度版　財務諸表論　過去問題集」に掲載されていたものになります。

本書の利用方法

1 問題を解く

本書は、論点ごとの知識を定着させることを目的としたトレーニング問題集です。

まずは、別冊の「答案用紙」を用いて、実際に問題を解いてみましょう。解いた後は、「解答」を確認後、「解答への道」で知識の定着度・理解度を確認しましょう。

2 チェック欄の利用方法

目次には問題ごとにチェック欄を設けてあります。実際に問題を解いた後に、日付、得点、解答時間などを記入することにより、計画的な学習、弱点の発見ができます。

3 間違えた問題はもう一度解く

間違えた問題をそのままにしておくと、後日同じような問題を解いたときに再度間違える可能性が高くなります。そのため、間違えた問題はなぜ間違えたのかを徹底的に分析して、二度と同じ間違いを繰り返さないように対策を考え、少し時期をずらしてもう一度解いて確認してください。期間をあけて３回連続で解ければ、知識は完全に身についたと言えます。

4 答案用紙の利用方法

「答案用紙」は、ダウンロードでもご利用いただけます。Cyber Book Store（TAC出版書籍販売サイト）の「解答用紙ダウンロード」にアクセスしてください。

https://bookstore.tac-school.co.jp

5 税理士受験シリーズの利用方法

財務諸表論の計算問題は、そのほとんどが貸借対照表・損益計算書の作成問題（総合問題）として出題されていますが、結局のところは個別問題の集合であり、個別問題に十分習熟することが総合問題解法の第一歩といえます。

そこで、本書を利用して最小の努力で最大の効果を生むには、本書とともに、本書の姉妹書である『総合計算問題集』（基礎編・応用編）『過去問題集』を利用することをお勧めします。

その際、下記のような利用方法を１つの目安と考えるとよいでしょう。

個別計算問題集 ⇨ 総合計算問題集 ⇨ 過　去　問　題　集

個別計算問題集・総合計算問題集

《手順１》

個別計算問題集は、すべての論点を網羅的に学習し、個々の論点をマスターすることを主眼に置くものである。

確実な知識を身につけることが目的であるから、スピードは特に意識する必要はない。

《手順２》

総合計算問題集は、個別計算問題集で身につけた知識をより実践的な問題を通して確認するためのものである。

また、確実な知識を身につけることも大切だが総合問題を解く場合には、制限時間内でいかに要領よく解答するかということも十分意識して解くことが大切である。

《手順３》

総合問題を解いてみて不得意な論点が明らかとなれば、再び、個別計算問題集に戻って不得意論点の克服を心がける。

過去問題集

《手順１》

過去問題集は個別・総合計算問題集と違い、反復練習により計算力を高めていくという位置づけのものではない。

この位置づけをはっきりさせたうえで利用してほしい。

《手順２》

個別・総合計算問題集をかなりやり込んだ者が、実際の本試験問題に触れ、問題文の読み方を理解し、また、実際に本試験問題を解くことによって本試験と同形式の答案を作成し、その出題の特徴、時間配分、得点するポイントなどを体得するために利用する。

《手順３》

過去問題を解き基礎力不足が明らかとなれば、再び、個別・総合計算問題集に戻って基礎力の充実を心がける。

目次

章	問題番号	テーマ	重要度	問題頁数	解答頁数	チェック		
第1章 資産会計	1－1	現金及び預金(1)	A	3	129	／	／	／
	1－2	現金及び預金(2)	A	3	129	／	／	／
	1－3	現金及び預金(3)	A	4	130	／	／	／
	1－4	現金及び預金(4)	A	5	130	／	／	／
	1－5	現金及び預金(5)	B	6	130	／	／	／
	1－6	現金及び預金(6)	A	7	131	／	／	／
	1－7	現金及び預金(7)	B	8	132	／	／	／
	1－8	現金及び預金(8)	B	9	133	／	／	／
	1－9	金銭債権(1)	A	10	133	／	／	／
	1－10	金銭債権(2)	B	11	134	／	／	／
	1－11	金銭債権(3)	B	13	135	／	／	／
	1－12	金銭債権(4)	A	14	135	／	／	／
	1－13	金銭債権(5)	C	14	136	／	／	／
	1－14	金銭債権(6)	A	16	137	／	／	／
	1－15	金銭債権(7)	B	17	138	／	／	／
	1－16	金銭債権(8)	B	19	140	／	／	／
	1－17	金銭債権(9)	B	22	141	／	／	／
	1－18	有価証券(1)	A	23	142	／	／	／
	1－19	有価証券(2)	A	24	142	／	／	／
	1－20	有価証券(3)	A	25	143	／	／	／
	1－21	有価証券(4)	A	26	144	／	／	／
	1－22	有価証券(5)	A	27	145	／	／	／
	1－23	有価証券(6)	A	28	146	／	／	／
	1－24	有価証券(7)	A	30	147	／	／	／
	1－25	有価証券(8)	A	31	147	／	／	／
	1－26	有価証券(9)	B	32	148	／	／	／
	1－27	有価証券(10)	C	34	149	／	／	／
	1－28	有価証券(11)	C	35	150	／	／	／
	1－29	棚卸資産(1)	A	38	153	／	／	／
	1－30	棚卸資産(2)	B	39	154	／	／	／
	1－31	棚卸資産(3)	A	40	154	／	／	／
	1－32	棚卸資産(4)	A	41	155	／	／	／
	1－33	棚卸資産(5)	C	42	156	／	／	／
	1－34	棚卸資産(6)	A	43	156	／	／	／
	1－35	棚卸資産(7)	B	44	156	／	／	／
	1－36	有形固定資産(1)	A	45	157	／	／	／
	1－37	有形固定資産(2)	B	46	158	／	／	／
	1－38	有形固定資産(3)	A	47	158	／	／	／
	1－39	有形固定資産(4)	A	48	159	／	／	／
	1－40	有形固定資産(5)	A	49	160	／	／	／
	1－41	有形固定資産(6)	A	50	161	／	／	／
	1－42	有形固定資産(7)	C	52	162	／	／	／
	1－43	有形固定資産(8)	C	54	163	／	／	／

章	問題番号	テーマ	重要度	問題頁数	解答頁数	チェック		
第1章 資産会計	1－44	有形固定資産(9)	C	56	165	／	／	／
	1－45	有形固定資産(10)	B	57	166	／	／	／
	1－46	有形固定資産(11)	A	60	169	／	／	／
	1－47	有形固定資産(12)	C	62	170	／	／	／
	1－48	有形固定資産(13)	C	63	171	／	／	／
	1－49	無形固定資産(1)	A	64	171	／	／	／
	1－50	無形固定資産(2)	B	64	171	／	／	／
	1－51	無形固定資産(3)	A	66	172	／	／	／
	1－52	繰延資産・研究開発費(1)	A	67	173	／	／	／
	1－53	繰延資産・研究開発費(2)	A	67	173	／	／	／
	1－54	繰延資産・研究開発費(3)	A	68	174	／	／	／
	1－55	税務上の繰延資産	B	69	175	／	／	／
第2章 負債会計	2－1	金銭債務(1)	A	70	176	／	／	／
	2－2	金銭債務(2)	B	71	176	／	／	／
	2－3	金銭債務(3)	B	73	178	／	／	／
	2－4	引当金(1)	A	73	179	／	／	／
	2－5	引当金(2)	A	74	180	／	／	／
	2－6	退職給付引当金(1)	A	76	180	／	／	／
	2－7	退職給付引当金(2)	A	76	180	／	／	／
	2－8	退職給付引当金(3)	A	77	181	／	／	／
	2－9	退職給付引当金(4)	B	78	181	／	／	／
	2－10	退職給付引当金(5)	A	79	182	／	／	／
	2－11	退職給付引当金(6)	A	80	182	／	／	／
	2－12	退職給付引当金(7)	A	81	182	／	／	／
	2－13	退職給付引当金(8)	A	82	183	／	／	／
第3章 純資産会計	3－1	株主資本(1)	A	83	184	／	／	／
	3－2	株主資本(2)	A	84	184	／	／	／
	3－3	株主資本(3)	A	85	184	／	／	／
	3－4	株主資本の計数の変動(1)	A	86	185	／	／	／
	3－5	株主資本の計数の変動(2)	A	87	186	／	／	／
	3－6	自己株式(1)	B	88	187	／	／	／
	3－7	自己株式(2)	A	89	187	／	／	／
	3－8	新株予約権(1)	A	90	188	／	／	／
	3－9	新株予約権(2)	A	91	189	／	／	／
	3－10	新株予約権(3)	B	92	189	／	／	／
	3－11	株主資本等変動計算書(1)	A	93	190	／	／	／
	3－12	株主資本等変動計算書(2)	A	94	191	／	／	／
第4章 税　金	4－1	税　金(1)	A	96	193	／	／	／
	4－2	税　金(2)	A	97	195	／	／	／
	4－3	税　金(3)	A	98	195	／	／	／
	4－4	税　金(4)	A	99	196	／	／	／

章	問題番号	テーマ	重要度	問題頁数	解答頁数	チェック		
第5章 税効果会計	5－1	税効果会計(1)	B	100	197	／	／	／
	5－2	税効果会計(2)	A	100	197	／	／	／
	5－3	税効果会計(3)	B	101	197	／	／	／
	5－4	税効果会計(4)	A	102	198	／	／	／
	5－5	税効果会計(5)	B	104	200	／	／	／
第6章 外貨建取引	6－1	外貨建取引(1)	B	105	201	／	／	／
	6－2	外貨建取引(2)	A	106	201	／	／	／
	6－3	外貨建取引(3)	A	106	202	／	／	／
	6－4	外貨建取引(4)	A	107	203	／	／	／
第7章 分配可能額計算	7－1	分配可能額計算(1)	A	108	204	／	／	／
	7－2	分配可能額計算(2)	A	109	204	／	／	／
	7－3	分配可能額計算(3)	A	109	204	／	／	／
	7－4	分配可能額計算(4)	A	110	205	／	／	／
第8章 製造業会計	8－1	製造原価報告書(1)	B	111	207	／	／	／
	8－2	製造原価報告書(2)	A	112	208	／	／	／
	8－3	期末仕掛品の評価(1)	A	113	209	／	／	／
	8－4	期末仕掛品の評価(2)	C	113	210	／	／	／
	8－5	期末仕掛品の評価(3)	A	114	210	／	／	／
	8－6	期末仕掛品の評価(4)	A	116	212	／	／	／
第9章 財務諸表等規則	9－1	債権・債務、有価証券の表示(1)	B	118	214	／	／	／
	9－2	債権・債務、有価証券の表示(2)	B	119	214	／	／	／
	9－3	キャッシュ・フロー計算書(1)	B	120	215	／	／	／
	9－4	キャッシュ・フロー計算書(2)	B	121	217	／	／	／
	9－5	連結財務諸表	A	122	217	／	／	／
第10章 収益認識基準	10－1	収益認識基準(1)	B	125	219	／	／	／
	10－2	収益認識基準(2)	B	126	219	／	／	／

出題の傾向と分析

計算問題について

①　過去10年間の出題内容

イ　総合問題での出題内容

内　容 ＼ 回　数		第64回	第65回	第66回	第67回	第68回	第69回	第70回	第71回	第72回	第73回
Ⅰ　出題形式	1　商企業を前提とする総合問題	○	○		○	○	○		○	○	○
	2　製造業を前提とする総合問題			○				○			
	3　財務諸表等規則に基づく総合問題										
Ⅱ　現金・預金	1　現金・預金の処理	○	○	○	○	○	○	○	○	○	○
	2　当座預金・当座借越の処理	○	○	○	○	○	○	○	○	○	○
	3　運用目的の金銭信託										
Ⅲ　金銭債権	1　通常の金銭債権の処理	○	○	○	○	○	○	○	○	○	○
	2　不良債権に関する処理	○	○	○	○		○	○	○	○	○
	3　貸倒見積高の算定	○	○	○	○	○	○	○	○	○	○
	4　割引手形・裏書手形										
	5　償却債権取立益	○			○						
	6　電子記録債権					○					
Ⅳ　有価証券	1　有価証券の期末評価	○	○	○	○	○	○	○	○	○	○
	2　有価証券の購入・売却								○		
	3　有価証券の売買の認識										
	4　証券投資信託										
	5　受取配当の処理	○			○						○
Ⅴ　棚卸資産	1　棚卸資産の期末評価		○	○	○	○	○	○	○	○	○
	2　売上原価の付加項目				○	○	○	○		○	○
	3　売価還元法	○									
	4　貯蔵品の処理	○			○				○		
Ⅵ　有形固定資産	1　減価償却		○	○	○		○	○		○	○
	2　売却に関する処理						○		○		○
	3　除却・廃棄に関する処理										
	4　買換に関する処理										
	5　災害に関する処理									○	
	6　資本的支出・収益的支出		○	○			○				
	7　建設仮勘定に関する処理										
	8　投資不動産										
	9　休止固定資産					○					
	10　有形固定資産の貸与										

内容		第64回	第65回	第66回	第67回	第68回	第69回	第70回	第71回	第72回	第73回
	11 ファイナンス・リース取引	○	○		○			○		○	
	12 減損処理	○	○		○	○		○	○		
	13 資産除去債務	○		○						○	
	14 圧縮記帳	○								○	
Ⅶ 無形固定資産	1 無形固定資産の償却										
	2 不動産取引に伴う権利金等の処理										
	3 ソフトウェア	○		○		○				○	○
Ⅷ 繰延資産	1 繰延資産の処理	○					○				
	2 研究開発費										
Ⅸ 金銭債務	1 通常の金銭債務の処理			○	○	○	○			○	○
	2 電子記録債務										○
	3 社債	○					○		○		○
Ⅹ 引当金	1 賞与引当金	○	○	○	○	○	○		○		○
	2 役員賞与引当金						○				○
	3 役員退職慰労引当金									○	
	4 修繕引当金										
	5 債務保証損失引当金										
	6 関係会社事業損失引当金							○			
Ⅺ 退職給付会計	1 原則法	○			○				○	○	
	2 簡便法		○	○		○	○				○
Ⅻ 純資産会計	1 新株発行	○	○		○				○		
	2 剰余金の配当		○	○	○	○					○
	3 準備金の積立			○	○						
	4 株主資本の計数変動			○							○
	5 自己株式		○	○	○	○	○	○	○		
	6 新株予約権							○			
	7 新株予約権付社債										
	8 株主資本等変動計算書			○					○		
	9 ストックオプション									○	
ⅩⅢ 税金	1 法人税、住民税及び事業税	○	○	○	○	○	○	○	○	○	○
	2 法人税等の還付・追徴	○					○		○		
	3 消費税	○	○	○	○	○	○	○	○	○	○
ⅩⅣ 税効果会計	1 税効果会計	○	○	○	○	○	○	○	○		○
ⅩⅤ 外貨建取引	1 外貨建資産・負債の換算		○	○	○		○	○		○	○
	2 為替予約	○			○			○		○	

内容	回数	第64回	第65回	第66回	第67回	第68回	第69回	第70回	第71回	第72回	第73回
	3　外貨建有価証券の換算	○									
XVI　売上・仕入に関する処理	1　売上に関する処理					○	○	○			
	2　仕入に関する処理		○	○	○	○					○
XVII　特殊論点	1　金利スワップ						○				
	2　株式交換										
	3　未着品の処理										
	4　抱合せ株式			○							
	5　割賦販売										
	6　ポイント引当金										
	7　委託販売	○									
	8　税務上の繰延資産	○									
	9　商品券引換引当金	○									
	10　ゴルフ会員権	○						○	○		
	11　事業譲受							○			

ロ　個別問題での出題内容

内容	回数	第64回	第65回	第66回	第67回	第68回	第69回	第70回	第71回	第72回	第73回
I　注記事項	1　重要な会計方針	○	○			○			○		○
	2　会計方針の変更に関する注記		○								○
	3　貸借対照表等に関する注記		○			○				○	○
	4　損益計算書に関する注記		○							○	
	5　株主資本等変動計算書に関する注記					○					○
	6　税効果会計に関する注記	○			○						
	7　一株当たり情報に関する注記										
II　製造業会計	1　製造原価報告書							○			
III　分配可能額計算	1　分配可能額計算										
IV　財務諸表等規則における固有の表示	1　金銭債権・債務										
	2　有価証券										
	3　キャッシュ・フロー計算書						○				
V　会計基準等の空所補充	1　税効果会計に係る会計基準										
	2　金融商品に関する会計基準										
	3　退職給付に関する会計基準										
	4　自己株式及び準備金の額の減少等に関する会計基準										

内容＼回数		第64回	第65回	第66回	第67回	第68回	第69回	第70回	第71回	第72回	第73回
	5　連結キャッシュ・フロー計算書等の作成基準										
	6　固定資産の減損に係る会計基準										
	7　連続意見書										
Ⅵ　連結財務諸表	1　連結財務諸表の作成										

②　過去の出題内容の傾向と分析

イ　出題形式の特徴

財務諸表論の計算問題は、貸借対照表、損益計算書を作成させる作表問題を中心とした総合問題が出題されるが、試験においては総合問題に関連させて売上原価の内訳の表示、販売費及び一般管理費の内訳の表示を行わせる場合もある。また、製造業を前提とした問題の場合には、前述の計算書類に加えて、製造原価報告書（製造原価明細書）の作成も要求される場合がある。

個別問題においては、様々な形式の内容が出題されているが、その中でも数多く出題されているものとして、「注記事項」があげられる。このような個別問題は、出題されれば得点源となるところであるため、総合問題対策ばかりではなく、個別問題の対策も十分に行うことが大切である。

ロ　出題範囲の特徴

総合問題の出題形式としては、製造業を前提とする総合問題と商業を前提とする総合問題が出題されていることが分かる。よって、どちらで出題されても合格点がとれるよう、きちんと確認、マスターしておくことが不可欠である。

なお、総合問題で毎年必ず出題されている項目（現金・預金、金銭債権、有価証券、棚卸資産、有形固定資産、金銭債務、引当金、純資産会計、税金、税効果会計など）については、学習範囲の全範囲を網羅し、確実にマスターするようにしてほしい。

また、新たな会計基準の制定等により追加された項目の中でも、特に減損処理、ソフトウェア、自己株式などは、会計基準施行後、ほぼ毎回出題されている。これら新会計基準の中でも頻出のものについては、十分な対策を図るようにしてほしい。

個別問題においては、まず注記事項に関する対策をしっかりと行い、出題された場合は、確実に得点できるようにすることが大事である。

問題編

TAX ACCOUNTANT

第１章　資産会計

問題１－１　現金及び預金(1)

重要度　A

Ｓ株式会社の当期（×５年４月１日～×６年３月31日）における次の資料により、会社計算規則に準拠した貸借対照表の必要な表示を示しなさい。

１．当社の帳簿上の現金勘定は91,000千円の借方残高になっているが、その中には次のものが含まれている。

(1) 他人振出の当座小切手　10,000千円

(2) 自己振出の回収小切手　12,000千円

(3) 先日付小切手　16,000千円（期日：×６年４月20日）

２．期末に金庫の中を実査した結果、次のものが発見された。

(1) 社債利札　2,400千円（期日：×６年３月31日、未処理）

(2) 配当金領収証　1,800千円（未処理）

(3) 郵便切手　400千円（期中に購入し、購入時に通信費で処理済）

(4) 収入印紙　700千円（期中に購入し、購入時に租税公課で処理済）

(5) 未渡小切手　4,000千円（掛代金の決済のために振出したもの）

⇨解答：129ページ

問題１－２　現金及び預金(2)

重要度　A

Ｋ株式会社（事業年度：自×５年４月１日　至×６年３月31日）の期末残高試算表における現金預金勘定267,600千円の内訳は次のとおりである。この資料により、会社計算規則に準拠した貸借対照表の必要な表示を示しなさい。また、貸借対照表等に関する注記を示しなさい。

１．現金手許有高　3,600千円

２．当座預金

(1) 甲銀行　22,500千円

(2) 乙銀行　△7,500千円（△印は借越額を示す）

３．積立預金

月額1,500千円、36回積立てのもの　30,000千円

4．別段預金

新株発行に係る払込金　　45,000千円

5．定期預金

×8年4月30日満期　　174,000千円（当座借越契約の担保に供している）

⇨解答：129ページ

問題1－3　現金及び預金(3)　重要度 A

P株式会社（事業年度：自×5年5月1日　至×6年4月30日）の期末残高試算表の一部と決算整理事項を参考にして、会社計算規則に準拠した貸借対照表及び損益計算書の必要部分を完成させなさい。

残高試算表　（単位：千円）

借方	金額	貸方	金額
現金及び預金	100,350	当座借越	2,800
売掛金	400,000	買掛金	260,000
⋮		⋮	
土地	1,200,000	売上高	700,000
⋮		⋮	

〔決算整理事項〕

1．甲銀行及び乙銀行に当座預金口座を開設しており、ともに当座借越契約を締結している。残高試算表の当座借越は乙銀行に対するものである。

2．隣接する甲県に工場用地として購入していた未使用の土地（取得原価：150,000千円）を不動産業者であるF社に売却し、その代金200,000千円をF社振出の小切手で受取ったが未処理である。

3．得意先K社から売掛代金の決済として、額面30,000千円のK社振出小切手が郵送されてきたが未処理である。

4．買掛金の支払いにあてるために作成しておいた甲銀行小切手（額面10,000千円）が、決算日になっても仕入先に渡されていないことが判明した。なお、当社では小切手を作成した段階で現金及び預金勘定の減少処理をしている。

5．×5年11月1日に購入した利付社債（額面：100,000千円、利息：年2％、利払日：4月末日、10月末日の年2回）について、利息の計上が未処理である。

⇨解答：130ページ

問題１－４ 現金及び預金(4)

重要度 A

W株式会社（事業年度：自×13年４月１日　至×14年３月31日）の期末残高試算表の一部と決算整理事項を参考にし、会社計算規則に準拠した貸借対照表の必要部分を完成させなさい。

なお、関係会社に対する金銭債権は独立科目により表示する。

残高試算表　(単位：千円)

現金	211,700	
当座預金	2,800	
受取手形	320,000	

〔決算整理事項〕

1．金庫を実査した結果、次のものが発見された。

(1) 商品を販売した際に受取った小切手　1,500千円（現金として処理済）

なお、当該小切手は当社の親会社である水道橋株式会社から受取ったものであり、振出日は×14年４月12日である。

(2) 未使用の郵便切手　200千円（通信費として処理済）

2．当社のメインバンクである東京銀行から決算日現在の当座預金の残高証明証を取り寄せたところ、残高証明書には3,000千円と記載されていた。そこで、当社は不一致の原因を調査したところ、次のような事実が判明した。なお、残高試算表の当座預金はすべて東京銀行に対するものである。

(1) 仕入先に振出した小切手で未取付のものが800千円ある。

(2) 決算日に入金したが、銀行の営業時間外であったため翌日扱いとなったものが1,500千円ある。

(3) 水道光熱費として600千円が口座から引落とされていたが未処理となっていた。

(4) 備品の購入の支払いのために振出した小切手1,500千円が未渡しとなっていた。

⇨解答：130ページ

問題１－５　現金及び預金(5)

重要度	B

Ｃ株式会社（事業年度：自×13年７月１日　至×14年６月30日）の期末残高試算表の一部と決算整理事項を参考にして、会計計算規則に準拠した貸借対照表の必要部分を完成させなさい。

残高試算表　（単位：千円）

現金	3,480	支払手形	31,500
当座預金	10,500	買掛金	28,600
定期預金	35,000		

〔決算整理事項〕

１．期末に金庫の中を実査した結果、以下のものが発見された。

(1) 配当金領収証120千円（未処理）

Ａ株式会社から繰越利益剰余金を財源として支払われたものであり、うち源泉徴収税額は18千円である。

(2) 乙銀行当座小切手300千円（下記４．(2)参照）

２．甲銀行と乙銀行の２行に当座預金口座を開設しており、ともに当座借越契約を締結している。

３．甲銀行の当座預金口座について銀行残高証明書の金額と当社の帳簿残高との間に差額があり、その原因を調査したところ、買掛金を支払うために当社が振り出した手形1,800千円の期日落ちが未記帳であることが判明した。

４．乙銀行の当座預金口座について銀行残高証明書の金額は9,100千円であり、当社の帳簿残高との間に差額があり、その原因を調査したところ、以下の事実が判明した。

(1) ×14年６月30日に預け入れた1,200千円が銀行の営業時間外であり、翌日に入金処理が行われた。

(2) 買掛金支払いのために振出した小切手300千円が未渡しであった。

５．定期預金35,000千円の満期日は×15年９月30日である。

⇨解答：130ページ

問題1－6 現金及び預金(6)

重要度	A

水道橋株式会社の第45期（自×22年４月１日　至×23年３月31日）における下記の資料により、会社計算規則に準拠した貸借対照表及び損益計算書の必要な部分を作成しなさい。計算の過程で生じた千円未満の端数は、百円の位で四捨五入するものとする。

決算日の直物為替相場は106円/US ドルである。

〔資料Ⅰ〕

残高試算表の一部　(単位：千円)

現金	4,300	
当座預金	138,886	
普通預金	196,450	

〔資料Ⅱ〕決算整理未済事項その他

1．現金及び預金に関する事項

(1) ×23年４月以降の総勘定元帳の現金勘定の記帳を確認したところ、次の記帳が発見された。次の発見事項は、発生年度の費用として未払金を計上する（消費税等は考慮しない)。

(単位：千円)

伝票日付	相手勘定科目	摘　要	貸　方	残　高
×23年４月４日	旅費交通費	×23年３月20～25日　販売員５名、タイ出張旅費精算(適切に外貨換算済)	960	×××
×23年４月４日	接待交際費	×23年３月25日　上記タイ出張時に代理店接待（適切に外貨換算済)	440	×××

(2) 試算表の当座預金・普通預金勘定の内、決算整理の未済事項は次のとおり。

種　類	帳簿価額	備　考
当座預金	試算表参照	販売先より振出日×23年５月31日の小切手2,000千円を３月中に回収し当座預金勘定で処理している。適切な勘定科目に振り替える。
外貨普通預金	13,340千円	試算表の普通預金残高の中には、左記のUS ドル外貨普通預金が含まれており、×23年３月31日残高は120千 US ドルであった。金利計算は適切に処理されているが、当該外貨普通預金の換算替えは未了である。

⇨解答：131ページ

問題１－７　現金及び預金(7)

重要度	B

水道橋株式会社の（自×４年４月１日　至×５年３月31日）における下記の資料により、会社計算規則に準拠した貸借対照表及び損益計算書の必要な部分を作成しなさい。計算の過程で生じた千円未満の端数は、百円の位で四捨五入するものとする。

〔資料Ⅰ〕

残高試算表の一部　（単位：千円）

当座預金	177,500	買掛金	120,000
定期預金	945,000		
⋮			
為替差損	10,000		

〔資料Ⅱ〕決算整理未済事項その他

1　現金及び預金に関する事項

(1)　当社の預金の帳簿残高は次のとおりである。なお、いずれの定期預金も満期日は当期末より１年以内となっている。

（単位：千円）

	当座預金	定期預金	合　計
ＡＡ銀行	165,500	230,000	395,500
ＢＢ銀行	12,000	200,000	212,000
ＣＣ銀行	―	515,000	515,000
合計	177,500	945,000	1,122,500

①　ＡＡ銀行について

銀行残高証明書の当座預金の金額は165,000千円であったので、差異を調査したところ、当社所有のビルの修繕費を×４年７月１日に支払ったが、未処理であった。なお、当該支出は収益的支出と考えられる。

②　ＢＢ銀行について

当社はＢＢ銀行との間で当座借越契約を締結している。銀行残高証明書の当座預金残高はマイナス9,000千円であった。差異の原因を調査した結果、買掛金21,000千円を支払った際の処理が未処理であった。

③　ＣＣ銀行について

海外からの仕入れに対して決済を行うために、海外の銀行であるＣＣ銀行に口座を保有しているが、全て外貨預金である。ＣＣ銀行の残高証明書で定期預金5,000千ドルと記載されている。

ＣＣ銀行の定期預金（契約日：×４年４月１日、満期日：×６年１月31日）の元金について、×４年６月１日に×６年１月31日を決済予定日とする為替予約を締結した。

次は円／ドルの直物レート及び先物レートの表である。

	直物レート	先物レート
契約日：×４年４月１日	103	104
予約日：×４年６月１日	104	106
決算日：×５年３月31日	105	107

なお、当社では利息の処理については適切に処理しているが、元金に関しては契約日以外の会計処理が未処理であり、為替予約の会計処理は振当処理とすること。為替予約の差額については、利息の調整項目とし、配分方法は月割りの定額法によるものとする。

⇨解答：132ページ

問題１－８ 現金及び預金(8)

重要度	B

ＧＷ株式会社の当期（×26年４月１日から×27年３月31日）に係る次の資料により、会社法及び会社計算規則に準拠した貸借対照表及び損益計算書（ともに一部）を作成しなさい。

〔資料１〕残高試算表の一部

残高試算表 （単位：千円）

現金	500	未払金	5,400
預金	400,300		
未収入金	3,100		
租税公課	710		
通信費	820		

〔資料２〕参考事項

１．現金預金に関する事項

(1) 期末日において、会社の金庫に次のものが保管されていた。

（単位：円）

紙幣及び硬貨	470,000	（注１）
収入印紙	155,000	（注２）
郵便切手	60,000	（注２）
他人振出の当座小切手	30,000	（注１）

自己振出の未渡小切手	68,000	（注３）
合　計	783,000	

（注１）残高試算表の現金に含まれている。

（注２）下記(3)参照

（注３）下記(2)参照

(2) 当座勘定照合表を作成したところ、Ｔ銀行の当座預金について銀行残高証明書の残高と会社帳簿残高に相違があり、その原因を調べ銀行勘定調整表を作成したが、これに係る会計処理が未済である。なお、他の口座には銀行残高証明書との相違はない。

（単位：円）

会社帳簿残高	1,495,000
未取付小切手	29,000
未渡小切手	68,000
振込未記帳	123,000
支払手数料	△50,000
銀行残高証明書残高	1,665,000

① 未取付小切手は、仕入先Ｒ社に対して買掛金の決済のために振出したものである。

② 未渡小切手は、Ｆ社に対する未払金の支払いに当てるため小切手を作成したが、未渡しとなっており、手許に残っていた。

③ 振込未記帳は当社所有の投資建物に係る家賃収入（未収入金としていた）の当座振込みがあったが、当該通知が未達であった。

④ 銀行に対する支払手数料が自動引き落としとなっていたが、未記帳であった。

(3) 郵便切手や収入印紙の取扱い

郵便切手や収入印紙については、購入時に費用処理し期末の手許残高を貯蔵品として計上する方法を採用している。

⇨解答：133ページ

問題１－９　金銭債権(1)

重要度	A

甲株式会社の当期（×６年４月１日～×７年３月31日）に係る次の資料により、会社計算規則に準拠した貸借対照表（流動資産及び固定資産・投資その他の資産のみ）を作成しなさい。なお、表示については特に指示がない限り原則的方法によることとし、注記は貸借対照表等に関する注記の

みを所定の箇所に記載しなさい。また、関係会社に対する金銭債権は独立科目により表示する。

〔資料Ⅰ〕　決算整理前残高試算表

決算整理前残高試算表（一部）

甲株式会社　　×7年3月31日現在　　（単位：千円）

⋮		
受取手形	315,600	
売掛金	551,570	
⋮		
貸付金	52,600	

〔資料Ⅱ〕　決算整理事項等

1．受取手形に関する資料は次のとおりである。

(1) 受取手形のうち68,000千円は、期中にA社（当社はA社の議決権の60%を所有している）に対して金銭を貸付け、その見返りとして受取ったものである。この貸付の返済期日は×8年6月30日である。

(2) 受取手形のうち32,000千円は、期中にB社に機械装置を売却した際に受取ったものの残高である。この手形の額面金額は1枚につき2,000千円であり、毎月末ごとに各1枚ずつ期限が到来していくものである。

2．売掛金のうち、17,000千円は、当期より開始したクレジット販売分である。当該売掛金については、クレジット会社の手数料1%が差し引かれる前の金額で計上されており期末現在未決済である。なお、クレジット会社に対する手数料は販売時に計上することとしている。

3．貸付金のうち50,000千円は当社の取締役に対するものであり、翌々期に期限が到来するものである。なお、残額はすべて翌期中に期限が到来するものである。

4．貸倒引当金を受取手形（クレジット売掛金は含み、上記1(2)の手形を除く）、売掛金及び貸付金の期末残高に対して2%計上する。なお、表示については一括掲記の方法による。

⇨解答：133ページ

問題1－10　金銭債権(2)

重要度	B

丙株式会社の当期（×6年4月1日～×7年3月31日）に係る次の資料により、会社計算規則に準拠した貸借対照表（流動資産及び固定資産・投資その他の資産のみ）及び損益計算書のうち必要部分を作成しなさい。

なお、関係会社に対する金銭債権については、独立科目により表示する。

また、表示については、特に指示がない限り原則的方法によることとし、重要な会計方針に係る事項に関する注記及び損益計算書に関する注記を所定の箇所に記載しなさい。

〔資料Ⅰ〕　決算整理前残高試算表

決算整理前残高試算表（一部）

丙株式会社　×７年３月31日現在　（単位：千円）

現金及び預金	125,270	⋮
受取手形	296,300	
売掛金	412,200	
⋮		
仮払金	150	
未収金	1,700	
⋮		
減価償却費	3,800	
固定資産売却損	500	

〔資料Ⅱ〕　決算整理事項等

1．現金及び預金のうちには、次のものが含まれている。

(1)　Ａ社株式　12,000千円

(2)　Ｂ銀行定期預金　5,000千円（満期日：×９年10月31日）

2．受取手形のうちには、次のものが含まれている。

(1)　期中においてＡ社に車両（売却時の帳簿価額：6,700千円）を売却した際に受取ったもの 4,500千円（期日：×７年６月30日）

なお、売却代金は6,200千円であり、残額1,700千円は×８年４月30日に現金で受取る約定となっている。また、残高試算表上の固定資産売却損及び未収金は当該売却時に計上したものである。

(2)　得意先に対する資金貸付により受取ったもの　20,000千円（手形期日は×７年７月31日）

3．仮払金は、商品の発送に伴う先方負担の運送費の立替払額であり、売掛金とは区別して処理する。

4．貸倒引当金を受取手形（上記２(1)の手形を除く）、売掛金及び貸付金の期末残高に対して２％計上する。なお、貸借対照表上は一括掲記の方法によるものとする。

5．当社はＡ社の議決権の100％を所有している。

⇨解答：134ページ

問題１－11　金銭債権(3)

重要度	B

甲株式会社の当期（×11年４月１日～×12年３月31日）に係る次の資料により、会社計算規則に準拠した貸借対照表及び損益計算書（いずれも必要な部分のみ）を作成しなさい。

〔資料Ⅰ〕　決算整理前残高試算表（一部）

決算整理前残高試算表　　（単位：千円）

受取手形	133,000	：	
電子記録債権	50,000	仮受金	51,500
売掛金	124,000		

〔資料Ⅱ〕　参考事項

1．当社の得意先であるＢ社振出の手形が、手形期日において決済されなかった。当社は、Ｂ社振出の手形を37,000千円手許に有している。

なお、Ｂ社からの回収には長期間を有する見込みである。

2．受取手形のうち20,000千円及び売掛金のうち15,000千円はＣ社に対するものである。同社は債務超過の状態に陥り経営が破綻し、×12年３月10日付で民事再生法の規定に基づく再生手続開始申立てを行った。

なお、同社の再生計画案によった場合には、回収に１年以上を要すると見込まれる。

3．残高試算表の電子記録債権50,000千円をＤ社に譲渡し、譲渡代金48,000千円を受け取ったが、仮受金として処理したのみである。債権金額と譲渡代金の差額は「電子記録債権売却損」として営業外費用に計上すること。

4．前期に貸倒処理した売掛金3,500千円が、当期において回収されたが、仮受金として処理している。

5．貸倒引当金は債権の区分に応じ、以下のとおり計上する。

(1) 一般債権（受取手形、売掛金）は、過去の貸倒実績率に基づき２％を計上する。

(2) 貸倒懸念債権（Ｂ社に対する債権）については、同社から受入れた営業保証金5,000千円を控除した残額に対し70％を計上する。

(3) 破産更生債権等（Ｃ社に対する債権）については、同社の関係会社から得ている債務保証額18,000千円を控除した残額に相当する金額を計上する。

⇨解答：135ページ

問題１－12　金銭債権(4)

重要度	A

乙株式会社の当期（×６年４月１日～×７年３月31日）に係る次の資料により、会社計算規則に準拠した貸借対照表及び損益計算書（いずれも必要な部分のみ）を作成しなさい。なお、注記事項については、すべて省略するものとする。

〔資料Ⅰ〕　決算整理前残高試算表（一部）

決算整理前残高試算表　　（単位：千円）

受取手形	300,000	貸倒引当金	32,000
売掛金	280,000		

〔資料Ⅱ〕　参考事項

１．売掛金のうち40,000千円は、前期において会社更生法の適用を受けた得意先Ｘ社に対するものであるが、×６年９月30日付で公表された更生計画により、債権のうち80％を切捨て、残り20％については、×７年10月１日より毎年１回５年間で均等返済されることとなった。債権の切捨額については、貸倒引当金をもって充当する。

２．貸倒引当金を以下のとおり計上する。なお、貸借対照表上は流動資産及び固定資産の末尾にそれぞれ一括して控除項目として表示すること。

(1)　Ｘ社に対する債権については、債権額の100％を引当計上する。なお、当該引当金の繰入は特別損失に計上する。

(2)　上記以外の債権については、過去の貸倒実績率に基づき期末残高の１％を引当計上する。

⇨解答：135ページ

問題１－13　金銭債権(5)

重要度	C

Ｈ株式会社（事業年度：自×13年７月１日　至×14年６月30日）に係る次の資料により、会社計算規則に準拠した貸借対照表及び損益計算書の必要部分を完成させなさい。なお、貸借対照表等に関する注記についても答案用紙の所定の箇所に記載しなさい。

〔資料Ⅰ〕　期末残高試算表の一部

期末残高試算表の一部　（単位：千円）

売掛金	321,700	貸倒引当金	6,500
貸付金	304,000	：	
仮払金	30,000	受取利息	4,000
保険料	11,640	雑収入	1,440

〔資料Ⅱ〕　決算整理事項

1．売掛金のうち7,200千円は台東株式会社に対するものである。当社は前期において、同社が裁判所に破産の申立てを行ったため、同社に対する売掛金残高18,000千円について、そのうち60％を貸倒れとして償却している。当該償却後の残額につき、当期において開催された債権者集会において、年１回、毎年４月30日支払いの条件で、５年間にわたり均等分割返済されることが確定し、第１回分1,440千円を受取り雑収入に計上している。

2．保険料については、毎年12月１日に１年分を前払いしている。当社は×13年10月28日に火災にあったことにより、当期の支払いから以前の２割増しの保険料を支払っている。

3．貸付金の内訳は以下のとおりである。

(1)　取締役貸付金　　3,000千円
　返済期日は×15年５月31日である。

(2)　阿蘇商事社貸付金　181,000千円
　返済期日は×15年３月31日のものであり、利息については適正に処理済である。

(3)　熊本工業社貸付金　120,000千円
　返済期日は×17年６月30日（利息：年2.5％、利払日：毎年６月末日及び12月末日の年２回）のものである。熊本工業社は新たな資金調達の必要性から、当社に追加融資30,000千円の申入れを行ってきたため、当社は既存の貸付金全額の返済を行うことを条件にその申入れを承諾した。これにつき当期の１月１日に元本及び当期の12月末日までの利息を元本に組込み、従来の貸付金に30,000千円を加えた新たな貸付（返済期日は５年後、利息は６月末日及び12月末日の年２回）を行ったが、当社は新たに追加融資した額を仮払金として処理しているのみである。
　なお、新たな貸付金の当期に係る利息は適正に処理済である。

4．貸倒引当金は、売掛金（台東株式会社に対するものを除く。）、貸付金の期末残高に対して過去の貸倒実績に基づき３％を計上する。なお、損益計算書上、繰入額と戻入額については相殺した上で、相殺後の残額を設定対象債権の割合によって按分し各区分に計上する。また、貸借対照表上は、一括掲記の方法により表示することとし、台東株式会社に対する売掛金について貸倒引当金を設定しないものとする。

⇨解答：136ページ

問題１－14　金銭債権(6)

重要度	A

Ｙ株式会社（事業年度：自×７年４月１日　至×８年３月31日）に係る次の資料に基づき、会社計算規則に準拠した貸借対照表及び損益計算書の一部を作成しなさい。なお、計算過程において生じた千円未満の端数は、百円の位で四捨五入すること。

〔資料Ｉ〕　残高試算表の一部

残高試算表の一部　(単位：千円)

現金預金	415,833	支払手形	128,608
受取手形	143,260	買掛金	430,163
売掛金	485,160	長期預り保証金	15,000
⋮		貸倒引当金	7,315
		⋮	

〔資料Ⅱ〕　参考事項

１．現金預金に関する事項

(1)　期末に売掛金の回収として得意先から受取った当座小切手3,670千円が、会社の金庫に保管されたままであり、未記帳であった。

(2)　Ａ銀行の当座預金残高18,613千円に対し、帳簿残高は763千円であった。差額の内容は広告費の支払代金の未取付け3,150千円、売掛金の回収の未記帳14,700千円であった。

(3)　Ｂ銀行の当座預金残高△8,307千円に対し、帳簿残高は16,893千円であった。差額の内容は、買掛金の支払いに振出した手形の期日落ちの未記帳25,200千円であった。

(4)　Ａ銀行及びＢ銀行ともに当座借越契約を締結している。

２．受取手形及び売掛金に関する事項

(1)　当期から新たに取引を開始したＧ社は、×８年３月16日に民事再生法の申請をした。期末現在の同社に対する受取手形残高は7,140千円、売掛金残高は2,310千円であり、債権の回収には長期間を要する見込みである。なお、取引開始時に担保として営業保証金2,000千円を受入れている。

債権・債務は相殺せず、総額で表示することとする。

(2)　代理店Ｈ社に対する期末残高は、Ｎ社振出の手形をＨ社が裏書した受取手形1,470千円と売掛金23,100千円である。Ｈ社は×８年に入り深刻な経営難に陥り、その後再建の見通しが立っておらず、実質的な経営破綻の状況である。前期の当社決算においては、同社を「財務内容に問題があり、債務の一部について条件どおりに弁済できない可能性が高い」とし、担保として営業保証金3,000千円を受入れるとともに、売掛金残高6,300千円に対して下記３．の会計方針に従った貸倒引当金を計上した。Ｈ社に対する債権の回収には長期間を要する見込みである。なお、

N社に対する手形債権は一般債権に分類するものとする。

3．貸倒引当金に関する事項

受取手形及び売掛金の期末残高に対して貸倒引当金を設定するが、一般債権、貸倒懸念債権、破産更生債権等に区分して算定する。一般債権に対しては、過去の貸倒実績率に基づき受取手形及び売掛金の期末残高の１％を引当計上する。貸倒懸念債権に対しては、債権総額から担保処分見込額を控除した残額の50％を引当計上する。また、破産更生債権等に対しては、債権総額から担保処分見込額を控除した残額を引当計上する。貸倒懸念債権から破産更生債権等に債権区分を変更した場合は、引当不足額について追加引当繰入するものとする。

貸倒引当金の貸借対照表表示は、流動資産の部及び固定資産の部の末尾にそれぞれ一括して控除科目とする。損益計算書上は繰入額と戻入額とを相殺した差額で表示するが、破産更生債権等に係るものについては、特別損失に計上する。

残高試算表の貸倒引当金残高はH社に対するものを除き、すべて一般債権に対する前期末残高である。

⇨解答：137ページ

問題１－15　金銭債権(7)

重要度	B

M株式会社（事業年度：自×13年７月１日　至×14年６月30日）に係る次の資料により会社計算規則に準拠した貸借対照表及び損益計算書の必要部分を完成させなさい。

なお、外貨建取引は、「外貨建取引等会計処理基準」に基づいて処理を行うこととする。

また、関係会社に対する債権は独立科目表示することとする。

〔資料Ⅰ〕期末残高試算表の一部

期末残高試算表の一部　（単位：千円）

受取手形	708,000	貸倒引当金	15,317
売掛金	756,500	預り金	30,000
未収金	1,320	仮受金	42,140
貸付金	404,200	受取利息	11,500
⋮		その他営業外収益	25,000

〔資料Ⅱ〕決算整理事項

1．受取手形及び売掛金に関する資料

(1) 受取手形のうち21,000千円及び売掛金のうち40,000千円は、当期において会社更生法の適用申請を行った札幌社に対するものであり、当該債権の回収には長期間を要するものと見込まれる。当社は札幌社から営業保証金（長期性）30,000千円を受入れており、預り金として処理している。なお、債権・債務は総額で表示することとする。

(2) 売掛金のうち306,000千円は宮城社（当社が議決権の65％を保有）に対するものである。

(3) 仮受金42,140千円は、×14年４月１日に手形（上記(1)以外のもの）を割引いた際の手取額を計上したものである。当該手形の決済日は×14年９月30日であり、割引時に年利４％の割引料が差引かれている。また、割引いた手形の額面金額に対して10％の保証債務を計上することとする。なお、保証債務費用は手形売却損に含めて表示することとする。

2．貸付金に関する資料

(1) 当社の取締役である野上氏に対する長期性のもの　23,000千円

(2) 中田株式会社に対するもの　33,000千円

当該貸付金は、×13年４月１日に約定利子率年４％（利払日は毎年３月31日及び９月30日の後払い）、返済期日を×16年３月31日として貸付けたものであるが、×13年９月30日及び×14年３月31日の利払いが当社の督促にもかかわらず、期末現在になっても行われていない（なお、利息の未収額は未収金として計上している）。よって、当社は利息の未収額のうち前期に係る分については貸倒損失として処理し、当期に係る分については、未収金と受取利息の計上を取消すこととした。また、期末の利息の見越計上の処理は行わないものとする。

(3) 竹田商事株式会社に対するもの　200,000千円

当該貸付金は、×11年７月１日に約定利子率年５％（利払日は毎年６月30日の後払い）、返済期日を×17年６月30日としていたものであるが、当期に入り返済条件の緩和の申出があり、当社は、約定利子率を翌期より年２％に引下げることに合意した。なお、当期末までの利息については、適正に処理している。

(4) 米国企業ベドフォード社に対して×13年10月１日に貸付けた×15年４月30日一括返済のもの148,200千円（1,140千ドル、貸付時の直物為替相場は１ドル＝121円）

当該貸付金については、貸付けと同時に為替予約が付されており、予約レート１ドル当たり130円で換算し、これに係る直物為替相場との為替換算差額がその他営業外収益に含まれている。なお、為替換算差額の処理は、振当処理による。

3．貸倒引当金については、債権の種類ごとに以下のように設定する。

(1) 一般債権

受取手形（札幌社に対するものを除く）、売掛金（札幌社に対するものを除く）及び貸付金（中田株式会社及び竹田商事株式会社に対するものを除く）の期末残高に対して貸倒実績率法により、過去の実績率に基づき２％を計上する。貸倒引当金の繰入額は、戻入額と相殺後の純額を設定対象債権の割合に応じて営業費用（販売費及び一般管理費）又は営業外費用に表示することとする。なお、残高試算表上の貸倒引当金は前期末において一般債権に対して設定したものの残額である。

(2) 貸倒懸念債権

① 中田株式会社に対する貸付金

財務内容評価法（債権額から担保の処分見込額及び保証による回収見込額を減額し、その残額について債務者の財政状態及び経営成績を考慮して貸倒見積高を算定する方法）により行う。当社は中田株式会社所有の土地（貸付当初の評価額41,000千円）を担保として当該貸付金を貸し付けている。

なお、当社は当該貸付金から担保不動産の処分見込額を控除した残額の50％相当額の貸倒引当金を計上することとした。

また、担保である土地の処分見込額は、貸付当初の評価額の70％まで下落している。

② 竹田商事株式会社に対する貸付金

キャッシュ・フロー見積法（債権の元本及び利息について元本の回収及び利息の受取りが見込まれるときから当期末までの期間にわたり当初の約定利子率で割引いた金額の総額と債権の帳簿価額との差額を貸倒見積高とする方法）により行う。

＜参考＞現価係数表

	４年	３年	２年	１年
５％	0.82	0.86	0.90	0.95
２％	0.92	0.94	0.96	0.98

(3) 破産更生債権等

札幌社に対する債権については、財務内容評価法により、同社から受入れた営業保証金を控除した残額の全額を計上する。

⇨解答：138ページ

問題１－16 金銭債権(8)

重要度	B

次の〔資料〕に基づき、エックスエヌ精密株式会社（自×30年４月１日　至×31年３月31日）の会社計算規則に準拠した貸借対照表及び損益計算書の必要な部分を作成しなさい。計算の過程で生じた千円未満の端数は、百円の位で四捨五入するものとする。

〔資料１〕×31年３月31日現在のエックスエヌ精密株式会社の決算整理前残高試算表（一部）

（単位：千円）

受取手形	263,000	貸倒引当金（短期）	24,158
売掛金	2,040,600	貸倒引当金（長期）	300
長期貸付金	30,000	仮受金	738
貸倒損失	8,700		

〔資料２〕決算整理の未済事項及び参考事項

１．売上債権等に関する事項

(1) 前期から取引を開始したＩ社に対する売掛金8,700千円は、Ｉ社の急速な業績悪化に伴い、当期に入り、債権の回収は困難であると判断したため、債権の全額を貸倒損失（販売費及び一般管理費）として処理している。なお、前期においてＩ社に対する債権は一般債権に分類していた。

(2) 得意先Ｈ社に対する債権（受取手形17,000千円及び売掛金7,600千円）は、前期において貸倒懸念債権に区分し、取引を停止していたが、同社は×30年10月に民事再生法の適用を申請し、×31年１月に再生計画が決定された。債権85％が切り捨てられ、残り15％については当期から５年間で均等返済されることとなったが、再生計画決定に伴う会計処理が未了である。破産更生債権等に対する貸倒損失は特別損失に計上する。また、再生計画に基づく当期分の返済738千円は入金済みであり、仮受金に計上されている。

なお、再生計画が決定されたとはいえ、Ｈ社の再建は不透明であり、債権は破産更生債権等に属するものとし、今後の分割返済額については、決算期以後１年以内に返済期限が到来するものについても、その全額を投資その他の資産に計上するものとする。

(3) 長期貸付金は取引先Ｖ社に対するものであり、当初の契約内容は〔表１〕に示すとおりである。Ｖ社はかねてより業績不振であり、当社はＶ社より支払条件の緩和を求められていたため、×31年３月末に、返済期日は変更せずに×31年４月１日より金利を年１％とする旨の契約に変更した。なお、×31年３月末には当初の契約どおりの利息の支払があり、適正に処理されている。

当該Ｖ社に対する長期貸付金は貸倒懸念債権として扱い、変更後の契約内容による将来キャッシュ・フローを当初の契約による約定利子率で割り引いた金額の総額と当該債権の帳簿価額との差額を貸倒見積高とする方法に基づいて貸倒引当金を設定することとする。なお、計算上生じた千円未満の端数は、各期の将来キャッシュ・フローに基づく現在価値の総和を求めた時点で百円の位で四捨五入するものとする。

〔表１〕　当初の契約内容

貸付金額	貸付日	期間	金利	利払日	返済期日
30,000千円	×28年４月１日	５年	年3.0％	年１回 ３月31日	×33年３月31日 （一括返済）

〔表2〕　残存期間におけるキャッシュ・フローの比較表

	×32年3月31日	×33年3月31日	合　　計
当初の契約内容	900千円	30,900千円	31,800千円
変更後の契約内容	300千円	30,300千円	30,600千円

2．貸倒引当金に関する事項

(1) 当社は金銭債権(受取手形、売掛金及び長期貸付金に限る。)を一般債権、貸倒懸念債権及び破産更生債権等に区分し、次の事項に基づいて貸倒引当金を設定する。

① 一般債権に対しては、過去の貸倒実績率により、回収不能見込額を計上する。当社における債権の平均回収期間は1カ月であることから、当期に適用する貸倒実績率は、期末債権残高に対する、翌期1年間の貸倒損失（一般債権に係る貸倒れに限る。）の発生割合とし、過去3期間ごとに算定した貸倒実績率を平均する。このとき、過去の期間における貸倒実績率及び当期の貸倒実績率は、それぞれの算定にあたってパーセント表示で、小数第一位未満を四捨五入する。

	×28年3月期	×29年3月期	×30年3月期
受　取　手　形	260,044千円	245,984千円	260,300千円
売　　掛　　金	1,829,442千円	1,981,500千円	1,998,570千円
貸倒損失(注)	13,398千円	14,500千円	16,034千円

(注) 貸倒損失は、期首の債権残高に対して生じたものである。

② 貸倒懸念債権(V社に対する長期貸付金)に対しては、キャッシュ・フロー見積法に基づき、金銭債権の帳簿価額と将来キャッシュ・フローの現在価値との差額を貸倒引当金として設定する。

③ 破産更生債権等に対しては、財務内容評価法に基づき、金銭債権の全額を貸倒引当金として設定する。

(2) 繰入れは営業債権と営業外の取引に基づく債権のそれぞれに対して差額補充法によるものとする。また、破産更生債権等に対する貸倒引当金繰入額は差額補充法により特別損失に計上する。

(3) 残高試算表に記載されている貸倒引当金（短期）の金額は、営業債権に対する前期末残高（一般債権に係る額11,858千円、H社に係る額12,300千円)、貸倒引当金（固定）の金額は、長期貸付金に対する前期末残高300千円である。

(4) 貸倒引当金の貸借対照表上の表示は、各資産の区分(流動資産・固定資産)の末尾にそれぞれ一括して控除科目として表示する。

⇨**解答：140ページ**

問題１－17　金銭債権(9)

重要度	B

株式会社丁化学工業の第45期（自×25年４月１日　至×26年３月31日）に係る次の資料に基づき、会社計算規則に準拠した貸借対照表及び損益計算書の一部を作成しなさい。

〔資料１〕残高試算表（一部）

残高試算表　（単位：千円）

受取手形	163,500	貸倒引当金	4,350
売掛金	125,250	営業保証金	8,500
長期貸付金	60,000		

〔資料２〕採用している会計方針等の一部

貸倒引当金の計上は、次のとおりである。

(1) 金銭債権（受取手形、売掛金及び貸付金に限る。）を一般債権、貸倒懸念債権及び破産更生債権等に区分し、かつ、繰入れは営業債権と営業外の取引に基づく債権それぞれに対して差額補充法によっている。また、破産更生債権等に関するものは、特別損失に計上する。

(2) 一般債権に対しては、過去の貸倒実績率に基づき受取手形、売掛金及び貸付金の期末残高の１％を貸倒引当金として計上する。

(3) 貸倒懸念債権に対しては、債権総額から営業保証金を控除した後の残高の50％を貸倒引当金として計上する。

(4) 破産更生債権等に対しては、債権総額から営業保証金を控除した後の残額を貸倒引当金として計上する。

〔資料３〕決算整理の未済事項及び参考事項

1.　貸倒引当金に関する事項

次の帳票は、売掛金管理表の一部である。当社における売掛金の回収条件は、原則として当月に計上した売掛金を翌月に回収することになっている。なお、「営業保証金」欄は、各得意先から当社が預かっている営業保証金の金額である。

当社では、売掛金の回収が原則的な回収条件よりも遅れた場合、回収に遅れが生じた月を含めて４カ月を経過しても、遅延状態が完全に解消されない得意先については、債務の弁済に重大な問題が生じていると判断し、その得意先に対するすべての金銭債権を貸倒懸念債権に分類している。また、経営破綻に陥っているかいないかについては、得意先ごとに個別に検討している。

当期において売掛金の回収に遅れが生じたのは、次の３社のみであった。なお、当期末の甲社、乙社、丙社に対する受取手形は、それぞれ1,000千円、800千円、1,500千円である。

〔A営業所〕売掛金管理表　　第45期／下半期　　(単位：千円)

得意先	摘要	×25年			×26年			営業保証金
		10月	11月	12月	1月	2月	3月	
甲社	計上	3,280	2,850	950	800	2,150	2,500	800
	回収	3,580	3,280	1,100	500	3,000	2,150	
	残高	3,280	2,850	2,700	3,000	2,150	2,500	
乙社	計上	5,260	1,500	—	—	—	—	550
	回収	4,280	1,150	820	340	210	190	
	残高	5,260	5,610	4,790	4,450	4,240	4,050	
丙社	計上	—	—	—	—	—	—	700
	回収	—	—	—	—	—	—	
	残高	3,200	3,200	3,200	3,200	3,200	3,200	

(1) 得意先丙社に対する金銭債権については、前期に貸倒懸念債権に分類しており、貸倒引当金が2,000千円計上されている。丙社では、×25年10月に民事再生法の適用を申請し、×26年３月に再生計画が決定された。丙社に対する金銭債権は破産更生債権等に分類し、その全額を投資その他の資産に計上するものとする。

(2) 残高試算表の貸倒引当金は、前期末残高であり、受取手形及び売掛金に対して3,950千円（上記(1)の2,000千円を含む。）、貸付金に対して400千円であった。なお、破産更生債権等に対するものはなかった。

(3) 貸倒引当金の貸借対照表表示は、各区分の末尾に一括して控除する形式で表示する。

⇨解答：141ページ

問題１－18　有価証券(1)

重要度　A

甲株式会社の当期（×５年４月１日～×６年３月31日）に係る次の資料により、会社計算規則に準拠した貸借対照表及び損益計算書の必要な部分を完成させなさい。

〔資料Ⅰ〕　決算整理前残高試算表（一部）

決算整理前残高試算表　　(単位：千円)

⋮			⋮
有価証券	390,000		
⋮			

〔資料Ⅱ〕　参考事項

有価証券の内訳は次のとおりである。

銘　柄	保有目的	金　額	備　考
A 社 株 式	売 買 目 的	30,000千円	（注１）
B 社 株 式	支配力行使	202,500千円	（注２）
C 社 株 式	影響力行使	36,000千円	（注３）
D 社 社 債	満 期 保 有	54,000千円	（注４）
E 社 社 債	そ の 他	22,500千円	（注５）
F 社 株 式	売 買 目 的	45,000千円	—

（注１）当該株式を×６年３月10日に45,000千円で売却し、対価として手形（満期：×６年５月31日）を受取っているが、会計処理が未済となっている。

（注２）当社は同社の議決権の100％を保有している。

（注３）当社は同社の議決権の25％を保有している。

（注４）償還期日は×８年３月31日である。

（注５）償還期日は×７年１月31日である。

⇨解答：142ページ

問題１－19　有価証券(2)

重要度　A

水道橋株式会社の当期（×８年４月１日～×９年３月31日）に係る次の資料により、会社計算規則に準拠した貸借対照表の必要な部分を完成させるとともに、貸借対照表等に関する注記を答案用紙の所定の箇所に記入しなさい。

〔資料Ⅰ〕　決算整理前残高試算表（一部）

決算整理前残高試算表　（単位：千円）

⋮		⋮
有　価　証　券	399,000	
⋮		

〔資料Ⅱ〕　参考事項

有価証券の内訳は、次のとおりである。

銘　　柄	議決権保有割合	金　　額	備　　考
八重洲社株式	0.5%	23,000千円	—
渋谷社社債	—	30,000千円	(注２)
新宿社株式	60%	115,000千円	(注３)
池袋社株式	20%	86,000千円	—
大宮社株式	12%	45,000千円	(注４)
横浜社株式	15%	58,000千円	—
町田社株式	９%	42,000千円	(注５)

(注１) 八重洲社株式は、売買目的有価証券に該当し、渋谷社社債は満期保有目的の債券に該当する。それ以外については、子会社株式及び関連会社株式に該当するものを除き、すべてその他有価証券として長期間保有するものである。

(注２) 償還期日は×９年５月31日である。

(注３) 新宿社株式のすべてを長期借入金120,000千円の担保に供している。

(注４) 新宿社が４%の議決権を保有しており、大宮社とは重要な営業上の取引を行っている。

(注５) 当社と緊密な者（当社の役員）が12%の議決権を保有している。

⇨解答：142ページ

問題１－20　有価証券(3)

重要度　A

乙株式会社の当期（×４年４月１日～×５年３月31日）に係る次の資料により、会社計算規則に準拠した貸借対照表及び損益計算書の必要な部分の表示を完成させるとともに、重要な会計方針に係る事項に関する注記を答案用紙の所定の箇所に記入しなさい。

〔資料Ⅰ〕　決算整理前残高試算表（一部）

決算整理前残高試算表　　（単位：千円）

⋮		⋮	
有価証券	113,000	有価証券利息	1,500
⋮		⋮	

〔資料Ⅱ〕　参考事項

有価証券の内訳は次のとおりである。

なお、保有社債に係る取得差額（債券金額と取得価額の差額をいう）は、金利調整と認められるため償却原価法（定額法）を適用する。

銘　　柄	帳簿価額	保有目的	議決権保有比率	市場価格	備　考
綱島社株式	69,000千円	支配目的	80%	—	—
蒲田社株式	18,500千円	売買目的	0.2%	17,100千円	(注１)
大森社株式	7,500千円	売買目的	0.1%	8,200千円	(注１)
下丸子社社債	5,200千円	そ の 他	—	5,460千円	(注２)
久が原社社債	12,800千円	満期保有	—	12,500千円	(注３)

(注１) 評価損益は純額で表示するものとする。

(注２) 市場の動向によって売却又は満期まで保有される社債であり、債券金額は5,500千円である。また、この社債の取得日は×４年10月１日であり、償還日は×７年９月30日である。

(注３) 債券金額は16,000千円である。

なお、この社債の取得日は×４年４月１日であり、償還日は×９年３月31日である。

(注４) 有価証券の評価基準及び評価方法は次のとおりである。

(1) 売買目的有価証券・・・・・・・・・・・・・・・・時価法（売却原価の算定は総平均法）

(2) 満期保有目的の債券・・・・・・・・・・・・・・償却原価法（定額法）

(3) 子会社株式・・・・・・・・・・・・・・・・・・・・・総平均法に基づく原価法

(4) 市場価格のあるその他有価証券・・・・時価法（償却原価法（定額法）を適用した上で、評価差額の処理は税効果会計を適用し全部純資産直入法、売却原価の算定は総平均法）

(注５) 税効果会計に係る法定実効税率は、40%として計算すること。

⇨解答：143ページ

問題１－21　有価証券(4)　重要度 A

A株式会社の当期（×６年４月１日～×７年３月31日）に係る次の資料により、会社計算規則に準拠した貸借対照表及び損益計算書の必要な部分を完成させなさい。

〔資料Ｉ〕　決算整理前残高試算表（一部）

決算整理前残高試算表　（単位：千円）

⋮		⋮	
有　価　証　券	122,000	有価証券利息	200
⋮		⋮	

〔資料Ⅱ〕　決算整理その他

保有有価証券の期末における状況は以下のとおりである。なお、当社は有価証券の評価につき「金融商品に関する会計基準」（その他有価証券に係る評価差額の処理は税効果会計を適用した上で全部純資産直入法による）に基づいている。

銘　柄	帳簿価額	保有目的	議決権保有比率	市場価格	備　考
甲社株式	4,800千円	そ の 他	1％	7,000千円	—
丙社株式	17,200千円	売買目的	0.1％	22,000千円	—
丁社株式	40,000千円	支配目的	55％	47,600千円	—
D社株式	20,000千円	そ の 他	7％	15,000千円	—
E社社債	10,000千円	そ の 他	—	11,200千円	（注1）
F社株式	30,000千円	そ の 他	10％	—	（注2）

（注1）当該社債は×2年8月1日に発行と同時に取得したもの（額面金額：12,000千円、償還期間：7年、利率：年5％、利払日：7月末日の年1回）であり、取得価額と額面金額との差額は金利の調整と認められるため、当初から償却原価法（定額法）を適用している。

（注2）F社は業績が著しく悪化し、純資産額は140,000千円となっているため減損処理を行う。この処理は税務上も認められており、一時差異には該当しない。

（注3）税効果会計に係る法定実効税率は40％として計算すること。

⇨解答：144ページ

問題1－22 有価証券(5)

重要度 A

Y株式会社の当期（×6年4月1日～×7年3月31日）に係る次の資料により、会社計算規則に準拠した貸借対照表及び損益計算書の必要な部分を完成させなさい。

〔資料Ⅰ〕　決算整理前残高試算表（一部）

決算整理前残高試算表　（単位：千円）

⋮		⋮	
有価証券	30,900	有価証券売却益	400
⋮		⋮	
仮払金	2,000		
⋮			

〔資料Ⅱ〕　決算整理その他

1．有価証券の内訳は下記のとおりである。なお、有価証券の評価基準及び評価方法は、「金融商品に関する会計基準」による。

銘　柄	保有目的	議決権保有比率	簿　価	時　価	備　考
A社株式	売買目的	0.1%	1,200千円	1,150千円	—
B社株式	売買目的	0.1%	1,800千円	1,700千円	—
C社株式	その他	8%	3,400千円	3,200千円	(注1)
D社社債	その他	—	9,000千円	9,000千円	(注2)
E社株式	影響力行使	30%	5,500千円	—	(注3)
F社株式	影響力行使	30%	7,500千円	—	—
G社社債	満期保有	—	2,500千円	—	(注4)

（注1）評価差額は、全部純資産直入法（税効果会計に係る法定実効税率は40%とする）により処理する。

（注2）×5年9月1日に額面金額で取得したもので、償還日は×10年8月31日である。

（注3）業績が著しく悪化し、純資産額は9,000千円となっているため減損処理を行う。この処理は税務上も認められており、一時差異には該当しない。

（注4）×6年10月1日に取得したもので、額面金額は3,000千円、償還日は×11年9月30日である。なお、当該社債については、償却原価法（定額法）により評価する。

2．F社が増資を行うこととなり、当社はこれを引受け、代金を払込むとともに、新株式申込証拠金領収証を受取っているが、当社は払込金額につき仮払金として処理しているのみである。

なお、当該増資を引受けることで、F社に対する当社の議決権保有比率は、40%となる。

3．有価証券売却益は、期中においてB社株式1,000千円を700千円（売却損益は営業外損益項目として処理する。）で、D社社債2,500千円を3,200千円（売却損益は特別損益項目として処理する。）で売却した際に生じた売却価額と簿価との差額を相殺したものである。

⇨解答：145ページ

問題1－23　有価証券(6)

重要度	A

B株式会社の当期（×13年7月1日～×14年6月30日）に係る次の資料により、会社計算規則に準拠した貸借対照表及び損益計算書の必要な部分を完成させなさい。なお、当社は有価証券の評価につき金融商品に関する会計基準に準拠している。また、計算過程において生じた千円未満の端数は、百円の位で四捨五入することとする。

〔資料Ⅰ〕　決算整理前残高試算表（一部）

決算整理前残高試算表　(単位：千円)

借方		貸方	
⋮		⋮	
有価証券	237,956	有価証券利息	280
⋮		⋮	

〔資料Ⅱ〕　参考事項

有価証券に関する資料は以下のとおりである。

なお、その他有価証券の評価差額は税効果会計を適用の上、全部純資産直入法により処理する。また法定実効税率は40％である。減損処理を適用する場合、その処理は税務上も認められるものとし、一時差異に該当しないものとする。

銘　柄	帳簿価額	時　価	保有目的	備　考
横浜株式会社株式	17,476千円	16,190千円	売買目的	—
蒲田株式会社株式	12,900千円	13,250千円	売買目的	(注１)
大森株式会社株式	6,100千円	5,075千円	その他	—
鶴見株式会社株式	12,600千円	—	その他	(注２)
菊名株式会社株式	162,000千円	161,000千円	支配目的	(注３)
南与野株式会社社債	26,880千円	27,284千円	満期保有	(注４)

(注１) 平塚社へ売却価額13,200千円ですべて売却する契約（契約締結日（約定日）×14年６月29日、引渡日×14年７月１日）を締結しているが未処理である。なお、有価証券の売買の認識については約定日基準により処理する。

(注２) 鶴見株式会社の×14年６月30日の貸借対照表（略式）は以下のとおりである。当社は株式の実質価額が帳簿価額の60％以下になった場合には、著しい下落と判断している。なお、当社は同社の議決権（鶴見株式会社は議決権の付与された普通株式のみを発行している）の３％を保有している。

貸借対照表（略式）

×14年６月30日　(単位：千円)

諸資産	5,920,000	諸負債	5,700,000
欠損金	450,000	資本金	670,000
	6,370,000		6,370,000

(注３) 当社は菊名株式会社の議決権の58％を所有している。

(注４) 南与野株式会社社債は×14年１月１日に発行と同時に取得した。債券金額は28,000千円、満期日は×18年12月31日である。また、実効利子率は年2.86％、クーポン利子率は年2.0％、

利払日は毎年6月末と12月末の年2回である（利息は6月末に全て入金されており、適正に処理されている。)。

取得価額と債券金額（額面）との差額は、すべて金利の調整部分（金利調整差額）であり、償却原価の計算は、利息法により行っている。

なお、定額法との差額に係る税効果会計は考慮しないものとする。

⇨解答：146ページ

問題1－24 有価証券(7)

重要度	A

X株式会社の当期（×6年7月1日～×7年6月30日）に係る次の資料により、会社計算規則に準拠した貸借対照表及び損益計算書の必要な部分を完成させなさい。

〔資料Ⅰ〕 決算整理前残高試算表（一部）

決算整理前残高試算表 （単位：千円）

⋮		⋮	
有価証券	1,060,000	仮受金	16,000
⋮		⋮	

〔資料Ⅱ〕 決算整理その他

有価証券は金融商品に関する会計基準に基づいて評価する。なお、その他有価証券の評価差額の処理は税効果会計を適用の上、全部純資産直入法による。

銘柄	保有目的	議決権保有比率	帳簿価額	期末時価	備考
京都社株式	売買目的	0.2%	94,000千円	92,800千円	—
山口社株式	その他	2.0%	162,000千円	169,300千円	—
青森社株式	支配目的	52.0%	270,000千円	268,000千円	—
広島社社債	満期保有	—	244,000千円	245,000千円	(注1)
兵庫社株式	その他	10.0%	125,000千円	—	(注2)
千葉社株式	その他	1.5%	165,000千円	179,000千円	(注3)

(注1) 当期首に額面金額250,000千円のものを取得した際に計上したものである。償還期日は×11年6月30日、利払日は6月30日の年1回、利率は年6.4%であるが、当期分の利息入金額を仮受金として処理したのみである（源泉税は考慮外とする)。

また、額面金額と取得価額との差額は金利の調整と認められるため、償却原価法（定額法）を適用する。

(注2) 兵庫社は財政状態が著しく悪化しており、純資産額が550,000千円となっているため、減損処理を行う。

（注３）期末日の前日に全株式を184,000千円で売却する約定を結んだが、受渡日が×７年７月１日のため何ら処理を行っていない。

なお、当社は有価証券の売買の認識について、約定日基準を採用している。また、当該株式の売却損益は特別損益項目として処理する。

（注４）税効果会計に係る法定実効税率は40%として計算すること。

⇨解答：147ページ

問題１－25 有価証券(8)

重要度 A

Q株式会社の当期（×13年４月１日～×14年３月31日）に係る次の資料により、会社計算規則に準拠した貸借対照表及び損益計算書の必要な部分を完成させなさい。また、重要な会計方針に係る事項に関する注記を所定の箇所に記載しなさい。

〔資料Ⅰ〕決算整理前残高試算表（一部）

決算整理前残高試算表　（単位：千円）

⋮		⋮	
有価証券	618,380	受取利息配当金	46,830
⋮		⋮	

〔資料Ⅱ〕参考事項

１．有価証券

有価証券の期末評価に必要な事項は次のとおりである。なお、当社は「金融商品に関する会計基準」に基づき処理（①売買目的有価証券の評価差額は切り放し方式により処理し、売却原価は移動平均法により算定している。②市場価格のあるその他有価証券の評価差額は全部純資産直入法により処理し、売却原価は移動平均法により算定している）を行っている。また、減損処理を適用する場合、その処理は税務上も認められるものとし、一時差異に該当しないものとする。

(1) 遠藤社株式　期末帳簿価額　252,000千円

（注）支配力の行使を目的として保有する株式であり、当社の遠藤社に対する議決権の保有割合は55%である。移動平均法による原価法により評価する。

(2) 富岡社株式　期末帳簿価額　18,000千円

（注）短期的な時価の変動により利益を得ることを目的として保有する株式であり、期末時価は18,600千円である。

(3) 村上社株式　　　　　　　　　　　　期末帳簿価額　90,000千円

(注) 業務上の関係を維持するために保有する株式であり、期末時価は94,000千円である。なお、税務上、当該株式は取得原価で評価するため、会計上と税務上の簿価に差異が生じることから、税効果会計を適用し調整（法定実効税率は40%とする）を行う。

(4) 毛利社株式　　　　　　　　　　　　期末帳簿価額　60,000千円

(注) 長期的な時価の変動により利益を得ることを目的として保有する株式であり、期末時価は22,000千円に著しく下落（回復の見込はない）している。

(5) 谷川社社債　　　　　　　　　　　　期末帳簿価額　122,380千円

(注) 満期まで保有することを目的とする社債である。×13年４月１日に取得（債券金額130,000千円、クーポン利子率４％、利払日３月末日、償還日×16年３月31日）したものであり、取得価額と債券金額との差額は金利の調整と認められるため、償却原価法（定額法）を適用する。なお、受取利息配当金のうちには、当該社債につき受取ったクーポン利息が含まれており、期中における社債の保有はこれ以外にない。

(6) 株式投資信託の受益証券　　　　　　期末帳簿価額　46,000千円

(注) 短期的な時価の変動により利益を得ることを目的として保有する受益証券であり、期末時価は48,000千円である。

(7) 公社債投資信託の受益証券　　　　　期末帳簿価額　30,000千円

(注) 短期の資金運用目的のものであり、預金と同様の性格をもつものである。

⇨解答：147ページ

問題１－26　有価証券(9)

重要度　B

甲株式会社の第45期（自×20年４月１日　至×21年３月31日）における下記の資料により、会社計算規則に準拠した貸借対照表及び損益計算書の必要な部分を作成しなさい。計算の過程で生じた千円未満の端数は、百円の位で四捨五入するものとする。また、税効果会計に係る法定実効税率は38%として計算すること。

〔資料Ⅰ〕

残高試算表の一部　　　　(単位：千円)

投資有価証券	14,744	仮受金	600

〔資料Ⅱ〕決算整理未済事項その他

(1) 残高試算表の投資有価証券の内訳は、次のとおりである。

（単位：千円）

銘　柄	取得原価	前期末時価	当期末時価	備　考
B社株式	3,000	——	——	非上場株式。下記(5)①参照。
E社株式	4,000	——	——	非上場株式。下記(5)②参照。
F社株式	3,744	3,800	——	上場株式。下記(5)③参照。
H社株式	4,000	4,100	3,800	上場株式。

(2) 当社は売買目的有価証券を保有しておらず、子会社株式及び関連会社株式以外の株式は、その他有価証券に該当する。

(3) その他有価証券の評価は、時価のあるものは時価法（評価差額は全部純資産直入法で処理し、税効果会計を適用する。）、時価のないものは移動平均法による原価法によっている。時価のない株式については発行会社の１株当たりの純資産額に株式数を乗じた金額が取得原価の50%以上下落した場合には減損処理することとしている（税務上も認められるものとする。）。なお、その他有価証券の評価差額に関する一時差異については、銘柄ごとに評価差損に関する繰延税金資産は回収不能とし、また、評価差益に関する繰延税金負債は計上することとする。

(4) 前期決算におけるその他有価証券に係る時価評価の仕訳（税効果会計に関する仕訳を含む。）は期首に振戻しを行っている。

(5) 上記の投資有価証券の備考の内容は次のとおりである。

① B社は×20年11月に設立しており、当社はB社に対する議決権のすべてを所有している。

② E社の発行済株式総数は500株である。当社はE社に対する議決権の10%を所有しており、当社の役員（緊密な者）がE社に対する議決権の10%を所有している。また、当該役員はE社の取締役に就任している。なお、当期末におけるE社の１株当たり純資産額は35,000円である。

③ 当期末にそのすべてを4,100千円で売却しているが、受け取った600千円を仮受金処理しているのみである。なお、残金は翌期中に回収予定である。

⇨解答：148ページ

問題１－27　有価証券(10)

重要度	C

水道橋株式会社の（自×３年４月１日　至×４年３月31日）における下記の資料により、会社計算規則に準拠した貸借対照表及び損益計算書の必要な部分を作成しなさい。

〔資料Ⅰ〕

残高試算表の一部　（単位：千円）

投資有価証券	100,800	仮受金	400
仮払金	168,096		

〔資料Ⅱ〕決算整理未済事項その他

1　投資有価証券に関する事項

(1) 当社の有価証券の評価基準及び評価方法は、満期保有目的の債券は償却原価法（定額法）、子会社株式及び関連会社株式は移動平均法による原価法によっている。また、その他有価証券については、時価があるものは時価法（評価差額は部分純資産直入法で処理し、税効果会計を適用（法定実効税率30%）する。）、時価がないものは原価法によっている。なお、時価が取得原価の50%以上下落した場合には減損処理を行うこととしている。

(2) 決算整理前残高試算表に計上されている投資有価証券の内訳は次のとおりである。

銘柄	保有数	取得原価(単価)	期末時価(単価)	備考
甲社株式	10,000株	@2,000円	@1,980円	(注１)
乙社株式	11,000株	@3,200円	―	(注２)
丙社株式	2,000株	@100英ポンド	@105英ポンド	(注３)
丁社社債	20,000口	@980円	@990円	(注４)

(注１) 甲社は上場会社で当社の得意先であり、関係強化のために株式を保有している。なお、前期末の時価は１株当たり2,020円であった。

(注２) 乙社は非上場会社であり、その株式は当期以前より保有している。乙社の発行済株式総数は13,750株であり、期中は投資有価証券として処理している。

なお、乙社は当期において財政状態が著しく悪化し、直近（×３年12月31日現在）の貸借対照表では、資産130,000千円、負債110,000千円、資本金55,000千円、利益剰余金△35,000千円となっている。実質価額が著しく減少したため、乙社株式の減損処理を行う。なお、実質価額は乙社の直近の貸借対照表を基に算定する。当該減損金額については、税効果会計を適用しない。

（注３）当社は関係強化のため丙社の株式（非上場）を×２年９月１日に2,000株取得した。

当期に入り、残りの全株式を持つ経営陣と交渉を重ね、×３年７月23日に残り全ての株式を取得し完全子会社化した。

以下は、丙社株式の取得状況である。なお、発行済株式数は×２年９月１日の段階で14,000株であり、その後変動はない。

	円／英ポンド	１株当たり取得価額	取得株式数
×２年９月１日	130	@100英ポンド	2,000株
×３年３月31日	133	―	―
×３年７月23日	136	@103英ポンド	12,000株
×４年３月31日	137	―	―

当社は当期丙社株式取得時の代金を仮払金として処理したのみである。

（注４）丁社社債は満期保有目的であり、当期首に発行と同時に取得したもので、１口当たり額面は1,000円、償還期間は４年、約定利子率は年２％、利払日は３月31日である。

受け取った利息は仮受金として処理している。

⇨解答：149ページ

問題１－28　有価証券(11)

重要度　C

Ｔ株式会社（事業年度：自×７年４月１日　至×８年３月31日）に係る次の資料に基づき、会社計算規則に準拠した貸借対照表及び損益計算書の一部を作成しなさい。

〔資料Ⅰ〕残高試算表の一部

残高試算表の一部　（単位：千円）

現金預金	28,625	⋮	
⋮			
有価証券	139,600	仮受金	6,350
仮払金	82	繰延税金負債	4,880
⋮		その他有価証券評価差額金	7,320
		⋮	

〔資料Ⅱ〕参考事項

1．残高試算表の有価証券の内訳は次のとおりである。

当社は「金融商品に関する会計基準」に準拠して有価証券の評価を行っており、「その他有価証券」の評価差額の処理は税効果会計を適用の上、全部純資産直入法によっている。

なお、時価が取得原価の50％以上下落した場合には減損処理する。この処理は税務上も認められ、一時差異に該当しないものとする。

また、残高試算表上のその他有価証券評価差額金は、「その他有価証券」の前期末残高に係るものである。

（単位：千円）

銘　　柄	前期末残高		当期末残高		備　　考
	取得原価	時　価	取得原価	時　価	
公社債投資信託	——	——	35,000	——	（注1）
C　社　株　式	10,000	17,000	10,000	14,900	（注2）
D　社　株　式	30,000	36,000	10,000	3,000	（注3）
E　社　株　式	15,000	——	15,000	——	（注4）
F　社　株　式	10,000	——	10,000	——	（注5）
G　社　株　式	12,500	各自推定	12,500	各自推定	（注6）
H　社　株　式	4,900	——	4,900	——	（注7）
I　社　株　式	15,000	5,000	各自推定	6,000	（注8）
Kゴルフ会員権	5,000	5,500	5,000	2,000	（注9）

（注1）公社債投資信託は中期国債ファンドであり、短期資金運用の目的で取得したものである。当該投資信託は預金と同様の性質を有するものである。

（注2）上場株式である。売買目的ではなく取引先の株式である。当期にその他資本剰余金を財源とした配当金100千円を受け取ったが、仮受金として処理している。

（注3）上場株式である。売買目的ではなく取引先の株式である。当該株式については、期中に資金繰りの都合から保有株式の3分の2を売却しているが売却による手取金6,000千円は仮受金として処理しており、売却に係る会計処理が未済である。なお、上記表中の当期末残高は当期末保有分に係るものであり、当該株式の売却に係る損益は、特別損益項目として表示する。

（注4）E社は当社が設立した100％子会社である。休眠会社となっていたため、×8年1月1日付で吸収合併したが、合併に伴う会計処理が未了である。×7年12月31日現在のE社の貸借対照表は、次のとおりである。E社の最終事業年度における法人税等の確定税額82千円は、当社が納付し、仮払金に計上している。

E社の貸借対照表

×７年12月31日現在　　　　　　　(単位：千円)

資産の部		負債の部	
科　目	金　額	科　目	金　額
流動資産	33,068	流動負債	82
現金預金	33,068	未払法人税等	82
		負債合計	82
		純資産の部	
		株主資本	
		資本金	15,000
		利益剰余金	17,986
		繰越利益剰余金	17,986
		純資産合計	32,986
資産合計	33,068	負債及び純資産合計	33,068

(注５) Ｆ社は当社の子会社である。Ｆ社は当期に業績が著しく悪化し大幅な債務超過の状態に陥った。同社の再建計画を検討した結果、業績の回復の見通しが立たないためＦ社株式は全額減損処理する。

(注６) Ｇ社株式は米国市場の上場銘柄で10,000株所有している。売買目的ではなく、技術提携先の株式である。値動き等の推移等は以下のとおりである。

取得時		前期末		当期末	
１株当たり時価	為替レート	１株当たり時価	為替レート	１株当たり時価	為替レート
10ドル	125円/ドル	９ドル	130円/ドル	９ドル50セント	120円/ドル

(注７) Ｈ社株式を従来より5,000株所有していたが、Ｈ社株主総会において株式交換の方法でＪ社の完全子会社となることが決定され、Ｈ社株式１株につきＪ社株式(市場価格なし) 0.5株 (１株当たりの公正な評価額1,900円) とＪ社株式１株当たり100円の現金の交付を受けた。交付現金は仮受金で処理しており、株式交換に伴う処理は未了である。

また、Ｈ社は子会社や関連会社ではなく、株式交換後もＪ社は子会社や関連会社ではない。

(注８) 上場株式である。売買目的ではなく取引先の株式である。

(注９) 預託金方式のものであり、取得原価に含まれる預託保証金の金額は3,000千円である。時価が著しく下落しており、回復の見込みがないため、減損処理を適用する。

２．当社は以前から税効果会計を適用しており、法定実効税率は前期・当期ともに40%である。

⇨解答：150ページ

問題１－29　棚卸資産(1)

重要度	A

渋谷商事株式会社の当期（×１年４月１日～×２年３月31日）における残高試算表の一部〔資料Ⅰ〕、参考資料〔資料Ⅱ〕は次のとおりである。これらの資料に基づき、会社計算規則に準拠した貸借対照表及び損益計算書の必要部分の表示を示しなさい。

〔資料Ⅰ〕　残高試算表の一部

残高試算表の一部

×２年３月31日現在　（単位：千円）

借方科目	金額	貸方科目	金額
商品	32,800	売上高	628,000
貯蔵品	5,500	仕入値引	17,500
仕入高	592,600	仕入戻し	22,500
事務用消耗品費	9,800	仕入割戻	7,000
		仕入割引	38,000

〔資料Ⅱ〕　参考資料

1．期末における商品棚卸高は、次のとおりである。なお、残高試算表の商品は、前期末残高を示している。

品　名	帳簿棚卸高		実地棚卸高	
	数量（個）	単価（円）	数量（個）	単価（円）（正味売却価額）
A商品	25,000	1,500	23,900	700
B商品	5,000	3,000	4,850	2,900

（注１）実地たな卸高の数量不足は、A商品・B商品ともに商品管理上不可避的に生ずる範囲内の減耗であり、売上原価の算定上考慮することとする。

（注２）A商品の正味売却価額は著しく下落しており、当該下落は臨時的かつ多額であると認められる。

（注３）B商品の正味売却価額の下落は品質低下によるものである。

（注４）商品の評価は、「棚卸資産の評価に関する会計基準」に準拠して行うこととする。なお、収益性の低下の有無の判断及び帳簿価額の切下げは、個別品目ごとに行うものとする。

2．事務用消耗品は購入時に費用処理しており、期末未使用額が800千円ある。なお、残高試算表の貯蔵品は、事務用消耗品の前期末残高を示している。

⇨解答：153ページ

問題１－30　棚卸資産(2)

重要度　B

水道橋株式会社の第45期（自×22年４月１日　至×23年３月31日）における下記の資料により、①売上原価、②商品の期末評価額の金額を求めなさい。

【資料１】

残高試算表の一部　(単位：千円)

借方科目	金額	貸方科目	金額
繰越商品	1,306,760		
仕入	5,384,014	売上高	8,500,000

【資料２】　決算整理未済事項その他

棚卸資産に関する事項

(1)　【資料１】に記載されている繰越商品の金額は、前期末残高である。

(2)　水道橋株式会社は商品Ｚのみを仕入販売しており期別の総平均法に基づく原価法により評価している。

(3)　当期の商品Ｚに係る商品受払台帳は次のとおりである。

(単位：個)

期　首	当期仕入	得意先への払出	期　末
1,600	16,934	16,054	2,480

(4)　水道橋株式会社は売上計上基準に得意先の検収基準を採用している。一方、商品受払台帳は得意先に出荷した際に払出記帳を行っている。×23年３月に出荷済みで×23年４月に得意先に検収済みとなった商品Ｚは５個であった。なお、売上高の計上は検収基準により適切に処理されている。

⇨解答：154ページ

問題１－31　棚卸資産(3)

重要度	A

代官山株式会社の当期（×２年４月１日～×３年３月31日）における残高試算表の一部及び参考事項はそれぞれ下記の〔資料Ⅰ〕及び〔資料Ⅱ〕である。これらの資料に基づいて、会社計算規則に準拠した貸借対照表及び損益計算書の必要部分の表示を示しなさい。また、重要な会計方針に係る事項に関する注記を示しなさい。

〔資料Ⅰ〕

残高試算表の一部

×３年３月31日現在　　（単位：千円）

商品	89,800	売上	3,270,475
仕入	2,263,700		

〔資料Ⅱ〕　参考事項

期末商品の評価に関する資料は次のとおりである。

品名	帳簿棚卸高			実地棚卸高		
	数量	原価	金額	数量	正味売却価額	金額
甲商品	4,800個	9,000円/個	43,200千円	3,150個	（注５）	27,090千円
乙商品	8,850個	4,500円/個	39,825千円	6,300個	（注５）	29,736千円
合計	13,650個	－	83,025千円	9,450個	－	56,826千円

（注１）残高試算表に記載されている商品の金額は、前期末残高である。

（注２）実地たな卸高の数量不足については、甲商品の1,500個は見本品として得意先に提供していたものであり、乙商品の2,450個は、期中における倉庫の火災により焼失したものであることが判明した。なお、残りの部分は経常的な減耗である。

（注３）商品の評価は移動平均法による原価法（収益性の低下に基づく簿価切下げの方法）により行うこととする。なお、収益性の低下の有無の判断及び帳簿価額の切下げは、個別品目ごとに行うものとする。

（注４）減耗損は販売費及び一般管理費に、評価損は特別損失にそれぞれ表示する。

（注５）期末における各商品の売価及び見積販売直接経費は次のとおりである。

	売価 （１個当たり）	見積販売直接経費 （１個当たり）
甲商品	9,200円	600円
乙商品	4,820円	100円

⇨解答：154ページ

問題１－32 棚卸資産(4)

重要度	A

Ｚ株式会社の第15期（×８年４月１日～×９年３月31日）の次に示す資料に基づいて、会社計算規則に準拠した損益計算書の一部を作成しなさい。

〔資料Ⅰ〕 決算整理前残高試算表（一部）

決算整理前残高試算表　（単位：千円）

⋮		⋮	
商品	76,200	売上高	3,016,260
貯蔵品	4,840	⋮	
⋮			
仕入高	900,000		
仕入諸掛	84,000		
広告宣伝費	28,300		
事務用消耗品費	13,400		
⋮			

〔資料Ⅱ〕

棚卸資産の期末残高の内訳は次のとおりである。

	帳簿棚卸高		実地棚卸高		差異の内訳
	数量	金額	数量	金額	
商品	10,050個	60,300千円	9,600個	67,200千円	下記(3)参照
貯蔵品	―	―	―	5,320千円	―

(1) 残高試算表の商品及び貯蔵品（事務用消耗品）の残高は前期末残高である。

(2) 商品は常に一定の単価で仕入れており、期別先入先出法による原価法（収益性の低下による簿価切下げの方法）により評価し、貯蔵品については、購入時に事務用消耗品費で処理し、期末に実地棚卸に基づく未使用分を最終仕入原価法により評価している。

(3) 差異のうち400個は見本品として提供したものであり、広告宣伝費に振替計上する。残りは棚卸減耗として売上原価処理する。

また、仕入諸掛は当期の商品仕入数量150,000個に対する引取運賃であり、期末商品への配賦計算は未了である。期末の正味売却価額は１個当たり7,000円である。

⇨解答：155ページ

問題１－33　棚卸資産(5)

重要度	C

物品販売業を営むＡ株式会社の当期（×４年４月１日～×５年３月31日）の残高試算表の一部及び参考資料はそれぞれ下記〔資料１〕及び〔資料２〕のとおりである。これらの資料に基づいて、会社計算規則に準拠した貸借対照表に示す商品の金額及び損益計算書に示す売上原価の金額を解答しなさい。

〔資料１〕残高試算表の一部

残高試算表の一部

×５年３月31日現在　　　　（単位：千円）

商　品	380,000	売　上	7,012,500
仕　入	4,620,000		

〔資料２〕参考資料

商品の期末評価にあたって必要な資料は、次のとおりである。

(1) 残高試算表の商品は、前期末残高である。

(2) 商品については売価還元法（収益性の低下したものについては、帳簿価額を減額する。）により評価することとする。なお、当社では期末商品たな卸高の算定にあたっては売価還元法の原価率（原則）、収益性の低下に基づく帳簿価額の切下額の算定にあたっては値下額及び値下取消額を除外した売価還元法の原価率（特例）を用いる。

(3) 期首の商品有高に対応する売価：760,000千円

(4) 当期商品仕入高に対応する原始値入額：2,460,000千円

(5) 値上額：200,000千円

(6) 値上取消額：40,000千円

(7) 値下額：190,000千円

(8) 値下取消額：2,500千円

(9) 期末の商品有高に対応する売価：800,000千円

(10) 当期において販売した商品について値引や割戻しは行われていない。また、減耗は生じていない。

⇨解答：156ページ

問題1－34 棚卸資産(6)

重要度	A

B株式会社の第18期（自×22年４月１日　至×23年３月31日）における下記の資料に基づき次の各問に答えなさい。

問１　会社計算規則に準拠した損益計算書に記載する売上原価の金額

問２　会社計算規則に準拠した貸借対照表に記載する商品の金額

〔資料１〕決算整理前残高試算表（一部）

決算整理前残高試算表（一部）　　　　（単位：千円）

商品	300,000	
商品仕入高	4,533,118	

〔資料２〕参考事項

商品の期末実地たな卸を行った結果、商品期末残高は301,600千円であった。

なお、帳簿たな卸高と差異が生じているものは次のとおりであった。

（単位：千円）

区　分	帳簿たな卸高		実地たな卸高		差　異		差異の内容
	数 量	金 額	数 量	金 額	数 量	金 額	
乙 商 品	100個	8,000	90個	7,200	△10個	△800	下記(4)①参照
丙 商 品	50個	5,000	60個	6,000	10個	1,000	下記(4)②参照

(1)　決算整理前残高試算表の商品の残高は前期末残高である。

(2)　評価基準及び評価方法は期別先入先出法による原価法（収益性が低下した場合には、帳簿価額の切下げを行う。）である。

(3)　当社の仕入計上基準は検収基準である。

(4)　上記のたな卸資産の差異の内容は次のとおりである。

①　当期の期中に廃棄処分した商品の帳簿記載漏れであり、売上原価に計上する。

②　実地たな卸において当社での検収未了分を誤ってカウントしたものである。

(5)　新商品である丁商品を海外のメーカーから当期に初めて100個（１個当たり1,000ＵＳドル）仕入れた。仕入金額は管理目的で設定した社内レート105円/ＵＳドルで換算し、代金決済額11,100千円との差額は為替差損で処理している。

仕入計上は取引発生時の為替相場110円/ＵＳドルによるが、当該為替換算に伴う処理は未了である。

なお、丁商品は20個が期末在庫となっているので、当該為替換算修正額は、当該商品の売上原価と期末商品残高に適切に配分する。

⇨解答：156ページ

問題１－35 棚卸資産(7)

重要度 B

Ｔ株式会社（事業年度：自×７年４月１日　至×８年３月31日）に係る次の資料に基づき、Ｂ商品及びＣ商品それぞれの売上原価の金額を求めなさい。

〔資料Ⅰ〕残高試算表の一部

残高試算表の一部　（単位：千円）

借方科目	金額	貸方科目	金額
商品(B)	179,368	買掛金	430,163
商品(C)	149,473	⋮	
貯蔵品	11,497		
商品仕入高(B)	1,295,431		
商品仕入高(C)	952,327		
消耗品費	120,000		

〔資料Ⅱ〕参考事項

1．棚卸資産の期末残高の内訳は次のとおりである。

摘要	帳簿棚卸高	実地棚卸高	差	差の内訳等
Ｂ商品	183,401千円	181,645千円	1,756千円	差のうち△244千円の内容は不明のため売上原価処理する。2,000千円は×８年３月より賃貸用として使用しているため投資その他の資産の投資器具備品に振替える。
Ｃ商品	139,327千円	142,000千円	△2,673千円	△3,000千円は期末日に検収した商品(掛仕入)に関する仕訳及び受払帳簿の記帳漏れである。327千円は貯蔵品の購入時に誤ってＣ商品の仕入として処理したことによるものである。

(1) 残高試算表の商品及び貯蔵品残高は、前期末残高である。

(2) Ｂ商品は期別総平均法による原価法により評価している。

(3) Ｃ商品は期別先入先出法による原価法により評価している。

(4) Ｃ商品について、×８年４月に入り、×７年４月から×８年３月までの仕入実績に対して28,650千円の仕入割戻しの通知（事前に取り決められた算定基準に基づいた金額であり、買掛金の減額として処理する）を受けているが未処理である。また、当該仕入割戻高は棚卸過不足調整後のＣ商品売上原価（期首Ｃ商品残高を除く）と期末Ｃ商品残高とに適正に配分する。

⇨解答：156ページ

問題1－36 有形固定資産(1)

重要度 A

物品販売業を営むF株式会社の当期（×6年4月1日～×7年3月31日）の次に示す資料により、会社計算規則に準拠した貸借対照表の表示を行うとともに重要な会計方針に係る事項に関する注記を所定の箇所に記載しなさい。

〔資料Ⅰ〕

決算整理前残高試算表の一部

×7年3月31日現在　　（単位：千円）

借方科目	金額	貸方科目	金額
仮払金	48,000	減価償却累計額	455,100
建物	900,000		
機械装置	240,000		
土地	1,500,000		
建設仮勘定	300,000		

〔資料Ⅱ〕　参考事項

1．仮払金の内訳は、次のとおりである。

(1) 商品の購入手付金として支払った金額　18,000千円

(2) 商品倉庫建設にあたり、手付金として建設会社に支払った金額　30,000千円

2．減価償却に関する資料は次のとおりである。なお、残存価額はすべて取得原価の10%である。

区分	減価償却累計額	償却方法	耐用年数	年償却率
建物	372,600千円	定額法	50年	0.020
機械装置	82,500千円	定率法	8年	0.250

3．土地のうち半分は他社に賃貸しているが、賃貸しているもののうち40%部分については当社の専業下請会社に、残りの60%部分については投資目的で他の数社に賃貸している。

⇨解答：157ページ

問題１－37　有形固定資産(2)

重要度	B

物品販売業を営むM株式会社の当期（×14年４月１日～×15年３月31日）の次に示す資料により、会社計算規則に準拠した貸借対照表の表示を行いなさい。なお、金額の計算上千円未満の端数が生じた場合には、切捨てるものとする。

〔資料Ⅰ〕

残高試算表の一部

×15年３月31日現在　　　　（単位：千円）

借方科目	金額	貸方
仮　払　金	392,000	⋮
建　　　物	1,550,000	⋮
車　　　両	204,300	⋮

〔資料Ⅱ〕　参考事項

1．仮払金は、×14年12月10日に取得した機械装置の購入代金360,000千円、据付費20,000千円、試運転費10,000千円及び購入資金の借入利息2,000千円の合計額である。なお、当該機械装置は×15年２月１日より事業供用している。

2．減価償却に関する資料は、次のとおりである。なお、残存価額はすべて取得原価の10％とする。また、残高試算表上の建物及び車両は当期首未償却残高が計上されている。

(1) 建物は、耐用年数40年（償却率0.025）の定額法により行っており、事業供用日から前期末までの経過年数は10年である。

(2) 車両は、耐用年数６年（償却率0.319）の定率法により行っており、事業供用日から前期末までの経過年数は１年である。

(3) 機械装置は、耐用年数５年（償却率0.200）の定額法により行うこととする。

⇨解答：158ページ

問題1－38 有形固定資産(3)

重要度	A

物品販売業を営むK株式会社の当期（×6年4月1日～×7年3月31日）の次に示す資料により、会社計算規則に準拠した貸借対照表及び損益計算書の表示を行うとともに、貸借対照表等に関する注記及び損益計算書に関する注記を所定の箇所に記載しなさい。

〔資料Ⅰ〕

残高試算表の一部

×7年3月31日現在　　　　（単位：千円）

科目	金額	科目	金額
建物	400,000	減価償却累計額	175,050
備品	50,000		
土地	200,000		
固定資産売却損	65,000		

〔資料Ⅱ〕　参考資料

1．有形固定資産の当期減価償却費の計算根拠は、次のとおりである。なお、残存価額はすべて取得価額の10％とする。

区　分	取得価額	前期末減価償却累計額	償却方法	耐用年数
建　物	400,000千円	154,800千円	定額法	50年
備　品	50,000千円	20,250千円	定額法	10年
土　地	200,000千円	―	―	―

(1) 建物（取得年月日×4年4月1日、取得価額100,000千円）を×6年12月31日に子会社に売却したが、売却時に取得価額と売却価額との差額を固定資産売却損として処理していた。残高試算表の固定資産売却損はすべて当該建物に係るものである。

(2) 備品（取得価額15,000千円）は、当期においては遊休状態のままであった。なお、当該資産は来期以降に使用する予定である。

(3) 減価償却累計額の表示は一括注記法による。

2．土地のうち100,000千円を長期借入金の担保に供している。

⇨解答：158ページ

問題１－39 有形固定資産(4)

重要度 A

Ａ株式会社の第12期（×12年７月１日～×13年６月30日）の次に示す資料により、会社計算規則に準拠した貸借対照表の表示を行いなさい。なお、減価償却費の計算は月割りで行い、１カ月未満の端数は切上げて１カ月として計算すること。

〔資料Ｉ〕

残高試算表の一部

×13年６月30日現在　　（単位：千円）

仮払金	123,800	減価償却累計額	60,600
有形固定資産	104,400		

〔資料Ⅱ〕　参考事項

１．有形固定資産の内訳及び減価償却に関する資料は下記のとおりである。

区　分	取得原価	減価償却累計額	償却率	残存価額	備　考
建　物	78,000千円	52,400千円	0.050	取得原価の10％	（注２）
車　両	14,400千円	2,400千円	0.250	取得原価の10％	－
備　品	12,000千円	5,800千円	0.125	取得原価の10％	－

（注１）有形固定資産のうち建物及び備品は定額法により、車両は定率法によりそれぞれ減価償却している。

（注２）建物のうち50,000千円（期首減価償却累計額38,000千円）については、×12年10月24日に取壊して、その跡に倉庫付店舗を新築し、×13年３月10日に引渡しを受け営業の用に供している。建設会社への支払額は123,600千円であり、この中には旧建物の取壊費用1,800千円が含まれている。また、建物の設計にあたっては設計事務所に依頼して200千円を支払っている。これらにつき、当社は、現金支払額を仮払金としているのみである。取壊した旧建物及び取壊費用については取壊損を計上するものとする。

２．仮払金の内訳は下記のとおりである。

(1) 建物の設計依頼費　　200千円

(2) 建設会社への支払額　123,600千円

⇨解答：159ページ

問題1－40 有形固定資産(5)

重要度 A

物品販売業を営むB株式会社の第３期（×６年４月１日～×７年３月31日）の次に示す資料により、会社計算規則に準拠した貸借対照表及び損益計算書の表示を行いなさい。なお、金額の計算上千円未満の端数が生じた場合には、切捨てるものとする。

〔資料Ⅰ〕

残高試算表の一部

×７年３月31日現在　　　　(単位：千円)

借方科目	金額	貸方科目	金額
建物	100,000	減価償却累計額	26,245
機械装置	50,000		
車両	10,000		
備品	10,000		

〔資料Ⅱ〕　参考事項

有形固定資産の減価償却に関する資料は次のとおりである（残存価額は取得原価の10%）。

種類	取得原価	償却方法	耐用年数	償却率
建物	100,000千円	定額法	30年	0.034
機械装置	50,000千円	定額法	８年	0.125
車両	10,000千円	定額法	４年	0.250
備品	10,000千円	定率法	８年	0.250

(注１）上記資産は、設立と同時に営業の用に供しており、過年度においては適正に減価償却計算が行われている。

(注２）機械装置は、著しい技術革新等により当初見積もった耐用年数（８年）が合理性を失ったため、減価償却計画を変更し、新たな耐用年数（６年）により減価償却計算を行うこととした。変更後の耐用年数（６年）の残存耐用年数に基づいた償却率は0.250である。

(注３）車両の取得価額10,000千円はＡ車両5,000千円及びＢ車両5,000千円の合計額であるが、期末においてＡ車両の買換を行っている。しかし、これに係る処理が未済のままである。なお、買換による新車両の購入代金は6,300千円、旧車両（時価1,600千円）の下取価額は1,800千円であり、差額は期末現在未払である。新車両は翌期より営業の用に供することとしている。

(注４）備品は、当期において減価償却方法を定率法から定額法に変更することとした。残存耐用年数に基づいた定額法の償却率は0.166である。

⇨解答：160ページ

問題１－41　有形固定資産(6)

重要度	A

市川株式会社の第35期（×11年４月１日～×12年３月31日）の次に示す資料により、会社計算規則に準拠した貸借対照表の表示を行いなさい。なお、金額の計算上千円未満の端数が生じた場合には、切捨てるものとする。

〔資料Ⅰ〕

残高試算表の一部

×12年３月31日現在　　　（単位：千円）

借方科目	金額	貸方科目	金額
建物	500,000	建物減価償却累計額	107,100
構築物	130,000	構築物減価償却累計額	35,100
車両	110,000	車両減価償却累計額	58,785
器具備品	40,000	器具備品減価償却累計額	12,300
支払リース料	7,317		
その他販売費・管理費	150,000		

〔資料Ⅱ〕　参考事項

有形固定資産の減価償却に関する資料は次のとおりである（(注５）を除き残存価額は取得原価の10%)。なお、減価償却費の計算は月割りで行い、１カ月未満の端数は切上げて１カ月として計算すること。

耐用年数	5年	6年	10年	20年
定額法償却率	0.200	0.166	0.100	0.050
定率法償却率	0.369	0.319	0.206	0.109

（注１）建物は定額法により、耐用年数20年で減価償却を行っている。

（注２）構築物は定額法により、耐用年数10年で減価償却を行っている。

（注３）車両は定率法により、耐用年数６年で減価償却を行っている。

（注４）器具備品は定率法により、耐用年数５年で減価償却を行っている。

なお、×11年８月20日に購入し、使用を開始した器具備品9,000千円がその他販売費・管理費に計上されているが、これについては資産計上し、減価償却を行うこととする。

（注５）当期首に音黒リース株式会社と次に示す契約内容によりコンピュータ（端末30台含め当社専用仕様）を購入した。残高試算表に計上されている支払リース料は当期末において支払ったものである。

なお、このリース契約は、リース期間終了後リース物件の所有権が借主に移転すると認められるもの以外である。当該リース物件はリース資産として資産計上したうえで耐用年数5年（リース期間）、残存価額ゼロの定額法で減価償却を行うこととする。

＜リース契約の内容＞

リース期間	×11年4月1日から×16年3月31日までの5年間
リース料	内訳は下記資料のとおりである。 なお、リース料の支払は毎年3月31日である（1年分後払方式）。
解約	契約期間中の解約は禁止されている。

＜資料：リース料の内訳＞

年度	支払リース料	利息部分	リース債務減少分	リース債務残高
1	7,317千円	2,100千円	5,217千円	24,783千円
2	7,317千円	1,734千円	5,583千円	19,200千円
3	7,317千円	1,344千円	5,973千円	13,227千円
4	7,317千円	927千円	6,390千円	6,837千円
5	7,317千円	480千円	6,837千円	0千円

⇨解答：161ページ

問題１－42 有形固定資産(7)

重要度	C

P株式会社の当期（×13年４月１日～×14年３月31日）に係る次の資料により、会社計算規則に準拠した貸借対照表及び損益計算書の必要な部分を完成させなさい。また、答案用紙に示された注記事項を記載しなさい。なお、計算過程で千円未満の端数が生じた場合は、それぞれ端数を切捨てることとし、日数の計算は便宜上すべて月割計算で行うこととする。

〔資料Ⅰ〕決算整理前残高試算表（一部）

決算整理前残高試算表　（単位：千円）

⋮		⋮	
未決算	1,500	雑収入	25,000
建物	117,870	⋮	
車両	50,550		
器具備品	17,730		
土地	443,589		
⋮			

〔資料Ⅱ〕参考事項

1．減価償却

減価償却費の計算に必要な事項は次のとおりであり、表示については科目別に控除する形式（科目別間接控除法）によることとする。

なお、決算整理前残高試算表中の有形固定資産は直接法により記帳している。

(1) 期中取得建物

建物のうち56,000千円は従来から所有していたＡ土地の上に建築したものであり、×14年３月１日に完成・引渡しを受け、直ちに事業供用している。当該建物は、当期中に売却したＢ土地の売却代金50,000千円と自己資金6,000千円をもって建築したものであり、雑収入25,000千円は、当該土地の売却に係る売却益である。当社は当該建物につき、租税特別措置法に規定する特定資産の買換えの圧縮記帳20,000千円の適用を受けるため、直接減額方式により会計処理を行うこととしていたが、これに係る処理が行われていない。なお、圧縮額相当額は建物の取得原価から直接控除した上で注記する方法により表示すること。

(2) その他の建物

(1)の他には、期中における建物の売買等に係る取引はない。なお、(1)以外の建物の期首減価償却累計額は32,130千円である。

(3) 期中買換車両

×13年8月31日に行った買換え及びこれに伴う当社の会計処理に関する資料は次のとおりである。なお、新車両は×13年9月1日から事業供用している。

(買換えの内容)

(単位：千円)

区分	金額
売却車両期首簿価	1,500
下取価額	3,000
新車両の購入価格	28,500
自動車税	180
保険料	4,500

(×13年8月31日の会計処理)

(単位：千円)

借	方	貸	方
(未決算)	1,500	(車両)	1,500
(車両)	30,180	(現金預金)	30,180

(注) 自動車税及び保険料は全額当期の費用として処理する。

(4) その他の車両

(3)の他には、期中における車両の売買等に係る取引はない。なお、その他の車両の期首減価償却累計額は9,630千円である。

(5) 器具備品

期中における器具備品の売買等に係る取引はない。なお、器具備品の期首減価償却累計額は270千円である。

(6) 減価償却方法等

新規取得資産についても下記の表によることとする。

(減価償却方法、耐用年数、残存価額及び償却率)

種類	減価償却方法	耐用年数	残存価額	償却率
建物	定額法	20年	ゼロ	0.050
車両	定率法	6年	取得原価の1割	0.319
器具備品	定額法	5年	取得原価の1割	0.200

⇨解答：162ページ

問題1－43 有形固定資産(8)

重要度 C

L株式会社の当期（×15年6月1日～×16年5月31日）に係る次の資料により、会社計算規則に準拠した貸借対照表及び損益計算書の必要な部分の表示を完成させなさい。なお、注記事項については、すべて省略するものとする。

また、計算上、千円未満の端数が生じた場合には切捨てることとする。

〔資料Ⅰ〕決算整理前残高試算表（一部）

決算整理前残高試算表　（単位：千円）

借方科目	金額	貸方科目	金額
⋮		⋮	
仮払金	160,000	支払手形	350,000
建物	774,420	仮受金	130,000
構築物	58,820	⋮	
車両	80,000		
備品	63,000		
土地	998,000		
⋮			

（注）有形固定資産は直接法により記帳している。

〔資料Ⅱ〕参考事項

減価償却に関する事項（有形固定資産の残存価額はすべて取得原価の10％である）

(1) 建物の内訳は以下のとおりである。

	取得原価	減価償却累計額	償却方法	耐用年数	取得日	備考
建物A	720,000千円	179,280千円	定額法	50年	×1年8月1日	――
建物B	250,000千円	47,500千円	定額法	30年	×9年2月1日	――
建物C	31,200千円	――	定額法	50年	×15年12月1日	(注)

（注）当社は×15年8月10日に土地30,000千円を130,000千円で売却し、売却による受取額に加え×16年5月31日を初回とし6カ月ごとに決済日の到来する4枚の約束手形（1枚の額面金額7,800千円）を振出し、建物C（現金正価160,000千円）を取得し直ちに事業の用に供したが、当社は決算日までに次の会計処理を行っているのみである。

＜土地の売却時＞

現金及び預金　130,000千円 ／ 仮受金　130,000千円

<建物の取得時>

仮　払　金　130,000千円 ／ 現金及び預金　130,000千円

建　　　物　31,200千円 ／ 支 払 手 形　31,200千円

<手形の決済時>

支 払 手 形　7,800千円 ／ 現金及び預金　7,800千円

なお、支払手形に含まれる利息部分については、以下の算式（等差級数法）に基づき処理することとし、当期に係る利息部分は支払利息として表示し、翌期以降に係る利息部分は前払費用及び長期前払費用として表示する。

$$\text{m枚目に決済される手形に含まれる利息部分} = \text{手形に係る利息総額} \times \frac{\text{手形の総枚数} - (\text{m} - 1)}{\dfrac{\text{手形の総枚数} \times (1 + \text{手形の総枚数})}{2}}$$

(2) 建物以外の有形固定資産は以下のとおりである。

	取得原価	減価償却累計額	償却方法	耐用年数	備　考
構築物	68,000千円	9,180千円	定額法	20年	(注３)
車　両	121,250千円	41,250千円	定率法	８年	(注１)
備　品	90,000千円	27,000千円	定額法	10年	(注２)
土　地	998,000千円	――――	――――	――――	(注３)

(注１) 車両のうち1,250千円は当期の３月１日に購入と同時に使用を開始したものであるが、納車後にわずかな損傷部分が発見されたためディーラーと交渉したところ、翌期の６月15日に50千円の値引額が振込まれることが当期において決定したが、これに係る処理が未済である。

なお、定率法による償却率は0.250である。

(注２) 備品については、この他に当期首に次の条件でファイナンス・リース契約（リース物件の所有権が借主に移転すると認められないもの）を締結し、使用しているものがある。なお、当該リース取引については売買取引に係る方法に準じた会計処理を行うこととしているが、当社は当期のリース料の支払金額を仮払金に計上しているのみである。

<ファイナンス・リース契約の内容>

① リース契約期間：５年

② リース料の支払方法：各期末に１年分30,000千円の後払い

③ 減価償却費相当額の算定方法：定額法（耐用年数：リース期間、残存価額：零）

④ 利息相当額の算定方法：リース料総額とリース資産計上額との差額を利息相当額とし、各期への配分方法については利息法によっている。

⑤　返済予定表

年度	期首元本	返済額（元本・利息）	期末元本
1	123,000千円	30,000千円（ 21,390千円・ 8,610千円）	101,610千円
2	101,610千円	30,000千円（ 22,887千円・ 7,113千円）	78,723千円
3	78,723千円	30,000千円（ 24,489千円・ 5,511千円）	54,234千円
4	54,234千円	30,000千円（ 26,204千円・ 3,796千円）	28,030千円
5	28,030千円	30,000千円（ 28,030千円・ 1,970千円）	0千円
合計	――――	150,000千円（123,000千円・27,000千円）	――――

（注3）土地のうちには期中に福利厚生の一環として取得したスポーツ用グラウンド5,600千円及び従業員用駐車場9,000千円が含まれている。なお、当該駐車場は、×16年3月1日にアスファルト舗装工事が完成したもので翌月から使用を開始しており、上記金額はアスファルト舗装4,000千円（償却方法：定額法、耐用年数：20年）及び駐車場用地5,000千円の合計額である。

⇨解答：163ページ

問題1－44　有形固定資産(9)

重要度	C

津田沼商事株式会社の第45期（自×30年4月1日　至×31年3月31日）における下記の資料により、会社計算規則に準拠した貸借対照表及び損益計算書の必要な部分を作成しなさい。計算の過程で生じた千円未満の端数は、百円の位で四捨五入するものとする。

〔資料Ⅰ〕

残高試算表の一部　（単位：千円）

建物	900,000	建物減価償却累計額	694,000
車両運搬具	86,000	車両運搬具減価償却累計額	48,000
器具備品	100,000	器具備品減価償却累計額	24,000
減価償却費	270,000		
建設仮勘定	500,000		

〔資料Ⅱ〕決算整理未済事項その他

有形固定資産に関する減価償却費の計上は、次の事項を除き、すべて適正に処理されている。

(1)　残高試算表の建設仮勘定は、すべて商品倉庫を新設工事するために支出したものである。当該倉庫は×30年12月に完成・引渡しを受け、翌月より事業の用に供している。また、当該倉庫を新設したことに伴い、従来使用していた商品倉庫（取得原価400,000千円、期首減価償却累計額300,000千円）を×30年12月に90,000千円で売却したが、これに係る処理が行われていない。

売却代金は×31年４月に回収予定である。なお、建物はいずれも残存価額をゼロとする定額法（償却率：0.050）により償却している。

(2) 残高試算表の器具備品のうち16,000千円は、×29年４月１日に取得し事業の用に供したものであるが、当期に発表された新製品の登場により機能的に価値が著しく減少したため、当期首に耐用年数を５年から４年に短縮した。なお、当該器具備品は残存価額をゼロとする定額法（耐用年数５年（償却率：0.200）、耐用年数３年（償却率：0.334））により償却している。

(3) 残高試算表の器具備品のうち32,000千円は、当期に受け取った国庫補助金12,000千円に自己資金を合わせて取得し、×30年10月１日より使用を開始しているものである。当社はこの器具備品につき国庫補助金相当額の圧縮記帳を行うこととしたが、未処理である。圧縮記帳の会計処理は直接減額方式によっており、貸借対照表上は取得原価から圧縮額を直接控除して表示する。なお、当該器具備品は残存価額をゼロとする定額法（償却率：0.100）により償却する。

(4) 残高試算表の器具備品のうち20,000千円は、×27年４月１日に取得し事業の用に供したものである。当該器具備品は200%定率法（耐用年数５年（償却率：0.400、改定償却率：0.500、保証率：0.10800））による償却限度額に達するまでの償却費を計上する。

(5) 有形固定資産の貸借対照表表示は、減価償却累計額を控除した残額のみを記載する。

⇨解答：165ページ

問題１－45　有形固定資産(10)

重要度	B

〔資料Ⅰ〕から〔資料Ⅲ〕に基づき、次の(1)から(3)の各問について、答案用紙の所定の箇所に解答を記入しなさい。

(1) 株式会社南与野産業の第25期（自×20年７月１日　至×21年６月30日）における貸借対照表及び損益計算書（ともに必要部分のみ）を会社法及び会社計算規則に準拠して作成しなさい。

(2) 会社法及び会社計算規則に基づき、株式会社南与野産業の注記表に記載する貸借対照表等に関する注記を記載しなさい。

(3) 製造経費に含まれる減価償却費を記載しなさい。

解答留意事項

イ　消費税及び地方消費税（以下、「消費税等」という。）の会計処理は、指示のない限り税抜方式で処理されているものとし、また、特に指示のない限り消費税等について考慮する必要はないものとする。

ロ　会計処理及び表示方法については、特に指示のない限り原則的方法によるものとし、金額の重要性は考慮しないものとする。

ハ　計算の過程で生じた千円未満の端数は、特に指示のない限り切り捨てるものとする。

ニ　日数の計算は便宜上すべて月割計算で行うものとする。

〔資料Ⅰ〕×21年6月30日現在の株式会社南与野産業の決算整理前残高試算表

（単位：千円）

勘定科目	金額	勘定科目	金額
⋮	⋮	⋮	⋮
仮払金	23,400		
⋮	⋮		
建物	745,640		
機械装置	291,094		
器具備品	139,150		
土地	315,624	投資不動産賃貸料	2,000
⋮	⋮	⋮	⋮
雑損失	30,967		
⋮	⋮		

〔資料Ⅱ〕当社の主な会計方針等の概要

固定資産の減価償却は、建物、器具備品は残存価額を取得原価の10%とする定額法、機械装置は残存価額を取得原価の10%とする定率法、それ以外は残存価額をゼロとする定額法により行っている。

なお、固定資産の減損については、「固定資産の減損に係る会計基準」に準拠して処理している。また、資産グループに生じた減損損失を各資産に按分する際には、帳簿価額の比率に応じて按分し、その際に千円未満の端数が生じた場合には、四捨五入することとしている。

〔資料Ⅲ〕決算整理の未了事項及び参考事項

1　有形固定資産に関する事項

有形固定資産の内訳は次のとおりである。

なお、表中の配賦割合については、以下(1)～(6)に記載のないものについて適用することとする。

種類	帳簿価額	減価償却累計額	償却率	配賦割合	
				製造部門	営業部門
建物	745,640千円	405,360千円	0.020	50%	50%
機械装置	291,094千円	398,906千円	0.250	100%	――
器具備品	139,150千円	163,350千円	0.200	40%	60%
土地	315,624千円	――――	――	――	――

(1) 減価償却累計額の表示は一括注記の方法によることとする。

(2) 市場環境の悪化により当期末をもって甲市のA工場の生産規模を縮小することとした。これにより当該工場に対する投資の回収可能価額は著しく低下することとなる。なお、残高試算表に計上された固定資産のうち、当該工場に係るものは、建物73,000千円（期首減価償却累計額27,000千円）、機械装置16,875千円（期首減価償却累計額23,125千円）、土地61,443千円である。期末時点において工場に対する投資から回収が予想される割引前将来キャッシュ・フローを見積もったところ112,627千円と計算された。なお、当該工場資産の期末時価総額は102,978千円であり、処分費用は1,268千円と計算された。また、使用価値は89,078千円と見積もられている。

(3) 残高試算表の機械装置のうち21,094千円（期首減価償却累計額28,906千円）は、工場の製造現場で行われている研究開発活動に使用されているものである。

(4) 機械装置には、この他に×21年6月16日に購入した生産ライン制御装置15,000千円があり、支出額を仮払金で処理している。なお、使用開始は来期の予定である。

(5) 器具備品には、この他に本社で使用している事務用オフィス機器（法定耐用年数：5年、見積現金購入価額30,000千円）がある。これは、Bリース会社から当期首に3年契約でリースしたものである。毎月のリース料は700千円（月末払い）であり、リース期間終了後は返還することとなっている。当社はリース料支払額を仮払金で処理している。なお、当該リース取引はオペレーティング・リース取引に該当するため、通常の賃貸借取引に係る方法に準じて会計処理を行う。

(6) 残高試算表の土地のうち12,417千円は、営業所の統廃合により以前から遊休状態にあった乙市のC営業所を期首に取壊し、更地にしたうえで他社に×20年10月1日より2年間の契約で貸し付けているものである。当該賃貸借契約において、賃借人から礼金400千円、敷金400千円（契約満了時に返還予定）、1年分の賃貸料1,200千円を受取り、すべて投資不動産賃貸料として計上している。なお、期首に取壊したC営業所については、帳簿価額6,040千円（期首減価償却累計額3,960千円）を雑損失に計上している。

⇨解答：166ページ

問題１－46　有形固定資産(11)

重要度	A

A株式会社の第10期（×23年４月１日から×24年３月31日まで）に係る次の資料により、会社計算規則に準拠した貸借対照表及び損益計算書（必要な部分のみ）を作成しなさい。

〔資料１〕残高試算表の一部

（単位：千円）

勘定科目	金額	勘定科目	金額
⋮	⋮	⋮	⋮
建物	426,500	減価償却累計額	159,850
機械装置	67,500	⋮	⋮
車両	42,800	⋮	⋮
器具備品	89,680	⋮	⋮
土地	286,900	⋮	⋮
仮払金	50,000	⋮	⋮
差入保証金	35,600	⋮	⋮
⋮	⋮	⋮	⋮
減価償却費	15,620	⋮	⋮
支払手数料	750	⋮	⋮
支払利息	500	⋮	⋮
⋮	⋮	⋮	⋮

〔資料２〕参考事項

１．下記２及び４を除き当期の減価償却計算は適正に行われている。

２．甲営業所では、×23年10月１日に営業用自動車についてリース契約を締結し、同日より事業の用に供している。当該リース取引の契約内容等は次のとおりである。

(1) 解約不能のリース期間：４年

(2) リース物件（営業用自動車）の経済的耐用年数：５年

(3) リース料は月額125千円（総額6,000千円）である。リース料の支払いは、×23年10月31日を第１回とする毎月末払いであり、支払済みのリース料は支払手数料に計上している。

(4) 所有権移転条項及び割安購入選択権はともになく、リース物件は特別仕様ではない。

(5) リース料総額の現在価値は5,520千円である。

(6) 当社におけるリース物件の見積現金購入価額は5,700千円である。

(7) リース資産及びリース債務の計上額を算定するに当たっては、リース料総額からこれに含まれている利息相当額の合理的な見積額を控除する方法によることとし、当該利息相当額についてはリース期間中の各期にわたり定額で配分する方法によることとする。

(8) 減価償却はリース期間を耐用年数とし、残存価額をゼロとする定額法によって行う。リース資産は、有形固定資産に一括して「リース資産」として表示するものとする。

3．A社では、減損会計を適用する場合、資産のグルーピングは営業所ごとに行っており、認識された減損損失は、当期末の帳簿価額に基づく比例配分法により各資産に配分している。また、減損処理を行った資産の貸借対照表上の表示は、減損処理前の取得原価から減損損失を直接控除し、控除後の金額をその後の取得原価としている。

(1) 乙営業所と丙営業所において、減損の兆候が認められた。これら営業所の所有資産は、次のとおりである。なお、差入保証金は、金融資産に該当する。

〔乙営業所〕　　　　　　　　　　　　（単位：千円）

	建物	器具備品	土地	差入保証金	合計
取得原価	84,240	25,880	70,690	19,400	200,210
期末現在の減価償却累計額	45,850	11,360	—	—	57,210
期末現在の帳簿価額	38,390	14,520	70,690	19,400	143,000

〔丙営業所〕　　　　　　　　　　　　（単位：千円）

	建物	器具備品	土地	差入保証金	合計
取得原価	48,710	16,680	48,920	4,400	118,710
期末現在の減価償却累計額	20,540	9,270	—	—	29,810
期末現在の帳簿価額	28,170	7,410	48,920	4,400	88,900

(2) 乙営業所と丙営業所から得られる割引前将来キャッシュ・フローの総額、資産グループの正味売却価額及び使用価値は、次のとおりである。

（単位：千円）

	乙営業所	丙営業所
割引前将来キャッシュ・フローの総額	139,440	81,940
資産グループの正味売却価額	99,830	67,600
資産グループの使用価値	105,060	59,720

4．丁工場では、×23年4月1日に製品の製造のための機械を取得し使用を開始した。取得に際しての支出額は仮払金に計上している。当該機械の取得原価は50,000千円、耐用年数は5年、残存価額0千円、定額法により減価償却を行う。

なお、当該機械を使用後に除去する法的義務があり、除去するときの支出は5,000千円と見込まれている。資産除去債務を算定するにあたって使用する割引率は3％（3％に対応する5年の現価係数は0.86とする。）とする。

⇨解答：169ページ

問題１－47　有形固定資産(12)

重要度	C

A株式会社（以下、「当社」という。）の第25期（自×25年４月１日　至×26年３月31日）に係る次の資料に基づき、会社計算規則に準拠した貸借対照表及び損益計算書の一部を作成しなさい。なお、計算過程において生じた千円未満の端数は百円の位で四捨五入するものとする。

〔資料１〕残高試算表（一部）

残高試算表　（単位：千円）

借方科目	金額	貸方科目	金額
建物	258,000	減価償却累計額	137,350
器具備品	42,500		
仮払金	4,000		
差入敷金保証金	85,000		
減価償却費	18,213		
支払利息	2,800		

〔資料２〕決算整理の未済事項及び参考事項

１．下記の事項を除き、決算整理事項等はすべて適正に処理されている。

２．リース取引に関する事項

×25年４月１日にファイナンス・リース取引により器具備品を調達した。当該リース取引は、所有権が借手に移転するとは認められないリース取引に該当し、契約内容は以下のとおりである。当社は当期に支払ったリース料を仮払金で処理しているのみである。

(1) 解約不能のリース期間：５年

(2) リース物件の経済的耐用年数：６年

(3) リース物件の見積現金購入価額：18,800千円

(4) リース料総額：20,000千円（年額4,000千円、毎年４月１日に前払い）

(5) リース料総額の現在価値：18,520千円

(6) 利息相当額は割引率を年4.0％とする利息法で各期に配分する。

(7) 減価償却はリース期間を耐用年数とし、残存価額をゼロとする定額法で行う。

３．資産除去債務に関する事項

当社は、当期にＢ社との間で、甲建物の賃貸借契約を締結した。当該賃貸建物に係る有形固定資産（内部造作等）の除去などの原状回復が契約書上で要求されている。

賃貸借契約日付は、×25年４月１日であり、当社は同日に10,000千円をＢ社に敷金として支払っている。当社の同種の建物への平均的な入居期間は５年と見積もられている。また、原状回復

費用は4,625千円と見積もられており、敷金が返還されない可能性が高い。当該賃借建物の内部造作物等については、耐用年数５年、残存価額０円の定額法で減価償却を行っている。割引率は３％であり、$(1.03)^5≒1.16$となっているが、当社は当該敷金の回収が最終的に見込めないと認められる金額を合理的に見積り、そのうち当期の負担に属する金額を費用に計上し、同種の建物への平均的な入居期間で費用配分する方法を会計方針として採用している。なお、当該処理以外はすでに適切に処理されている。

⇨解答：170ページ

問題１－48　有形固定資産(13)

重要度	C

乙株式会社の第45期（自×20年４月１日　至×21年３月31日）における下記の資料により、会社計算規則に準拠した貸借対照表及び損益計算書の必要な部分を作成しなさい。計算の過程で生じた千円未満の端数は、百円の位で四捨五入するものとする。

〔資料〕決算整理未済事項その他

営業用車両について、×21年３月１日からリース契約を締結しており、同日より事業供用している。当該リース取引の契約内容等は次のとおりである。

①　解約不能のリース期間：５年

②　リース物件（車両）の経済的耐用年数：６年

③　リース料は年9,000千円（総額45,000千円）である。リース料の支払いは、×22年２月を第１回とする２月末年１回の後払い形式である。

④　所有権移転条項及び割安購入選択権はともになく、リース物件は特別使用ではない。

⑤　リース料総額の現在価値は40,068千円である。

⑥　当社における当該車両の見積現金購入価額は40,500千円である。

⑦　リース資産及びリース債務の計上額を算定するに当たっては、原則法（リース料総額からこれに含まれている利息相当額の合理的な見積額を控除する方法）によることとし、当該利息相当額についてはリース期間にわたり利息法により配分することとする。

なお、×21年３月１日から×22年２月28日までの利息相当額は1,603千円とする。

⑧　減価償却はリース期間を耐用年数とし、残存価額をゼロとする定額法によって行う。

⑨　リース資産は、有形固定資産に一括してリース資産として表示するものとする。また、貸借対照表価額は、取得原価から減価償却累計額を控除した残額のみを記載すること。

⇨解答：171ページ

問題１－49　無形固定資産(1)

重要度	A

乙物産株式会社の当期（×５年７月１日～×６年６月30日）における下記の資料により、会社計算規則に準拠した貸借対照表及び損益計算書の必要な部分を表示しなさい。なお、注記事項はすべて省略するものとする。

〔資料Ⅰ〕　残高試算表

残高試算表　（単位：千円）

仮払金	6,700	

〔資料Ⅱ〕　決算整理事項等

仮払金の内訳は次のとおりである。

(1)　隣接する商店街と共同で市に請願中であった連絡地下道（公共性）の当社負担金　2,500千円

なお、当該負担金は×５年７月１日に支出しており、当期より10年で償却する。

(2)　所属する同業者組合の組合事務所として建設したビルの当社負担金　4,200千円

なお、当該負担金は×５年10月16日に支出しており、当期より７年で償却する。

⇨解答：171ページ

問題１－50　無形固定資産(2)

重要度	B

ウェア株式会社の当期（×５年10月１日～×６年９月30日）における下記の資料により、会社計算規則に準拠した貸借対照表及び損益計算書の必要な部分を表示しなさい。

〔資料Ⅰ〕　残高試算表

残高試算表　（単位：千円）

仮払金	38,040	
のれん	6,400	
実用新案権	5,625	
借地権	160,000	

〔資料Ⅱ〕　決算整理事項等

1．仮払金の内訳は次のとおりである。

(1)　×５年10月１日支出　　　1,800千円

他社の商標権を賃借する際に支払った×５年10月１日から３年分の使用料である。

(2)　×５年10月１日支出　　　10,000千円

社内ネットワーク・システムを構築するために導入したシステム運用ソフトウェアに係る支出額であり、その内訳は次のとおりである。

①	ソフトウェア代	8,500千円
②	当社の仕様に合わせるための修正作業費用	1,000千円
③	操作研修のための講師派遣費用	300千円
④	当社の研修受講生のテキスト代	200千円

このシステムの導入により、将来の費用削減が確実に見込まれるため、資産計上したうえで、定額法により５年間（利用可能期間）で償却する。

(3)　×６年２月９日支出　　　6,240千円

商店街の共用アーケードの負担金であり、当該アーケードに対して当社に所有権はない。税務上の繰延資産に該当し、適切な科目に振替えて５年間で均等に償却（月割計算）を行う。

(4)　×６年８月21日支出　　　20,000千円

借地権の契約更改に際して支払った更新料である。なお、当該更新に伴い、既に計上している借地権160,000千円のうち１割を償却し、特別損失として計上する。

2．のれんは×６年４月１日に取得したものであり、効果の及ぶ期間（５年間）で定額法により償却を行うこととする。

3．実用新案権は×４年７月18日に取得したものであり、法定償却期間５年で定額法により償却する。

⇨解答：171ページ

問題１－51　無形固定資産(3)

重要度	A

L株式会社（事業年度：自×13年７月１日　至×14年６月30日）に係る次の資料により、会社計算規則に準拠した貸借対照表及び損益計算書の必要部分を完成させなさい。

〔資料Ⅰ〕期末残高試算表の一部

期末残高試算表の一部　（単位：千円）

⋮			⋮
の　れ　ん	72,000		
ソフトウェア	20,000		
商　標　権	12,320		
仮　払　金	5,000		
⋮			⋮

〔資料Ⅱ〕決算整理事項

１．のれん

のれんは×14年２月に有償で取得したものであり、その効果の及ぶ期間10年間で定額法により償却している。

２．ソフトウェア

ソフトウェア（自社利用ソフトウェア）は、すべて×11年11月に取得したものであり、利用可能期間５年（定額法）で償却している。

残高試算表の金額のうち4,000千円については、×14年２月に廃棄したが未処理である。

また、残りの16,000千円について、取得当初から利用可能期間５年で償却してきたが、機能的な原因により著しく減価しているため、当期より、当期首からの残存利用期間を２年８ヵ月としてプロスペクティブ方式により償却することとする。

３．商標権

×10年11月13日に取得したものであり、法定償却期間10年で定額法により償却している。

４．仮払金

未完成の業務用ソフトウェアの制作費を計上したものである。当該ソフトウェアは来期完成予定であり、完成後は、耐用年数５年で均等償却を行う。適切な科目に振替えて、貸借対照表上区分掲記を行う。

⇨解答：172ページ

問題1－52 繰延資産・研究開発費(1)

重要度	A

A商事株式会社の第1期（×1年4月1日～×2年3月31日）における下記の資料により、会社計算規則に準拠した貸借対照表及び損益計算書の必要な部分を表示しなさい。また、重要な会計方針に係る事項に関する注記を示しなさい。

1．×1年4月1日

会社を設立し、定款等の作成費用、株式募集の広告費、創立総会費用、その他会社の負担に帰すべき設立費用の合計1,400千円を現金で支払った。

2．×1年5月27日

土地建物等の賃借料、広告宣伝費、通信交通費、その他開業準備のための費用の合計2,400千円を現金で支払った。

なお、×1年6月1日より営業を開始した。

3．×2年3月31日

期末を迎えた。繰延資産については資産計上をしたうえで、会社法に基づく最長期間で、定額法により償却を行うこととする。

⇨解答：173ページ

問題1－53 繰延資産・研究開発費(2)

重要度	A

F株式会社の第7期（×7年10月1日～×8年9月30日）における下記の資料により、会社計算規則に準拠した貸借対照表及び損益計算書の必要な部分を表示しなさい。また、必要となる注記事項を示しなさい。

〔資料Ⅰ〕 残高試算表

残高試算表　(単位：千円)

株式交付費	1,200	仮受金	49,550
開発費	36,000		
仮払金	28,000		

〔資料Ⅱ〕 決算整理事項等

1．株式交付費は×8年10月1日を払込期日とする新株発行に係るものであり、資産計上したうえで会社法に基づく最長期間で定額法により償却を行うこととする。

2．仮受金は×８年４月１日に平価発行した社債の発行価額から発行費用を差引いた手取額を計上したものである。社債の発行価額は50,000千円、償還期間は５年である。

なお、発行費用は全額支出時の費用として処理する。

3．開発費は×７年10月１日に特別に支出したものであり、会社法に基づく最長期間で定額法により償却する。

4．仮払金は、新製品開発のために当期において支出したものであり、「研究開発費等に係る会計基準」に基づき処理を行うこととする。

⇨解答：173ページ

問題１－54　繰延資産・研究開発費(3)

重要度	A

Ｆ株式会社の第７期（×７年10月１日～×８年９月30日）における下記の資料により、会社計算規則に準拠した貸借対照表及び損益計算書の必要な部分を作成しなさい。

なお、繰延資産に該当するものについては資産計上し、会社法に基づく最長期間で定額法により償却を行うこととする。

〔資料Ⅰ〕残高試算表

残 高 試 算 表　　（単位：千円）

借方科目	金額	貸方科目	金額
開発費	367,200	仮受金	432,450
仮払金	252,000	資本金	1,800,000
⋮		資本準備金	135,000
		⋮	

〔資料Ⅱ〕参考事項

1．仮受金は×８年４月１日に実施した新株発行に係る払込額から発行費用を差引いた手取額を計上したものである。発行価額は450,000千円であり、全額払込が履行された。なお、資本金組入額は、会社法に規定する最低限度額とする。

2．開発費の内訳は次のとおりである。

(1)　×８年２月14日支出分　　324,000千円

(2)　×８年４月20日支出分　　43,200千円

なお、(2)は毎期経常的に行われる市場調査に係るものである。

3．仮払金は、×８年９月１日に取得した特許権の取得のための支出額である。当該特許権は、翌期から開始する研究開発プロジェクトのため、多目的に使用するために取得したものである。当社は研究開発に係る支出については、「研究開発費等に係る会計基準」に従い処理している。

⇨解答：174ページ

問題１－55 税務上の繰延資産

重要度 B

Ｆ社株式会社の第7期（×７年４月１日～８年３月31日）における下記の資料により、会社計算規則に準拠した貸借対照表及び損益計算書の必要な部分を作成しなさい。

〔資料Ｉ〕

残高試算表の一部　（単位：千円）

仮払金	92,520	

〔資料Ⅱ〕参考事項

残高試算表上の仮払金の内訳は次のとおりである。(1)及び(2)の支出額は税務上の繰延資産に該当するため、長期前払費用に振り替えて５年間で均等償却（月割計算）を行う。

(1) ×７年６月１日に完成した商店街の共用アーケードの負担金2,520千円である。当該アーケードに対して当社に所有権はない。

(2) ×８年３月１日に建物を賃借するために支払った権利金90,000千円である。

⇨解答：175ページ

第２章　負債会計

問題２－１　金銭債務(1)

重要度　A

B株式会社（会計期間：自×５年１月１日　至×５年12月31日）の期末における次の資料により、会社計算規則に準拠した貸借対照表（負債の部のみ）を作成しなさい。なお、注記事項は貸借対照表等に関する注記のみを記載しなさい。

また、関係会社に対する金銭債務は、独立科目表示すること。

〔資料Ⅰ〕　残高試算表の一部

残高試算表　（単位：千円）

⋮		支払手形	250,000
		買掛金	130,000
		借入金	90,000
		未払金	52,000
		預り金	14,000
		前受金	19,000
		仮受金	24,000
		社債	60,000

〔資料Ⅱ〕　参考事項

１．支払手形のうちには次のものが含まれている。

(1) 当社の親会社に対する営業上の手形債務　70,000千円

(2) 得意先からの借入金の見返りとして当期中に振出した手形　40,000千円（短期性のもの）

(3) 有価証券の購入により振出した手形　30,000千円（短期性のもの）

２．買掛金の内訳は次のとおりである。

(1) 仕入先との取引により生じた営業上の未払金　80,000千円

(2) 当期に固定資産を購入したことにより生じた未払金　20,000千円（親会社からの購入であり、支払期日は×７年１月31日である。）

(3) 子会社との取引により生じた営業上の未払金　30,000千円

3．借入金のうち50,000千円は×７年12月31日期日のものであるが、そのうち3,000千円は、当社の取締役からのものである。また、残額については１年以内期限到来のものであるが、そのうち10,000千円は、前期以前に借入れたものである。

4．未払金のうちには、法人税、住民税の未払額38,000千円及び法人事業税の未払額11,000千円が含まれている。

5．預り金の内訳は次のとおりである。

(1) 源泉徴収した所得税及び社会保険料　7,000千円
(2) 従業員の社内預金（長期性のもの）　4,000千円
(3) 建物の賃貸に伴う保証金（長期性のもの）　3,000千円

6．社債のうちには、償還期限が１年以内に到来するものが30,000千円含まれている。

7．仮受金のうち19,000千円は、得意先に対する売掛代金の回収額であり、残額は得意先に融資していた短期資金の回収額である。

8．前受金19,000千円は、得意先からの当座振込額を計上したものであるが、その内容は相手方の買掛金の支払額12,000千円と注文品の手付金7,000千円である。

⇨解答：176ページ

問題２－２　金銭債務(2)

重要度	B

C株式会社（物品販売業の他、運輸・倉庫業も営んでいる。会計期間：自×５年５月１日　至×６年４月30日）の下記に掲げる資料により、次の各問に答えなさい。

［問１］　会社計算規則に準拠した貸借対照表の負債の部（必要な部分のみ）を完成させなさい。

［問２］　［問１］の場合に必要となる貸借対照表等に関する注記を所定の箇所に記載しなさい。

［問３］　損益計算書に計上される支払利息の金額を所定の箇所に記載しなさい。

〔資料Ｉ〕　残高試算表の一部

残高試算表　（単位：千円）

⋮		支払手形	350,000
売掛金	135,000	買掛金	200,000
未収収益	3,460	借入金	1,070,000
⋮		未払費用	4,280
仕入	332,000	仮受金	54,000
支払利息	18,130	⋮	
⋮		売上	490,000
		受取利息	9,310

〔資料Ⅱ〕　参考事項

1．仕入先である当社の子会社Ｄ社から商品28,000千円を仕入れ、代金は掛としたが未処理である。なお、Ｄ社に対する買掛金は期末現在当該未処理分のみである。関係会社に対する金銭債務は科目別注記の方法により開示することとする。

2．仮受金には当社倉庫での預り貨物に係る保管料（×６年１月から３月までの３カ月分）が19,000千円と、前期において保管貨物を指定先に運搬したことによる運賃収入35,000千円が含まれている。なお、運賃収入は前期において売掛金として処理されているので精算する。

3．両国社から商標権の侵害があったとして損害賠償請求額30,000千円を受け、現在係争中である。

4．取引先Ｉ社の銀行借入に際して限度額10,000千円の債務保証を行っている。

5．借入金のうちには、次のものが含まれている。

(1) 借入金残高のうち90,000千円は、運転資金に充てるため×６年４月30日に90,000千円を借り入れたもので、×６年５月31日より毎月末7,500千円の返済及び利息の支払いを行う予定である。

(2) 借入金のうち980,000千円の借入金は、次の条件によっている。

・借入金額　　　980,000千円
・返済条件　　　１年ごとに196,000千円を返済
・利払日　　　　半年ごとの前払いで、５月１日と11月１日
・利率　　　　　６カ月 TIBOR（東京銀行間取引金利）＋0.4％
　　　　　　　　結果的に、次の利率が適用された。

期　間	利　率
×５年５月１日から×５年10月31日まで	0.8％
×５年11月１日から×６年4月30日まで	1.1％

・借入実行日　　×５年５月１日
・返済期限　　　×10年４月30日

(3) 上記(2)の借入金の金利変動リスクを低減するため、当期において次の金利スワップ契約を締結した。

・想定元本　　　980,000千円
・返済条件　　　翌期から１年ごとに196,000千円を返済
・金利の受渡日　半年ごとの前払いで、５月１日と11月１日
・変動金利（交換）　６カ月 TIBOR＋0.4％
・固定金利　　　0.9％

当該金利スワップは所定の条件を充たすことから、金利スワップの特例処理を採用する。なお、変動金利の収入については〔資料Ⅰ〕の受取利息勘定に、また、固定金利の支出について

は〔資料Ⅰ〕の支払利息勘定に暫定的に計上されたままである。

⇨解答：176ページ

問題2－3 金銭債務(3)

重要度	B

荻窪株式会社の第45期（自×20年４月１日　至×21年３月31日）における下記の資料により、会社計算規則に準拠した貸借対照表及び損益計算書の必要な部分を作成しなさい。

〔資料Ⅰ〕

残高試算表の一部　（単位：千円）

支払手数料	125	仮受金	40,000

〔資料Ⅱ〕決算整理未済事項その他

1．社債に関する事項

(1) ×21年１月１日に、私募債を次のとおり発行した。

発行総額	40,000千円
発行価格	額面100円につき金100円
利息	利率年2.45%（半年ごとの後払い）
償還価額	金額100円につき金100円
償還期限、方法	×25年12月31日（満期一括償還）
担保提供	土地128,300千円

なお、当該私募債の発行による収入額40,000千円は、〔資料Ⅰ〕の仮受金勘定に暫定的に計上している。

(2) 上記(1)の私募債に係る金利の支払いは、損益計算書では独立掲記する。

(3) 上記(1)の私募債を発行するにあたって生じた事務委託手数料や引受手数料などの支出125千円は、〔資料Ⅰ〕の支払手数料勘定に計上されている。なお、当該支出については一括して費用処理する会計方針を採用している。

⇨解答：178ページ

問題2－4 引当金(1)

重要度	A

当期（×５年４月１日～×６年３月31日）末における次の資料により、会社計算規則に準拠した貸借対照表及び損益計算書の必要部分を完成させなさい。

〔資料Ⅰ〕　残高試算表の一部

残高試算表　　　　(単位：千円)

借方科目	金額	貸方科目	金額
受取手形	900,000	貸倒引当金	25,000
売掛金	700,000	役員退職慰労引当金	10,500
貸付金	400,000	債務保証	7,000
⋮		⋮	
給料手当	240,000		
債務保証見返	7,000		
⋮			

〔資料Ⅱ〕

1．給料手当のうちには、期首に退職した役員に対する退職慰労金10,500千円が含まれている。

2．賞与引当金を16,000千円計上する。

3．役員賞与引当金を10,000千円計上する。

4．当期から修繕引当金を設定することにしたが、当期の繰入額は3,000千円である。

5．貸倒引当金は受取手形900,000千円、売掛金700,000千円及び貸付金400,000千円に対して、それぞれ２％計上する。なお、損益計算書上は繰入額と戻入額を相殺し、設定対象債権の割合に応じて適切な表示区分に表示すること。

6．当社が保証人になっている甲社の債務につき、翌期に代理弁済義務が生じる可能性が高くなったため、その全額である7,000千円につき引当計上する。

⇨解答：179ページ

問題２－５　引当金(2)

重要度　A

A株式会社（事業年度：自×13年７月１日　至×14年６月30日）に係る次の資料により、会社計算規則に準拠した貸借対照表及び損益計算書の必要部分を完成させなさい。

〔資料Ⅰ〕　期末残高試算表の一部

期末残高試算表の一部　　　　(単位：千円)

借方科目	金額	貸方科目	金額
⋮		⋮	
賞与手当	121,000	賞与引当金	40,000
仮払金	12,000	役員退職慰労引当金	80,000
⋮		⋮	

〔資料Ⅱ〕　決算整理事項

1．賞与引当金

賞与引当金は翌期の９月10日に支給される賞与に備えるため、当期負担額を見積計上する。当社の賞与の支給は毎年３月10日（賞与支給対象期間：９月初日～２月末日）及び９月10日（賞与支給対象期間：３月初日～８月末日）の年２回である。

なお、翌期の９月10日に支給される賞与（賞与支給対象人数110人）は当期９月の１人当たりの支給実績の５％増で支給することとした。

残高試算表上の賞与引当金は、当期９月10日に支給した賞与に備えるために前期末に計上したものであり、当社は支給時に賞与手当で処理している。また、当期３月10日に支給した賞与についても賞与手当で処理している。

＜支給実績＞

(1)　×12年９月10日総支給額　61,740千円（設定対象人数 98人）

(2)　×13年３月10日総支給額　55,100千円（設定対象人数 95人）

(3)　×13年９月10日総支給額　60,000千円（設定対象人数100人）

(4)　×14年３月10日総支給額　61,000千円（設定対象人数100人）

2．債務保証損失引当金

当社は鳥栖株式会社に対して債務保証を行っているが、鳥栖株式会社は債務超過の状態に陥り、資金繰りが困難な状況となっている。決算に当たり、債務保証に係る損失額を合理的に見積もることができるので、その全額を債務保証損失引当金として設定することとした。

債務保証に係る事項の×14年６月30日現在の状況は、次のとおりである。債務保証損失引当金の計上額は、下記(2)の債務保証額から、(3)の土地の担保価値及び(4)の返済可能見積額を控除した残額とする。

(1)　当社の保証の対象となる鳥栖株式会社の銀行借入金　10,000千円

(2)　当社の上記(1)に係る債務保証額　10,000千円

(3)　当社が鳥栖株式会社より担保として受入れている土地の担保価値　5,000千円

(4)　鳥栖株式会社による返済可能見積額　3,000千円

なお、当社は債務保証に係る備忘記録は行っていない。

3．翌期の支給に備え、当期の負担に属する役員賞与引当金を16,000千円繰入れる。

4．当社は、役員の退職慰労金の支払いに備えるため、内規に基づく期末要支給額の100％の引当金を計上している。当期中の引当金の増減は以下のとおりである。

（単位：千円）

前期末残高	当期増加額	当期減少額	当期末残高
80,000	6,000	12,000	74,000

(1)　×13年９月に退任した取締役に対し、12,000千円（前期末引当金残高と同額）の退職慰労金

を支払い、仮払金として処理している。

(2) 残高試算表上の役員退職慰労引当金残高は前期末残高を示している。

⇨解答：180ページ

問題2－6 退職給付引当金(1)

重要度 A

甲株式会社の当期（×6年4月1日～×7年3月31日）に係る次の資料により、個別貸借対照表及び損益計算書に計上すべき退職給付引当金及び退職給付費用の額を求めなさい。

〔資料Ⅰ〕決算整理前残高試算表（一部）

決算整理前残高試算表 （単位：千円）

⋮		⋮	
		退職給付引当金	17,200
		⋮	

〔資料Ⅱ〕参考事項

(1) 当期の勤務費用 2,200千円

(2) 当期の利息費用 1,000千円

(3) 当期の期待運用収益 640千円

⇨解答：180ページ

問題2－7 退職給付引当金(2)

重要度 A

乙株式会社の当期（×6年4月1日～×7年3月31日）に係る次の資料により、個別貸借対照表及び損益計算書に計上すべき退職給付引当金及び退職給付費用の額を求めなさい。

〔資料Ⅰ〕決算整理前残高試算表（一部）

決算整理前残高試算表 （単位：千円）

⋮		⋮	
仮払金	2,400	退職給付引当金	54,000
⋮		⋮	

〔資料Ⅱ〕参考事項

(1) 前期末の退職給付債務 120,000千円

(2) 前期末の年金資産の公正評価額（時価） 66,000千円

(3) 当期の勤務費用 7,200千円

(4) 割引率は３％である。

(5) 長期期待運用収益率は４％である。

(6) 期中において年金基金に掛金2,400千円を支払い、仮払金で処理している。

⇨解答：180ページ

問題２－８ 退職給付引当金(3)

重要度 A

水道橋株式会社の（自×３年４月１日　至×４年３月31日）における下記の資料により、会社計算規則に準拠した貸借対照表及び損益計算書の必要な部分を作成しなさい。

〔資料Ⅰ〕

残高試算表の一部　（単位：千円）

仮払金	100,000	退職給付引当金	2,355,000
繰延税金資産	706,500		

〔資料Ⅱ〕決算整理未済事項その他

1　退職給付引当金に関する事項

当社は退職給付会計の適用に当たり、原則法によって処理している。なお、退職給付に関する処理は前期末までの処理は適正に行われているが当期に係る処理については未処理である。

（単位：千円）

前期末退職給付債務	4,575,000
前期末年金資産の評価額	2,125,000
前期末に計算された未認識数理計算上の差異	（借方差異）95,000
当期の勤務費用	189,000
当期の年金掛け金の支出額	100,000
年金基金からの支払額	130,000

(1) 未認識数理計算上の差異は、発生年度の翌年から平均残存勤務期間10年間にわたり定額法により償却計算を行っている。

(2) 割引率は1.0%、長期期待運用収益率は2.0%である。

(3) 当期の年金掛け金の支出額は仮払金で処理している。

(4) 退職給付引当金は税効果会計を適用するものとし、法定実効税率は30%とする。

⇨解答：181ページ

問題２－９　退職給付引当金(4)

重要度	B

甲株式会社の第45期（×27年４月１日から×28年３月31日まで）に係る次の資料により、会社計算規則に準拠した貸借対照表及び損益計算書（必要な部分のみ）を作成しなさい。

〔資料１〕残高試算表の一部

（単位：千円）

勘定科目	金額	勘定科目	金額
⋮	⋮	⋮	⋮
仮払金	4,810	退職給付引当金	72,450
⋮	⋮	⋮	⋮

〔資料２〕参考事項

甲社は確定給付型の退職一時金制度と企業年金制度を採用しており、従業員の退職給付に備えるため、期末における退職給付債務から期末における年金資産の額を控除した金額をもって退職給付引当金を計上している。また、当社は従業員が300人未満であり合理的に数理計算上の見積りを行うことが困難であるため、退職一時金制度においては期末自己都合要支給額を退職給付債務とし、企業年金制度においては年金財政計算上の数理債務を退職給付債務とする方法（簡便法）を採用している。

なお、残高試算表の退職給付引当金は前期末残高である。

(1)　退職一時金制度における自己都合要支給額、企業年金制度における年金財政計算上の数理債務及び年金資産の額は、次のとおりである。なお、年金資産の額は、公正な評価額である。

（単位：千円）

	退職一時金制度	企業年金制度	
	自己都合要支給額	年金財政計算上の数理債務の額	年金資産の額
当期末	50,860	54,040	16,950
前期末	43,860	46,250	17,660

(2)　当期における退職一時金の支給額は1,850千円であり、仮払金に計上している。

(3)　当期における退職年金への拠出金は2,960千円であり、仮払金に計上している。また、年金給付支払額は1,360千円であった。

⇨解答：181ページ

問題２－10 退職給付引当金(5)

重要度 A

X株式会社の当期（第15期：×７年４月１日～×８年３月31日）に係る次の資料に基づき、会社計算規則に準拠した個別貸借対照表及び損益計算書の一部を作成しなさい。なお、税効果会計については、考慮不要とする。

〔資料Ⅰ〕残高試算表の一部

残高試算表の一部　（単位：千円）

⋮		⋮	
仮払金	44,500	退職給付引当金	447,300
退職給付費用	47,300	⋮	
⋮			

〔資料Ⅱ〕参考事項

1．当期末における退職給付に関する資料は以下のとおりである。

【資　料】

①	前期末退職給付債務	856,000千円
②	前期末年金資産	438,000千円
③	前期末未認識数理計算上の差異（損失）	18,000千円
④	勤務費用	34,750千円
⑤	割引率	2.0%
⑥	長期期待運用収益率	1.5%
⑦	期末退職給付債務公正評価額	870,370千円
⑧	期末年金資産公正評価額	441,070千円

⑨　数理計算上の差異は、発生年度から10年間で定額法により費用処理している。

なお残高試算表上の退職給付費用は、勤務費用、利息費用、期待運用収益、前期末未認識数理計算上の差異の費用処理額に基づいて見積計上したものである。

(1) 年金基金に掛金22,000千円を拠出し、仮払金として処理している。

(2) 年金基金から退職した従業員に対し、退職年金24,000千円が支給されている。

(3) 期中退職した従業員に対し、退職一時金22,500千円が企業から直接給付されており、仮払金として処理されている。なお、当該退職一時金は、早期退職優遇制度に基づき退職した従業員に対して支払われたものであり、通常の退職金の25%増しの退職一時金が支払われている。

⇨解答：182ページ

問題２－11　退職給付引当金(6)

重要度	A

Ｚ株式会社の当期（×７年４月１日～×８年３月31日）に係る次の資料に基づき、会社計算規則に準拠した個別貸借対照表及び損益計算書の一部を作成しなさい。なお、税効果会計については考慮不要とする。

〔資料Ⅰ〕残高試算表の一部

残高試算表の一部　（単位：千円）

⋮		⋮	
販売費及び一般管理費	4,850	退職給付引当金	40,000
⋮		⋮	

〔資料Ⅱ〕参考事項

当社は従業員が300人未満であるので「退職給付に関する会計基準」の簡便法を採用している。

(1)　自己都合要支給額の推移等は次のとおりである。

（単位：千円）

項目	前期末		当期末	
	本社従業員	支店従業員	本社従業員	支店従業員
自己都合要支給額	8,350	31,650	9,000	33,750

(2)　当期中の退職金の支給状況は次のとおりである。なお、期中の会計処理は退職金支給額を（借方）販売費及び一般管理費／（貸方）現金預金としている。

（単位：千円）

項目		本社従業員	支店従業員
前期末	自己都合要支給額	500	4,000
退職時	自己都合要支給額（退職金支給額）	600	4,250

⇨解答：182ページ

問題２－12　退職給付引当金(7)

重要度	A

〔資料Ⅰ〕及び〔資料Ⅱ〕に基づき、甲商事株式会社の第20期(自×20年４月１日至×21年３月31日)における個別貸借対照表及び損益計算書に記載すべき退職給付引当金及び退職給付費用の金額を答案用紙の所定の箇所に解答を記入しなさい。

〔資料Ⅰ〕×21年３月31日現在の甲商事株式会社の決算整理前残高試算表の一部

(単位：千円)

勘定科目	金額	勘定科目	金額
⋮	⋮	⋮	⋮
販売費及び一般管理費	1,160,200	退職給付引当金	86,400
⋮	⋮	⋮	⋮

〔資料Ⅱ〕決算整理の未了事項及び参考事項

1　退職給付引当金に関する事項

当社は、確定給付型の企業年金制度を適用しているが、退職給付に係る当期の資料は次のとおりであった。

(単位：千円)

	前期末	当期末
①　退職給付債務	△576,000	△585,120
②　年金資産	480,000	各自推定
③　未積立退職給付債務（①＋②）	△96,000	各自推定
④　未認識数理計算上の差異	72,000	57,600
⑤　未認識過去勤務費用	△62,400	各自推定
⑥　退職給付引当金（③＋④＋⑤）	△86,400	各自推定

〈退職給付債務等の計算の基礎に関する事項〉

(1) 割引率は年２％、長期期待運用収益率は年４％である。

(2) 当期の年金資産からの年金給付支払額は24,000千円である。

(3) 当期の掛金拠出は48,000千円であり、販売費及び一般管理費の退職給付費用で処理されている。

(4) 数理計算上の差異は発生年度の翌期から費用処理しているが、当期において、年金資産の実際運用収益率が期待運用収益率を上回ったため、数理計算上の差異が4,800千円発生した。当期中にこれ以外に発生した数理計算上の差異はない。

(5) 過去勤務費用はすべて前期期首に発生したものであり、発生年度より14年の定額法で費用処理している。当期中に新たに発生した過去勤務費用はない。退職給付費用に係る計算は未了である。

⇨解答：182ページ

問題２－13　退職給付引当金(8)

重要度	A

A株式会社（以下、「当社」という。）の第40期（自×27年４月１日　至×28年３月31日）に係る次の資料に基づき、会社計算規則に準拠した貸借対照表及び損益計算書の一部を作成しなさい。

〔資料１〕残高試算表（一部）

残高試算表　（単位：千円）

仮払金	3,370	退職給付引当金	47,280

〔資料２〕決算整理の未済事項及び参考事項

1．退職給付会計に関する事項

当社は確定給付型の企業年金制度を採用しており、従業員の退職給付に備えるため、退職給付債務に未認識過去勤務費用及び未認識数理計算上の差異を加減した額から年金資産の額を控除した金額を退職給付引当金として計上している。

なお、残高試算表の退職給付引当金残高は前期末残高である。

(1) 前期末退職給付債務は72,800千円である。当社では×27年４月１日に退職年金規程を改訂し、退職金を減額した。

退職年金規程改訂後の×27年４月１日現在の退職給付債務は64,300千円となった。

(2) 当期の勤務費用及び利息費用（ともに規程改訂後）は次のとおりである。

勤務費用	2,703千円
利息費用	1,286千円

(3) 期首年金資産は23,300千円である。

(4) 長期期待運用収益率は３％であり、期待運用収益はこの率に基づいて計算する。

(5) 未認識数理計算上の差異は発生年度の翌期から10年で償却を行っており、内訳は次のとおりである。

発生年度	発生金額	発生原因
×26年３月期	△8,800千円	年金資産の実際運用収益が期待運用収益を下回ったため
×27年３月期	5,700千円	年金資産の実際運用収益が期待運用収益を上回ったため

(6) 過去勤務費用は発生年度より５年で償却する。

(7) 当期における掛金拠出額は3,370千円で、仮払金で処理されている。

⇨解答：183ページ

第３章　純資産会計

問題３－１　株主資本(1)

重要度	A

次の<ケース１>及び<ケース２>において、増加する資本金の額及び増加する資本準備金の額を求めなさい。なお、指示がない場合には原則的方法により処理するものとする。

	ケース１	ケース２
類　　型	新株発行	新株発行
発行株式数	300株	300株
発行価額	240千円	160千円
留意点	(注)１、２、３	(注)１、３

留意点

（注１）発行価額は１株当たりの金額である。

（注２）払込金額のうち資本金に組入れる額は会社法に基づく最低限度額とする。

（注３）計算にあたっては、発行価額の全額について払込みが行われたものとして計算する。

⇨解答：184ページ

問題3－2　株主資本(2)

重要度	A

甲株式会社の当期（×6年1月1日～×6年12月31日）に係る下記の資料により、会社計算規則に準拠した貸借対照表の純資産の部を作成しなさい。

〔資料Ⅰ〕　前期末（×5年12月31日）における貸借対照表（一部）

貸借対照表　（単位：千円）

	⋮	
	資本金	1,600,000
	資本準備金	200,000
	その他資本剰余金	6,000
	利益準備金	150,000
	別途積立金	34,000
	繰越利益剰余金	184,000

〔資料Ⅱ〕　参考事項

1．×6年3月20日において、繰越利益剰余金を財源とする下記の内容の剰余金の処分等が行われた。

なお、前期末から×6年3月20日までに、純資産の部の各計数の額の変動はなかった。

(1) 配当金　40,000千円

(2) 上記(1)に係る準備金の積立て　各自推定

(3) 新築積立金の積立て　20,000千円

(4) 別途積立金の積立て　10,000千円

2．×6年7月に繰越利益剰余金を財源に剰余金の配当30,000千円を行った。この配当に伴う会計処理は、準備金の積立ても含めて未処理となっている。なお、当該剰余金の配当に伴う準備金の積立額の算定に当たって用いるべき資本金及び準備金の額は上記1を考慮した金額とする。

3．当期における損益計算書上の当期純利益の額は44,000千円である。

⇨解答：184ページ

問題３－３　株主資本(3)

重要度	A

甲株式会社の当期（×６年４月１日～×７年３月31日）に係る下記の資料により、次の各問に答えなさい。

〔問１〕　会社計算規則に準拠した貸借対照表の純資産の部を作成しなさい。

〔問２〕　株主資本等変動計算書に関する注記を完成させなさい。

〔問３〕　１株当たり情報に関する注記を完成させなさい。なお、計算上、円未満の端数が生じた場合は、円未満３位以下を切捨てること。

〔資料Ⅰ〕残高試算表

残高試算表　(単位：千円)

⋮		⋮	
仮払金	60,000	預り金	120,000
自己株式	30,000	仮受金	540,000
		資本金	1,400,000
		資本準備金	236,000
		利益準備金	110,000
		別途積立金	40,000
		繰越利益剰余金	140,000

〔資料Ⅱ〕参考事項

1．×７年４月１日を払込期日（×７年３月10日を申込期日）として１株につき発行価額240千円で新株500株を発行するが、払込価額120,000千円につき預り金として処理しているのみである。

2．×６年９月２日に繰越利益剰余金を財源に剰余金の配当60,000千円を支払うことが決定され、支払いが行われたが、支払金額を仮払金として処理している。

　なお、この配当に伴う準備金の積立ての処理が未済である。当該剰余金の配当に伴う準備金の積立額の算定に当たって用いるべき資本金及び準備金の額は残高試算表の金額とする。

3．×６年12月１日を払込期日として１株につき発行価額180千円で新株3,000株を発行したが、払込金額540,000千円につき仮受金としているのみで、資本金への振替えが行われていない。なお、資本金に組入れる額は、会社法に規定する最低限度額とする。

4．自己株式はすべて×６年10月１日に適正に取得された200株に係るものである。

5．損益計算書上の当期純利益は46,000千円と算定された。

6．期首現在の発行済株式数は10,000株である。

⇨解答：184ページ

問題３－４　株主資本の計数の変動(1)

重要度	A

A株式会社の当期（×７年４月１日～×８年３月31日）に係る次の資料に基づき、会社計算規則に準拠した貸借対照表の必要な部分を作成しなさい。

〔資料Ⅰ〕　残高試算表の一部

残高試算表の一部　（単位：千円）

⋮	⋮	
	仮受金	111,900
	⋮	
	資本金	900,000
	資本準備金	75,000
	その他資本剰余金	9,000
	利益準備金	63,000
	別途積立金	45,000
	繰越利益剰余金	69,000
	⋮	

〔資料Ⅱ〕　参考事項

1．当期９月に新株の発行を行い、払込金額120,000千円から新株発行に係る費用を差引いた手取額を仮受金として計上している。資本組入額は会社法に規定する最低限度額とする。

　また、新株発行に係る費用については資産計上し、会社法に基づく最長期間で定額法により償却する。

　なお、残高試算表の仮受金は、すべて当該手取額である。

2．当期11月に開催された株主総会で、以下の事項が決議された。

(1) 資本準備金を45,000千円減少させ、その他資本剰余金を増加させることとした。

(2) 別途積立金を21,000千円取崩し、繰越利益剰余金を増加させることとした。

3．当期の損益計算書に計上される当期純利益は24,000千円である。

(注) 上記資料以外の株主資本等の変動については考慮する必要はない。また、上記の決議事項は、すべて法的要件を満たしているものとする。

⇨解答：185ページ

問題3－5　株主資本の計数の変動(2)

重要度	A

Z株式会社の当期（×7年4月1日～×8年3月31日）に係る次の資料に基づき、会社計算規則に準拠した貸借対照表の純資産の部を作成しなさい。

〔資料Ⅰ〕　残高試算表の一部

残高試算表の一部　（単位：千円）

⋮		⋮	
仮払金	60,000	資本金	1,000,000
⋮		資本準備金	100,000
		その他資本剰余金	50,000
		利益準備金	60,000
		別途積立金	56,000
		繰越利益剰余金	106,000
		⋮	

〔資料Ⅱ〕　参考事項

1．当期6月に開催された株主総会で、以下の事項が決議された。

(1) 剰余金の配当　　60,000千円

当該配当の内訳は、その他資本剰余金が20,000千円、繰越利益剰余金が40,000千円であった。当社は配当金に係る支出額を仮払金として処理している。

なお、当該配当に伴う準備金の積立てが未処理である。当該剰余金の配当に伴う準備金の積立額の算定に当たって用いるべき資本金及び準備金の額は残高試算表の金額とする。

(2) 新築積立金の積立て　　20,000千円

新築積立金に関する処理は、未だ行われていない。

2．当期10月に開催された株主総会で、以下の事項が決議されたが、その処理が未済であった。

(1) 資本準備金60,000千円を減少させ、資本金を増加させることとした。

(2) 利益準備金20,000千円を減少させ、繰越利益剰余金を増加させることとした。

3．当期の損益計算書に計上される当期純利益は56,000千円である。

(注) 上記資料以外の株主資本等の変動については考慮する必要はない。また、上記の決議事項は、すべて法的要件を満たしているものとする。

⇨解答：186ページ

問題３－６ 自己株式(1)

重要度	B

Ｙ株式会社の当期（×７年８月１日～×８年７月31日）に係る次の資料に基づき、会社計算規則に準拠した貸借対照表の純資産の部を作成しなさい。

〔資料Ⅰ〕残高試算表の一部

残高試算表の一部　（単位：千円）

⋮		⋮	
有価証券	259,010	仮受金	33,600
⋮		⋮	
		資本金	300,000
		資本準備金	50,000
		その他資本剰余金	32,500
		利益準備金	15,000
		別途積立金	28,000
		繰越利益剰余金	30,000

〔資料Ⅱ〕参考事項

１．有価証券の内訳は以下のとおりである。有価証券の評価は「金融商品に関する会計基準」に基づいて行うこととする。

銘　柄	保有目的	帳簿価額	時　価	備　考
当社株式	―――	119,010千円	121,200千円	(注１)
A社株式	その他	80,000千円	69,000千円	(注２)
B社株式	その他	60,000千円	74,000千円	(注２)

(注１) ×７年11月に取得したもの40千株（取得のために要した支払手数料320千円が含まれている）及び×８年３月に取得したもの80千株（取得のために要した支払手数料610千円が含まれている）の合計額である。

なお、当社は×８年１月に当該自己株式のうち40千株を１株850円で処分したが、処分代金から処分に係る費用400千円を差引いた手取額33,600千円を仮受金として計上しているのみである。処分に係る費用については、支出時の費用として処理する。

また、当該自己株式のうち20千株を消却することとしたが、その処理が未済である。

自己株式の単価は、総平均法により計算することとする。

(注２) その他有価証券の評価差額の処理は、税効果会計を適用の上、全部純資産直入法によるこ

ととする。また、税効果会計に係る法定実効税率は40%である。

2．当期の損益計算書に計上される当期純利益は30,000千円である。

⇨解答：187ページ

問題3－7 自己株式(2)

重要度	A

H株式会社の当期（×7年4月1日～×8年3月31日）に係る次の資料に基づき、個別注記表に記載される(1)1株当たり純資産の額、(2)1株当たり当期純利益の額を求めなさい。

なお、円未満の端数が生じる場合には、円未満3位以下切捨てとする。

〔資料Ⅰ〕H株式会社の当期末の貸借対照表（純資産の部のみ）

（単位：千円）

科　目	金　額
純資産の部	
Ⅰ 株主資本	(649,000)
1 資本金	400,000
2 新株式申込証拠金	40,000
3 資本剰余金	(76,000)
(1) 資本準備金	50,000
(2) その他資本剰余金	26,000
4 利益剰余金	(153,000)
(1) 利益準備金	35,000
(2) その他利益剰余金	(118,000)
別途積立金	31,000
繰越利益剰余金	87,000
5 自己株式	△ 20,000
Ⅱ 新株予約権	12,000
純資産の部合計	661,000

〔資料Ⅱ〕参考事項

1．期首発行済株式総数は1,200千株である。

2．×7年10月に新株の発行（有償増資）を行い、300千株発行した。

3．×7年7月に自己株式40千株を取得している。なお、前期以前に自己株式の取得は行われていない。

4．当期の損益計算書に計上される当期純利益は58,000千円である。

5．当社が発行する株式は、すべて普通株式である。また、上記以外の内容については考慮不要とする。

⇨解答：187ページ

問題３－８　新株予約権(1)

重要度	A

A株式会社の当期（×８年４月１日～×９年３月31日）に係る次の資料に基づき、会社計算規則に準拠した貸借対照表の純資産の部を作成しなさい。

〔資料Ⅰ〕残高試算表の一部

残高試算表の一部　（単位：千円）

借方科目	金額	貸方科目	金額
⋮		⋮	
仮払金	40,000	仮受金	228,000
⋮		⋮	
		資本金	600,000
		資本準備金	100,000
		その他資本剰余金	65,000
自己株式	60,800	利益準備金	48,000
⋮		別途積立金	56,000
		繰越利益剰余金	60,000

〔資料Ⅱ〕参考事項

1．×８年６月に開催された株主総会で、その他資本剰余金を財源に40,000千円の配当が行われたが、当社は支出額を仮払金として処理したのみで、その他の処理がいっさい行われていなかった。なお、準備金積立額の算定に当たって用いるべき計数は残高試算表に計上されている金額とする。

2．仮受金の内訳は以下のとおりである。

(1)　新株予約権の発行に係る払込額　150,000千円

当該新株予約権は、×８年５月に以下の条件で発行したものである。

【条　件】

①　発行する新株予約権の個数：1,500個（１個当たり４株割当）

②　新株予約権の目的となる株式の種類及び総数：当社普通株式6,000株

③　新株予約権１個当たりの発行価額：100千円

④　権利行使に際して必要な払込額：新株予約権１個当たり600千円

⑤　資本組入額：会社法に規定する最低限度額

(2) 新株予約権の権利行使に係る払込額　　78,000千円

当社は権利行使に係る払込額を仮受金として処理したのみで、その他の処理がいっさい行われていなかった。なお、権利行使の内訳は次のとおりである。

① ×８年10月に新株予約権100個の権利行使がなされ、新株を発行した。

② ×９年２月に新株予約権30個の権利行使がなされ、自己株式を交付した。

なお、×９年２月時点で当社が保有する自己株式の数は400株、１株当たりの単価は152千円である。

3．当期の損益計算書に計上される当期純利益は24,000千円である。

⇨解答：188ページ

問題３－９　新株予約権(2)

重要度	A

次の資料に基づき、答案用紙に示された各時点において必要となる仕訳を示しなさい。なお、解答に当たっては、表示科目を用いることとする。また、仕訳が不要の場合は「仕訳不要」と記載すること。

〔資　料〕

1．当社は×５年４月１日に、従業員150名に対して１人当たり30個（合計：4,500個）のストック・オプション（新株予約権）を以下の条件で付与した。

【条　件】

(1) 対象勤務期間はストック・オプション付与日から２年間（×５年４月１日～×７年３月31日）とする。

(2) 権利行使期間は×７年４月１日～×９年３月31日の２年間とする。

(3) 付与日におけるストック・オプションの公正な評価単価は6,000円である。

(4) 権利行使により与えられる株式数は新株予約権１個当たり150株、権利行使時の払込金額は１株当たり1,500円である。

(5) ストック・オプション付与時において、×７年３月31日までに６名の退職による失効を見込んでいる。ただし、×６年３月31日において将来の失効見込みを修正する必要はないと想定している。

(6) 資本組入額は、会社法に規定する最低限度額とする。

2．権利確定日（×７年３月31日）において、12名の退職による失効があった。

3．×７年６月30日に60名分の権利行使がなされ、新株を発行した。

4．×８年10月31日に60名分の権利行使がなされ、自己株式（帳簿価額：400,000千円）を交付した。

5．×９年３月31日を迎え、残りの新株予約権が失効した。

⇨解答：189ページ

問題３－10　新株予約権(3)

重要度	B

B株式会社の当期（×８年７月１日～×９年６月30日）に係る次の資料に基づき、会社計算規則に準拠した貸借対照表の必要部分を作成しなさい。

〔資料Ⅰ〕残高試算表の一部

残高試算表の一部　（単位：千円）

⋮		⋮	
社債発行費	15,600	社債	600,000
⋮		⋮	
		資本金	1,000,000
		資本準備金	250,000
自己株式	72,000	その他資本剰余金	130,000
⋮		⋮	

〔資料Ⅱ〕参考事項

当社は、×９年４月１日に以下の条件で転換社債型新株予約権付社債を発行した。当該社債については一括法により処理する。

【発行条件】

(1) 社債の発行価額（額面金額）　600,000千円

(2) 発行価額　1口につき1,000円（うち、社債の発行価額が1,000円、新株予約権の発行価額が0円）

(3) 償還期日　×15年３月31日

(4) 利率及び利払日　利息は付さない。

(5) 新株予約権の内容

① 発行する新株予約権の個数　600,000個

② 発行株式　当社普通株式

③ 新株の交付等　新株予約権１個につき、1,000円で１株を交付する。

(6) 新株予約権の権利行使期間　×９年４月１日から×15年３月20日

(7) 資本組入額　会社法規定の最低限度額

×９年５月31日に新株予約権170,000個について権利行使がなされたが、処理が未済であった。

なお、今回の権利行使に伴う交付株式のうち、50,000株は保有する自己株式（@800円）を交付し、残りは新株を発行して交付することとした。

残高試算表上の社債発行費は、当該社債の発行に際して支出されたものである。当該社債発行費は支出時の費用として処理する。

⇨解答：189ページ

問題３－11　株主資本等変動計算書(1)

重要度	A

Ｃ株式会社の当期（×５年４月１日～×６年３月31日）に係る次の資料に基づき、株主資本等変動計算書を作成しなさい。

なお、問題文に特段の指示がない限り、過去の誤謬の訂正に該当するものはないものとする。

〔資　料〕

1．Ｃ社は×５年４月に新株の発行による増資50,000千円を実施した。資本組入額は会社法規定の最低限度額とした。

2．×５年６月の株主総会において繰越利益剰余金からの配当25,000千円の支払いと準備金への繰入れ2,500千円を決議し、配当を行った。また、事業拡張積立金5,000千円を取崩し、翌期の市場開拓のため、事業拡張積立金を2,500千円積立てた。

3．×６年３月期のＣ社の当期純利益は50,000千円である。

4．Ｃ社の貸借対照表（一部）は次のとおりである。

貸 借 対 照 表（一部）　　　　（単位：千円）

純資産の部	×５年３月31日	×６年３月31日
Ⅰ　株　主　資　本	（　415,000）	（　490,000）
1資　　本　　金	250,000	275,000
2資 本 剰 余 金	（　27,500）	（　52,500）
(1)資 本 準 備 金	25,000	50,000
(2)その他資本剰余金	2,500	2,500
3利 益 剰 余 金	（　137,500）	（　162,500）
(1)利 益 準 備 金	12,500	15,000
(2)その他利益剰余金	（　125,000）	（　147,500）
事業拡張積立金	12,500	10,000
繰越利益剰余金	112,500	137,500

⇨解答：190ページ

問題３－12　株主資本等変動計算書(2)

重要度	A

Ｇ株式会社（以下、「当社」という。）の当期（×５年４月１日～×６年３月31日）に係る次の資料に基づき、株主資本等変動計算書を作成しなさい。

なお、問題文に特段の指示がない限り、過去の誤謬の訂正に該当するものはないものとする。

〔資　料〕

１．Ｇ社は×５年４月に新株の発行による増資30,000千円を実施し、資本金と資本準備金をそれぞれ15,000千円ずつ計上している。

２．×５年６月の株主総会において繰越利益剰余金からの配当15,000千円の支払いと利益準備金への繰入れ1,500千円を決議し、配当を行った。また、新築積立金3,000千円を取崩し、翌期に建設予定の建物の建築資金留保のため、新築積立金を1,500千円積立てた。

３．×５年８月に自己株式5,000千円を取得し、そのうち半分を3,000千円で処分している。

４．当社が保有している有価証券は、すべて市場価格のあるその他有価証券である。当期中に有価証券の売却・購入に関する取引はなかった。

５．×５年10月に新株予約権10,000千円を発行した。そのうち10％が権利行使され、新株発行により10,000千円が払込まれ、全額を資本金とした。

６．当社は売上はすべて掛けにより行っており、当期において売上の計上基準を出荷基準から検収基準に変更した。出荷基準を採用した場合の前期の売上金額の合計は1,847,312千円、それに対応する商品原価は1,368,208千円であった。これに対して検収基準を採用した場合の前期の売上金額の合計額は1,837,508千円、それに対応する商品原価は1,362,724千円であった。なお、売上の計上基準に関する変更については税効果会計の適用（法定実効税率40％）も含め遡及適用を行っている。

７．×６年３月期の当社の当期純利益は30,000千円である。

8．G社の貸借対照表（一部）は次のとおりである。

貸借対照表（一部）　（単位：千円）

純資産の部	×5年3月31日	×6年3月31日
Ⅰ　株主資本	（　249,000）	（　300,408）
1資本金	150,000	176,000
2資本剰余金	（　16,500）	（　32,000）
(1)資本準備金	15,000	30,000
(2)その他資本剰余金	1,500	2,000
3利益剰余金	（　82,500）	（　94,908）
(1)利益準備金	7,500	9,000
(2)その他利益剰余金	（　75,000）	（　85,908）
新築積立金	7,500	6,000
繰越利益剰余金	67,500	79,908
4自己株式	△　0	△　2,500
Ⅱ　評価・換算差額等	（　5,000）	（　6,000）
1その他有価証券評価差額金	5,000	6,000
Ⅲ　新株予約権	0	9,000
純資産合計	254,000	315,408

⇨解答：191ページ

第４章　税　金

問題４－１　税　金(1)

重要度　A

次の資料により、会社計算規則に準拠した貸借対照表及び損益計算書の一部を作成しなさい。なお、税効果会計は考慮外とする。

[問１]

〔資料Ⅰ〕　残高試算表（一部）

残高試算表　（単位：千円）

借方科目	金額	貸方科目	金額
法人税、住民税及び事業税	80,000	受　取　利　息	1,600

〔資料Ⅱ〕　参考事項

1．上記〔資料Ⅰ〕中の法人税、住民税及び事業税は、期中に中間申告分として納付したものである。なお、当該事業税のうち、外形標準課税制度に基づき算定された税額は5,000千円である。

2．受取利息1,600千円は、源泉税400千円（所得税）控除後の手取額を計上したものであり、当該源泉税については未処理である。

3．当期の負担に属する法人税・住民税・事業税の総額は180,000千円である。なお、当該事業税のうち、外形標準課税制度に基づき算定された税額は11,250千円である。

[問２]

〔資料Ⅰ〕　残高試算表（一部）

残高試算表　（単位：千円）

借方科目	金額	貸方科目	金額
仮　払　金	40,720		

〔資料Ⅱ〕　参考事項

1．仮払金の内訳は、次のとおりである。

(1) 中間申告による法人税等の納付額は38,000千円である。なお、当該金額のうちには、外形標準課税制度に基づく事業税2,376千円が含まれている。

(2) 受取利息及び受取配当金から源泉徴収された所得税及び住民税額は2,720千円である。

2．法人税、住民税及び事業税の当期確定申告による年税額は96,400千円である。なお、当該金額のうちには、外形標準課税制度に基づく事業税の年税額6,024千円が含まれている。

⇨解答：193ページ

問題4－2　税　金(2)

重要度	A

次に掲げる資料により、会社計算規則に準拠した貸借対照表及び損益計算書の一部を作成しなさい。

また、答案用紙に記載済の区分に該当科目がない場合には、科目欄に「―――」を記入しなさい。

〔資料Ⅰ〕　残高試算表（一部）

残高試算表　（単位：千円）

借方科目	金額	貸方科目	金額
租税公課	45,000	支払手形	720,000
消耗品費	2,400	買掛金	570,000
法人税、住民税及び事業税	63,000	未払金	13,800

〔資料Ⅱ〕　参考事項

1．租税公課のうちには、事業税の中間納付額が39,000千円（うち、所得基準分29,250千円、外形基準分9,750千円）含まれている。

2．当期に係る事業税の確定申告により翌期中に納付すべき額（中間納付額控除後の金額）は27,000千円（うち、所得基準分20,250千円、外形基準分6,750千円）である。

3．消耗品費2,400千円は貯蔵品を期中購入時に費用処理したものであるが、このうち600千円は期末現在未使用である。

4．当期の負担に属する法人税・住民税の総額は129,000千円であり、未納分につき未払計上する。

なお、残高試算表の法人税、住民税及び事業税63,000千円は、法人税・住民税の中間申告納付額を計上したものである。

⇨解答：195ページ

問題4－3　税　金(3)

重要度　A

Ｆ社株式会社の第７期（×７年４月１日～８年３月31日）における下記の資料により、会社計算規則に準拠した貸借対照表及び損益計算書の必要な部分を作成しなさい。

〔資料Ⅰ〕

残高試算表の一部　（単位：千円）

借方科目	金額	貸方科目	金額
仮払消費税等	198,188	仮受消費税等	405,638
中間消費税等	100,200		
租税公課	7,640		
法人税等	21,820		

〔資料Ⅱ〕諸税金に関する事項

(1) 各税目とも前期末未払計上額と納付額に過不足はなかった。

(2) 残高試算表の中間消費税等は消費税等の中間納付税額100,200千円である。なお、消費税等の確定納付額は107,250千円である。

(3) 法人税等について税額を計算した結果、次のとおり算定された。年税額から中間納付額を差し引いた金額を申告納付額として未払計上する。また、事業税（資本割及び付加価値割）については租税公課勘定で計上する。

なお、中間納付額は適切に計上されており、また、前期末に未払計上した金額と納付額との間に過不足はなかった。

種類		年税額	中間納付税額
法人税		30,000千円	18,200千円
住民税		3,800千円	2,220千円
事業税	所得割	3,000千円	1,400千円
	資本割	4,800千円	2,800千円
	付加価値割	7,560千円	4,160千円

⇨解答：195ページ

問題4－4　税　金(4)

重要度	A

次に掲げる資料により、会社計算規則に準拠した貸借対照表及び損益計算書の一部を作成しなさい。なお、答案用紙に記載済の区分に該当科目がない場合には、科目欄及び金額欄に「―――」を記入すること。

解答留意事項

1．事業税に係る外形標準課税については、考慮する必要はないものとする。

2．問題文に特段の指示があるものを除き、過去の誤謬の訂正に該当するものはないものとする。

〔資料Ⅰ〕残高試算表（一部）

残高試算表　（単位：千円）

仮払金	2,730	支払手形	240,000
仮払消費税等	23,190	買掛金	190,000
租税公課	15,000	未払金	4,600
消耗品費	800	仮受消費税等	28,578
法人税、住民税及び事業税	21,000	⋮	
⋮			

〔資料Ⅱ〕参考事項

1．租税公課のうちには、事業税の中間納付額が13,000千円含まれている。

2．前期に係る法人税、住民税及び事業税の追徴850千円を受けたが、期末現在未納である（未処理）。

3．当期に係る事業税の確定申告により翌期中に納付すべき額は9,000千円である。

4．消耗品費800千円は貯蔵品を期中購入時に費用処理したものであるが、このうち200千円は期末現在未使用である。

5．当期の負担に属する法人税・住民税の総額は43,000千円であり、未納分につき未払計上する。
　なお、残高試算表の法人税、住民税及び事業税21,000千円は、法人税・住民税の中間申告納付額を計上したものである。

6．消費税等に係る当期の確定年税額は5,390千円である。また、消費税等の中間納付額は2,730千円であり仮払金に計上されている。
　なお、消費税等の決算整理にあたり発生した差額があれば、租税公課または雑収入で処理するものとする。

⇨解答：196ページ

第５章　税効果会計

問題５－１　税効果会計(1)

重要度　B

次の取引に基づき、税効果会計の適用による仕訳処理及び損益計算書の末尾を作成しなさい。

① 商品2,000千円につき評価損100千円を特別損失に計上する。ただし、法人税法上、当該商品評価損については、課税所得の計算上、否認された。

なお、当該評価損に係る商品は、翌期において処分することを予定している。

② 税引前当期純利益は1,000千円である。

③ 税引前当期純利益の次に記載される法人税、住民税及び事業税の額は550千円である。なお、法定実効税率は41%として計算すること。

⇨解答：197ページ

問題５－２　税効果会計(2)

重要度　A

丙株式会社の当期（×13年６月１日～×14年５月31日）に係る次の資料により会社計算規則に準拠した個別貸借対照表及び損益計算書の必要部分を作成しなさい。

なお、当社は以前から税効果会計を適用しており、法定実効税率は40%である。

〔資料Ⅰ〕決算整理前残高試算表（一部）

決算整理前残高試算表　（単位：千円）

⋮		⋮	
繰延税金資産	14,200	退職給付引当金	28,000
⋮		⋮	
法人税、住民税及び事業税	40,000		
⋮			

〔資料Ⅱ〕参考事項

1．退職給付引当金を30,000千円計上する。

なお、法人税法上、当該引当金について損金算入は認められていない。

また、残高試算表の繰延税金資産のうち11,200千円は当該引当金に係るものである。

2．確定申告により納付すべき法人税額は35,000千円、住民税額は8,000千円、事業税額は12,000千円である。

なお、法人税法上、事業税はその申告時に損金算入が認められる。

また、残高試算表の繰延税金資産のうち3,000千円は前期末の未払事業税に係るものであり、法人税、住民税及び事業税40,000千円は期中に中間申告分として納付したものである。

3．当社は外形標準課税対象外の法人である。

⇨解答：197ページ

問題５－３　税効果会計(3)

重要度　B

甲株式会社の当期（×６年４月１日～×７年３月31日）に係る次の資料により、会社計算規則に準拠した個別貸借対照表及び損益計算書の必要な部分の表示を完成させなさい。

〔資料Ⅰ〕決算整理前残高試算表（一部）

決算整理前残高試算表　（単位：千円）

⋮		
仮払金	90,110	
繰延税金資産	9,820	
⋮		

〔資料Ⅱ〕決算整理その他

1．仮払金の内訳は次のとおりである。

(1) 法人税及び住民税の中間申告納付額　81,060千円

(2) 事業税の中間納付額　9,050千円（外形標準課税制度に基づき算定された事業税額2,250千円を含む）

2．法人税・住民税・事業税の当期の負担に属する税額は次のとおりである。

(1) 法人税等（住民税を含む）　193,670千円

(2) 事業税　22,630千円（外形標準課税制度に基づき算定された事業税額5,650千円を含む）

3．当社は、税効果会計を導入している。当期における税効果会計適用に必要な資料は、次のとおりである。

(1) 法定実効税率は、前期・当期ともに40%とする。

(2) 貸倒引当金（受取手形及び売掛金に対して設定）について

① 前期における繰入限度超過額　9,840千円

② 当期における繰入限度超過額　11,530千円

前期の繰入限度超過額については、当期末の戻入処理によりすべて取崩されるものとする。

(3) 賞与引当金について

① 前期における否認額 3,850千円

② 当期における否認額 4,530千円

前期の否認額については、当期の夏季賞与の支給に伴い、取崩しが行われている。

(4) 未払事業税について、前期に計上した未払事業税の額は、10,860千円である。なお、法人税法上は、申告時において損金算入が認められる。

(5) 残高試算表上の繰延税金資産は、すべて上記(2)～(4)に係るものである。なお、上記以外の項目は、考慮する必要はない。

⇨解答：197ページ

問題5－4 税効果会計(4)

重要度	A

甲株式会社の当期（×６年４月１日～×７年３月31日）に係る次の資料により、会社計算規則に準拠した貸借対照表の必要な部分を完成させるとともに、損益計算書に計上する法人税等調整額の金額を答案用紙の所定の箇所に記入しなさい。また、税効果会計に関する注記を完成させなさい。

〔資料Ⅰ〕決算整理前残高試算表（一部）

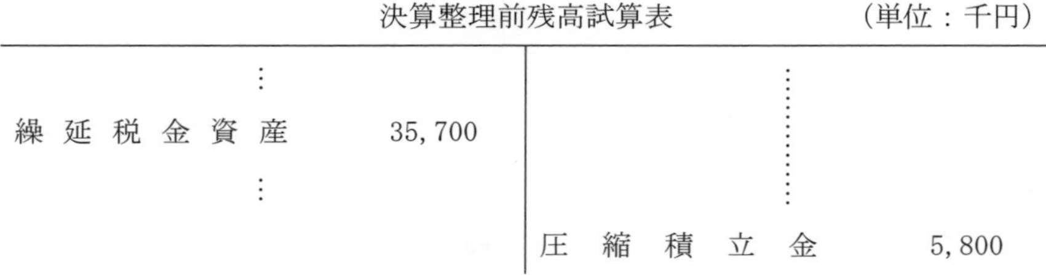

決算整理前残高試算表 （単位：千円）

⋮		⋮	
繰延税金資産	35,700		
⋮		⋮	
		圧縮積立金	5,800

〔資料Ⅱ〕参考事項

前期末及び当期末の一時差異及び永久差異は、次のとおりである。

（単位：千円）

区分		前期末	当期末
一時差異			
	棚卸資産評価損	5,000	8,000
	貸倒引当金損金算入限度超過額	6,500	20,000
	工具器具備品減価償却超過額	6,000	2,000
	有形固定資産減損損失	0	8,000
	未払事業税	17,000	17,500
	退職給付引当金損金算入限度超過額	55,000	60,000
	役員退職慰労引当金	0	125,000
	その他一時差異	5,500	7,500
	小計	95,000	248,000
	「その他有価証券」の評価差額（評価益）	0	△20,000
	圧縮積立金	△10,000	△8,000
	合計	85,000	220,000
永久差異			
	交際費等	7,000	8,400

(1) 「その他有価証券」（投資有価証券に該当する）の時価評価による評価差額は全部純資産直入法により処理している。

(2) 圧縮積立金は減価償却に合わせて取崩しの処理を行っている。

(3) 法定実効税率は、前期末及び当期末のいずれも42%として計算すること。

(4) 当社は将来減算一時差異を上回る課税所得を毎期計上している訳ではないが、業績は安定しており毎期ある程度の経常利益及び課税所得を計上している。なお、有形固定資産減損損失のうち5,000千円については、繰延税金資産の回収可能性はないものとする。

⇨解答：198ページ

問題５－５ 税効果会計(5)

重 要 度	B

上尾株式会社の第45期（自×20年４月１日　至×21年３月31日）における下記の資料により、会社計算規則に準拠した貸借対照表及び損益計算書の必要な部分を作成しなさい。計算の過程で生じた千円未満の端数は、百円の位で四捨五入するものとする。

〔資料Ⅰ〕

残高試算表の一部　（単位：千円）

繰延税金資産	12,000	

〔資料Ⅱ〕決算整理未済事項その他

(1) ×18年３月期に重要な税務上の欠損金の繰越期限切れとなった事実があることから、企業会計基準適用指針第26号「繰延税金資産の回収可能性に関する適用指針」に基づき、前期も当期も（分類４）として取り扱っている。当該分類では、翌期の一時差異等加減算前課税所得の見積額に基づいて、翌期の一時差異等のスケジューリングの結果、繰延税金資産を見積る場合、当該繰延税金資産の回収可能性があるものとされる。

(2) 前期（×20年３月期）は、当期（×21年３月期）にスケジューリングされた一時差異の解消見込額の合計よりも、当期の一時差異等加減算前課税所得の見積額のほうが少なかった。これを受けて、当期の一時差異等加減算前課税所得の見積額に基づき繰延税金資産を見積ったため、評価性引当額が生じた。当期は、翌期（×22年３月期）において一時差異等加減算前課税所得が51,000千円生じると見込んでいる。これは翌期にスケジューリングされる一時差異の解消見込額の合計よりも少ないため、翌期の一時差異等加減算前課税所得の見積額に基づき繰延税金資産を見積ることとする。その結果、前期と同様に評価性引当額が生じる。

(3) 前期末及び当期末における将来一時差異は、その他有価証券評価差額金に係るものを除き、次のとおりであった。（単位：千円）

項　目	前期末	当期末	
			うち翌期のスケジューリング
未払事業税	3,600	3,500	（当期末残高と同額）
未払賞与	23,500	21,000	（当期末残高と同額）
貸倒引当金	13,250	12,300	（当期末残高と同額）
棚卸資産評価損	—	1,500	（当期末残高はスケジューリング不能）
退職給付引当金	25,000	29,200	15,000

なお、税効果会計の適用にあたっての法定実効税率は30%とする。　⇨解答：200ページ

第６章　外貨建取引

問題６－１　外貨建取引(1)

重要度　B

当社の当期末における外貨建資産・負債の所有状況は以下のとおりである。これに基づいて、各外貨建項目の期末の円換算額及び損益計算書に記載する為替差益又は為替差損の金額を答案用紙の所定の箇所に記入しなさい。

なお、換算に関しては、「外貨建取引等会計処理基準」に準拠するものとする。

〔資　料〕

１．外国通貨　　1,380千円（　12,000ドル）

２．外貨建預金

普通預金　　672千円（　6,000ドル）

定期預金　　2,310千円（　22,000ドル）

（注）定期預金は決算日後１年を超えて期限が到来する。

３．外貨建金銭債権・債務等

売掛金	5,691千円	（　54,200ドル）
未収金	896千円	（　8,000ドル）
短期貸付金	4,512千円	（　48,000ドル）
前渡金	2,040千円	（　20,000ドル）
支払手形	4,845千円	（　51,000ドル）
長期借入金	12,480千円	（120,000ドル）
社債	9,900千円	（100,000ドル）

（注１）売掛金のうち 2,730千円（26,000ドル）は、決算日後１年を超えて期限が到来する。

（注２）未収金はすべて決算日後１年以内に期限が到来する。

（注３）社債はすべて当期末より５年後に償還期限が到来する。

（注４）当期末の為替相場は１ドル＝95円である。

⇨解答：201ページ

問題６－２　外貨建取引(2)

重要度	A

当社は×６年６月１日にアメリカのＴＡＰ社に対して商品150,000ドルを掛で輸出し、ドル建輸出代金の決済に関して、為替レートの変動によるリスクをヘッジするための為替予約を行った。このことに関し、次の１及び２の各ケースにおける仕訳（貸借対照表及び損益計算書への表示科目を用いること）を示しなさい。当期は×７年３月末日を決算日とする１年であり、輸出時の直物為替レートは１ドル＝100円、予約時における直物為替レートは１ドル＝104円、予約レートは１ドル＝110円、また、決算時における直物為替レートは１ドル＝108円である。

なお、為替予約差額の配分方法は、振当処理による。

１．売掛金の決済日が×７年７月31日で、為替予約は×６年８月１日に付した場合の、(1)輸出時、(2)為替予約時（直々差額は為替差損(益)として計上すること）、(3)当期の決算日の各仕訳。

２．売掛金の決済日が×８年８月31日で、為替予約は×６年８月１日に付した場合の、(1)輸出時、(2)為替予約時（直々差額は為替差損(益)として計上すること）、(3)当期の決算日の各仕訳。

⇨解答：201ページ

問題６－３　外貨建取引(3)

重要度	A

決算整理前残高試算表の有価証券の内訳は下記のとおりである。当社は、有価証券について「金融商品に関する会計基準」及び「外貨建取引等会計処理基準」により処理している。これに基づいて、会社計算規則に準拠した貸借対照表及び損益計算書の必要部分を示しなさい。

銘　柄	帳簿価額	時　価	保有目的	備　考
Ａ社株式	18,000千円 (150千ドル)	135千ドル	売買目的	―
Ｂ社株式	39,000千円 (300千ドル)	135千ドル	長期保有	時価が著しく下落し、回復する見込みがない。
Ｃ社株式	19,500千円 (150千ドル)	―	支配 (60%保有)	実質価額は60千ドル（著しい低下）である。
Ｄ社社債	11,280千円 (94千ドル)	96千ドル	満期保有	額面総額100千ドル（償還期日は翌々期以降）

（注１）換算に当たっては、「外貨建取引等会計処理基準」に準拠すること。

（注２）決算日の直物為替相場は、１ドル＝110円である。

⇨解答：202ページ

問題6－4　外貨建取引(4)

重要度	A

V株式会社の当期（自×14年4月1日　至×15年3月31日）の次の資料により、会社計算規則に準拠した貸借対照表及び損益計算書の必要部分を作成しなさい。なお、注記事項については、すべて省略するものとする。

〔資料Ⅰ〕決算整理前残高試算表（一部）

決算整理前残高試算表　（単位：千円）

⋮		⋮	
有価証券	155,700		
⋮		⋮	

〔資料Ⅱ〕参考事項

有価証券の内訳は次のとおりであり、期中に売却したものはない。なお、当社は、有価証券につき「金融商品に関する会計基準」に基づいて処理している。また、税効果会計に係る法定実効税率は40％である。

銘柄	期末株数	期末帳簿価額 （発生時レート）	1株当たり 期末時価	保有目的	保有 比率	備考
中野社株式	9,000株	7,200千円	810円	トレーディング	0.01％	（注1）
ワット社株式	12,500株	13,500千円 （108円/ユーロ）	7ユーロ	その他	10％	（注2）、（注3）
ネル社株式	1,500株	18,000千円 （100円/ユーロ）	――――	その他	0.1％	（注2）、（注3）
フジ社株式	900,000株	117,000千円	136円	影響力行使	35％	――――

（注1）このほかに、中野社株式805千円（1,000株）につき、×15年3月30日に購入の約定がされたものがあるが、決算日現在代金を支払っていなかったことにより、会計処理及び帳簿の記録を失念していることが判明した。なお、当社は有価証券の売買の認識については約定日基準により行っている。

（注2）その他有価証券の評価差額は、全部純資産直入法により処理し、税効果会計を適用する。

（注3）決算日の直物為替相場は1ユーロ＝130円である。

⇨解答：203ページ

第７章　分配可能額計算

問題７－１　分配可能額計算(1)

重要度　A

次に示す資料に基づき、剰余金の配当等の効力発生日における分配可能額を求めなさい。

〔資料Ⅰ〕最終事業年度の末日における貸借対照表の純資産の部（略式）

貸借対照表の純資産の部　（単位：千円）

Ⅰ　株主資本	
資本金	500,000
資本準備金	62,500
その他資本剰余金	105,000
利益準備金	37,500
新築積立金	50,000
繰越利益剰余金	112,500
自己株式	△　12,500
純資産の部合計	855,000

〔資料Ⅱ〕最終事業年度の末日後、効力発生日までの株主資本の計数の変動等

1．利益準備金を25,000千円減少させ、繰越利益剰余金を増加させた。

2．その他資本剰余金を財源に50,000千円の配当を行った。併せて5,000千円の準備金の積立てを行った。

3．繰越利益剰余金12,500千円を減少させ、新築積立金を積立てた。

⇨解答：204ページ

問題７－２　分配可能額計算(2)

重要度	A

次に示す資料に基づき、剰余金の配当等の効力発生日における分配可能額を求めなさい。

〔資　料〕最終事業年度の末日における貸借対照表の純資産の部（略式）

貸借対照表の純資産の部　（単位：千円）

Ⅰ　株　主　資　本	
資　　本　　金	275,000
資　本　準　備　金	33,000
その他資本剰余金	220,000
利　益　準　備　金	16,500
その他利益剰余金	275,000
自　己　株　式	△　27,500
Ⅱ　評価・換算差額等	
その他有価証券評価差額金	△　11,000
純　資　産　の　部　合　計	781,000

（注）貸借対照表の資産の部には、以下のものが計上されている。

のれん：836,000千円　株式交付費：55,000千円　開発費：27,500千円

⇨解答：204ページ

問題７－３　分配可能額計算(3)

重要度	A

次に示す資料に基づき、剰余金の配当等の効力発生日における分配可能額を求めなさい。

〔資　料〕最終事業年度の末日における貸借対照表の純資産の部（略式）

貸借対照表の純資産の部　（単位：千円）

Ⅰ　株　主　資　本	
資　　本　　金	280,000
資　本　準　備　金	52,500
その他資本剰余金	87,500
利　益　準　備　金	35,000
その他利益剰余金	367,500
純　資　産　の　部　合　計	822,500

（注）貸借対照表の資産の部には、以下のものが計上されている。

のれん：1,050,000千円　株式交付費：10,500千円　開業費：35,000千円

開発費：175,000千円

⇨解答：204ページ

問題７－４　分配可能額計算(4)

重要度	A

次に示す資料に基づき、剰余金の配当等の効力発生日における分配可能額を求めなさい。

〔資料Ⅰ〕最終事業年度の末日における貸借対照表の純資産の部（略式）

貸借対照表の純資産の部　（単位：千円）

Ⅰ　株主資本	
資本金	140,000
資本準備金	16,800
その他資本剰余金	112,000
利益準備金	8,400
新築積立金	140,000
繰越利益剰余金	28,000
自己株式	△　5,600
Ⅱ　評価・換算差額等	
その他有価証券評価差額金	△　8,400
純資産の部合計	431,200

（注）貸借対照表の資産の部には、以下のものが計上されている。

のれん：425,600千円　開業費：14,000千円　開発費：84,000千円

〔資料Ⅱ〕最終事業年度の末日後、効力発生日までの株主資本の計数の変動等

1．新築積立金を28,000千円減少させ、繰越利益剰余金を増加させた。
2．その他資本剰余金を15,400千円減少させ、資本準備金を増加させた。
3．自己株式8,400千円を取得した。
4．自己株式（帳簿価額5,600千円）を消却した。
5．自己株式（帳簿価額5,600千円）を4,200千円で処分した。

⇨解答：205ページ

第８章　製造業会計

問題８－１　製造原価報告書(1)

重要度 B

甲株式会社の当期（×６年４月１日～×７年３月31日）に係る次の資料により、製造原価報告書を作成しなさい。

〔資料Ⅰ〕決算整理が一部終了した後の残高試算表（一部）

残高試算表　（単位：千円）

⋮		⋮	
材料	120,000		
仕掛品	60,000		
⋮		退職給付引当金	63,000
減価償却費	69,000	⋮	
賃金	105,000		
材料仕入	600,000		
修繕費	14,000		
電力料	81,000		
法定福利費	33,000		
外注加工費	94,500		
水道光熱費	55,500		
⋮			

〔資料Ⅱ〕参考事項

1．材料の期末たな卸高（適正額）は105,000千円であり、仕掛品の期末評価額（適正額）は81,000千円と算定された。
2．減価償却費、電力料、法定福利費及び水道光熱費のうち60％は製造に係るものである。
3．退職給付引当金を88,000千円計上する。なお、当期繰入額のうち60％は製造に係るものである。
4．賞与引当金を14,000千円計上する。なお、当期繰入額のうち60％は製造に係るものである。
5．修繕費は製造用の機械装置の修繕のために支出したものである。
6．残高試算表に記載されている材料及び仕掛品の金額は、前期末残高である。

⇨解答：207ページ

問題8－2　製造原価報告書(2)

重要度	A

乙株式会社の当期（×6年2月1日～×7年1月31日）に係る次の資料により、製造原価報告書及び会社計算規則に準拠した損益計算書（営業利益まで）を作成しなさい。また、たな卸資産に関連する注記のうち、重要な会計方針に係る事項に関する注記（重要な会計方針の変更に係るものを除く）を示しなさい。

（注1）製造原価報告書の作成にあたっては、各費目の内訳も示すこと。

（注2）損益計算書の作成にあたっては、売上原価の内訳並びに販売費及び一般管理費の明細も示すこと。

〔資料Ⅰ〕決算整理が一部終了した後の残高試算表（一部）

残　高　試　算　表　　（単位：千円）

⋮		⋮	
材料	29,400		
仕掛品	71,500	売上高	1,408,330
製品	75,450	仕入値引	6,000
電力料	22,600	⋮	
賃借料	147,000		
材料仕入	520,000		
法定福利費	22,000		
工場修繕費	17,680		
賃金	140,000		
減価償却費	85,000		
特許権償却	3,000		
給料手当	90,000		
外注加工費	126,000		
⋮			

〔資料Ⅱ〕参考事項

1．材料の期末たな卸高は48,000千円（正味売却価額47,600千円）であり、仕掛品及び製品の期末評価額はそれぞれ84,300千円（適正額）、76,400千円（適正額）と算定された。

なお、材料は総平均法による原価法（収益性の低下による簿価切下げの方法）により評価しており、正味売却価額の下落による評価損は、製造に関連して不可避的に発生するものであるため、製造経費として処理する。また、仕掛品及び製品は総平均法による原価法（収益性の低下による簿価切下げの方法）により評価している。

2．減価償却費、電力料、法定福利費及び給料手当のうち70％は製造に係るものである。

3．特許権償却は全額製造に係るものである。

4．賃借料のうち3分の1は製造に係るものである。

5．有形固定資産は定額法により減価償却している。

6．残高試算表に記載されている材料、仕掛品及び製品の金額は、前期末残高である。

⇨解答：208ページ

問題8－3　期末仕掛品の評価(1)

重要度　A

下記の資料に基づき、完成度換算法により次の２つのケースにおける期末仕掛品原価を求めなさい。ただし、材料は工程の始点で投入している。

＜ケース１＞　平　均　法

＜ケース２＞　先入先出法

〔資料Ⅰ〕原価データ

1．期首仕掛品

材料費	285,000千円
加工費	67,500千円

2．当期総製造費用

材料費	1,950,000千円
加工費	900,000千円

〔資料Ⅱ〕生産データ

期首仕掛品（進捗度50%）	300個
当期投入量	2,000個
合　計	2,300個
期末仕掛品（進捗度75%）	400個
完成品	1,900個

（注）解答にあたっては、千円未満の端数は切り捨てること。

⇨解答：209ページ

問題8－4　期末仕掛品の評価(2)

重要度　C

下記の資料に基づき、売価還元法により期末仕掛品及び期末製品の評価額を計算しなさい。

① 期首仕掛品　11,500千円

② 期首製品　13,450千円

③ 材料費　143,360千円

④ 労務費　58,000千円

⑤ 経費　86,350千円

⑥ 当期製品純売上高　400,000千円

⑦ 期末仕掛品　17,250千円（完成品売価、完成率80%）

⑧ 期末製品　20,450千円（売価）

なお、原価率は下記の算式に従って算定するものとする。

$$原価率＝\frac{当期総製造費用＋期首仕掛品原価＋期首製品原価}{当期製品純売上高＋期末仕掛品売価(※)＋期末製品売価}$$

（※）期末仕掛品売価＝期末仕掛品完成品売価×完成率

⇨解答：210ページ

問題8－5　期末仕掛品の評価(3)

重要度	A

甲株式会社の当期（×６年４月１日～×７年３月31日）に係る下記の資料により、製造原価報告書及び会社計算規則に準拠した損益計算書（営業利益まで、ただし、売上原価の内訳並びに販売費及び一般管理費の内訳を示すこと）を作成しなさい。また、重要な会計方針に係る事項に関する注記（重要な会計方針の変更に係るものを除く）を示しなさい。

〔資料Ⅰ〕決算整理前残高試算表（一部）

決算整理前残高試算表　（単位：千円）

⋮		⋮	
製品	72,000		
材料	7,300		
仕掛品	42,700	退職給付引当金	65,000
建物	300,000	建物減価償却累計額	78,000
機械	40,000	機械減価償却累計額	14,000
材料仕入	199,700	売上	666,000
賃金	76,000	⋮	
福利厚生費	8,500		
租税公課	9,300		
経費	81,020		
その他販売費	128,600		
⋮			

〔資料Ⅱ〕参考事項

1．材料の期末帳簿たな卸高は6,000千円であり、実地たな卸高は5,800千円（正味売却価額 5,650千円）である。実地たな卸による差異は原価性を有するものと認められる。

　また、正味売却価額の下落による評価損は製造原価の算定にあたり考慮するものとし、材料は先入先出法による原価法（収益性の低下による簿価切下げの方法）により評価する。

　なお、決算整理前残高試算表に記載されている製品、材料及び仕掛品の金額は、前期末残高である。

2．仕掛品及び製品の評価に係る資料は、下記のとおりである。

(1) 仕掛品

期首仕掛品数量　1,500個（進捗度20％）

期末仕掛品数量　1,000個（進捗度50％）

(2) 製　品

期首製品数量　　1,500個

期末製品数量　　600個

(3) 製品１個当たりの売価は90千円であり、当社は定価販売を厳守している。

(4) 材料はすべて工程の始点で投入している。

(5) 仕掛品及び製品は先入先出法による原価法（収益性の低下による簿価切下げの方法）により評価する。

3．減価償却に係る資料は、下記のとおりである。

(1) 建　物　　定額法　　残存価額　取得原価の10%　　償却率0.025（製造分は60%である）

(2) 機　械　　定率法　　残存価額　取得原価の10%　　償却率0.250（すべて製造分である）

4．福利厚生費（すべて製造分である）の内訳は下記のとおりである。

(1) 社会保険料当社負担分　　6,500千円

(2) 従業員福利施設当社負担分　　2,000千円

5．租税公課の内訳は下記のとおりである。

(1) 固定資産税　　8,800千円（うち60%は製造に係るものである）

(2) 印紙税　　500千円

6．期末の退職給付債務及び年金資産の見込額に基づき、退職給付引当金を12,000千円繰入れる（うち80%は製造に係るものである）。

7．翌期に行う機械の定期修繕に備えるため、過去の実績により修繕引当金を3,000千円計上する。

⇨解答：210ページ

問題８－６　期末仕掛品の評価(4)

重要度	A

乙株式会社の当期（×６年４月１日～×７年３月31日）に係る下記の資料に基づき、製造原価報告書及び会社計算規則に準拠した損益計算書（経常利益まで）並びに貸借対照表（流動資産のみ）を作成しなさい。なお、注記事項については解答不要とする。

〔資料Ⅰ〕決算整理前残高試算表（一部）

決算整理前残高試算表　　（単位：千円）

借方科目	金額	貸方科目	金額
⋮		⋮	
売掛金	145,000		
原材料	28,000	退職給付引当金	24,100
製品	75,000	建物減価償却累計額	415,000
仕掛品	63,000	機械装置減価償却累計額	18,800
建物	900,000	⋮	
機械装置	150,000	売上	1,856,000
工具・器具及び備品	50,000	投資不動産賃貸料	2,200
材料仕入	870,000	⋮	
労務費	293,200		
外注加工費	12,500		
製造経費	223,600		
販売費及び一般管理費	189,400		

〔資料Ⅱ〕参考事項

1．たな卸資産に係る資料は、下記のとおりである。当社はたな卸資産の評価については、先入先出法による原価法（収益性の低下による簿価切下げの方法。）により評価している。なお、残高試算表の製品、仕掛品及び原材料は前期末残高である。

	帳簿たな卸高	実地たな卸高	備考
材料	34,000千円	32,000千円	差額は減耗である。なお、当該減耗損は製造経費として処理する。 また、実地たな卸高のうちには、収益性の低下による評価損が500千円含まれている。なお、当該評価損は製造経費として処理する。
製品	132,000千円	132,000千円	――――
仕掛品	――――	75,600千円	――――

2．期中において、当期発生した売掛金の貸倒れが生じたが、その際に下記の処理を行っていたことが判明した。

売　上　　2,600千円　／　売掛金　　2,600千円

3．有形固定資産に係る資料は、下記のとおりである。

(1) 建物の内訳は、本社建物220,000千円、工場建物680,000千円であり、定額法（耐用年数20年、残存価額は取得原価の10%）で減価償却している。なお、本社建物のうち20%を他の数社に月額200千円（月末に当月分を受取る契約となっており、受取りの都度、投資不動産賃貸料を計上しているが、３月分の賃貸料が未収となっている）で当期首より賃貸している。

(2) 機械装置のうち43,200千円は×６年11月10日に取得し、翌月より製造の用に供しているものであり、定率法（償却率0.250）で償却する。なお、残額はすべて前期以前において製造用に取得したものであり、過年度において定率法（償却率0.280）により適正に償却が行われている。

(3) 工具・器具及び備品はすべて当期首に取得したものであり、同日から使用している。その内訳は本社備品分35,000千円、工場工具・器具分15,000千円であり、定額法（耐用年数５年、残存価額は取得原価の10%）で償却している。

4．外注加工費はすべて当期中に支出したものであり、全額製造原価に含めて計上する。

5．費用についての見越し、繰延べに係る資料は、下記のとおりである。

(1) 労 務 費　　見越額 4,000千円　　繰延額 3,200千円

(2) 製造経費　　見越額 2,470千円　　繰延額 2,800千円

6．引当金に係る資料は、下記のとおりである。

(1) 賞与引当金の当期繰入額は、本社従業員分3,400千円、工場従業員分4,600千円である。

(2) 退職給付引当金の当期繰入額は1,900千円であり、本社従業員分と工場従業員分との比率は４：６である。

(3) 貸倒引当金は売掛金残高の２%を計上する。なお、貸倒引当金の貸借対照表表示は、科目別間接控除法による。

⇨解答：212ページ

第９章　財務諸表等規則

問題９−１　債権・債務、有価証券の表示(1)　重要度　B

A株式会社の下記の資料に基づき、財務諸表等規則に準拠した貸借対照表の負債の部を作成しなさい。

また、必要となる貸借対照表関係の注記を答案用紙の所定の箇所に記入しなさい。

〔資料Ⅰ〕決算整理後残高試算表（一部）

決算整理後残高試算表（一部）　　（単位：千円）

⋮	支払手形	60,000
	買掛金	140,000
	短期借入金	76,000
	預り金	29,000
	修繕引当金	16,000
	長期借入金	80,000

〔資料Ⅱ〕参考事項

1．当社は甲社の議決権の15％を所有しており、当社の役員を甲社の取締役として派遣している。また、乙社は当社の議決権の60％を所有している。

2．買掛金のうち60,000千円は乙社に対するものである。

3．預り金のうち4,000千円は従業員から源泉徴収した所得税であり、残額は株主からの一時的な預り金である。

4．長期借入金のうち30,000千円は役員に対するものであり、残額はすべて甲社に対するものである。

⇨解答：214ページ

問題９－２ 債権・債務、有価証券の表示(2)

重要度	B

甲株式会社の下記の資料により、財務諸表等規則に準拠した貸借対照表の資産の部及び負債の部を示しなさい。なお、必要がある場合には、注記（会計方針は除く）も示しなさい。

〔資料Ⅰ〕決算整理後残高試算表（一部）

（単位：千円）

受取手形	40,000	支払手形	30,000
売掛金	60,000	買掛金	70,000
有価証券	27,400	預り金	12,000
短期貸付金	38,000	長期借入金	40,000
長期貸付金	20,000		

〔資料Ⅱ〕参考事項

1．受取手形のうち20,000千円は、Ｂ社に対するものである。

2．売掛金のうち10,000千円は、Ｃ社に対するものである。

3．有価証券の内訳は次のとおりである（金融商品に関する会計基準に準拠して処理すること）。

（単位：千円）

銘柄等	保有目的	議決権の保有比率	期末簿価	時価（実質価額）	備考
Ａ社株式	売買	0.1%	2,400	2,250	
Ｂ社株式	支配	55%	11,000	10,000	
Ｃ社株式	影響力行使	25%	5,000	（2,000）	著しい低下
Ｃ社社債	その他	——	2,500	2,500	保有期間は長期
Ｄ社株式	その他	1%	700	——	当社株式の60%を所有（注）
Ｅ社株式	影響力行使	30%	4,500	（4,750）	
Ｆ社株式	売買	0.2%	1,300	1,400	

（注）翌期に売却する予定である。

4．短期貸付金のうち8,000千円は、従業員に対するものである。

5．長期貸付金のうち10,000千円は、Ｅ社に対するものである。

6．買掛金のうち30,000千円は、Ｄ社に対するものである。

7．預り金のうち2,000千円は、従業員から源泉徴収した勤労所得税であり、残額は株主からの一時的な預り金である。

8．長期借入金のうち15,000千円は、役員に対するものである。

⇨解答：214ページ

問題9－3　キャッシュ・フロー計算書(1)

重要度	B

次の資料により、キャッシュ・フロー計算書を作成しなさい。なお、営業活動によるキャッシュ・フローの区分は、間接法により表示する。

前期末の貸借対照表と当期末の貸借対照表の差額は以下のとおりである。

増加項目

現金及び現金同等物（前期末8,000千円・当期末12,000千円）	
売掛金	1,000千円
減価償却累計額（期中に売却・除却等はない）	1,000千円
未払利息（当期の損益計算書に計上された支払利息は1,600千円である）	200千円
長期借入金（一年以内返済長期借入金1,000千円の返済が当期に完了している）	2,500千円
有価証券（簿価1,600千円を売却した。また、評価損500千円がある）	2,900千円
資本金・資本準備金（増資の際の発行費用が、100千円あり、重要性がある）	2,400千円
なお、上記発行費用は、全額、支出時に費用として処理している。	

減少項目

社債発行費	500千円
貸倒引当金（前期に設定された引当金は、当期中に使用されなかった）	20千円
なお、上記貸倒引当金は営業債権に係るものである。	
未払法人税等（当期の損益計算書に計上された法人税等は、9,000千円である）	1,000千円
投資有価証券（当該減少は、当期の損益計算書に計上された評価損である）	700千円

⇨解答：215ページ

問題９－４　キャッシュ・フロー計算書(2)

重要度	B

【資料】に基づき、エックスエヌ精密株式会社（自×19年４月１日　至×20年３月31日）のキャッシュ・フロー計算書（個別ベース）を連結キャッシュ・フロー計算書等の作成基準に基づき作成した場合の「現金及び現金同等物期末残高の金額」を求めなさい。

【資料１】　×20年３月31日現在のエックスエヌ精密株式会社の決算整理前残高試算表（一部）

（単位：千円）

現金預金	748,160	
有価証券	30,000	
仮払金	760	

【資料２】　決算整理の未済事項及び参考事項

1　現金預金に関する事項

残高試算表の現金預金の内訳は次のとおりである。

（単位：千円）

種類	帳簿残高	摘要
現金	7,750	下記(1)参照
当座預金	141,248	下記(2)参照
普通預金	299,162	外貨預金21,000千円（200千ドル）を含んでいる
定期預金	300,000	下記(4)参照

(1)　残高試算表の仮払金は、営業所の期末手元現金残高が760千円である。

(2)　銀行の当座勘定照合表の期末残高は144,248千円であった。帳簿残高との差額の原因は、事務用品の購入先Ａ社に渡した小切手が未取付けのままになっていたことによるもの1,600千円、固定資産代金の支払先であるＢ社あての小切手が未渡しのまま会社金庫に残っていたことによるもの1,400千円である。

(3)　当期末日における為替相場は１ドル当たり100円である。

(4)　定期預金の内訳は次のとおりである。

（単位：千円）

金額	預入日	満期日	金額	預入日	満期日
120,000	×19年10月末	×20年４月末	60,000	×20年３月末	×20年６月末
80,000	×19年１月末	×21年１月末	40,000	×19年６月末	×21年６月末

2　有価証券に関する事項

残高試算表の有価証券の内訳は次のものである。

（単位：千円）

銘　　柄	前期末残高		当期末残高		摘　　要
	取得原価	時　価	取得原価	時　価	
公社債投資信託	—	—	30,000	—	中期国債ファンド

（注）中期国債ファンドは、「元本毀損の恐れがなく容易に換金可能な預金と同様の性格を有する短期投資」として当期末に取得し所有している。

⇨解答：217ページ

問題9－5　連結財務諸表

重要度　A

宮城商事株式会社（以下、「宮城商事」という。）は、×29年３月31日に仙台商会株式会社（以下、「仙台商会」という。）の発行済株式の100％を174,150千円で一括取得して、仙台商会を子会社とした。宮城商事は×28年度の決算日である×29年３月31日から連結財務諸表等規則に基づき連結財務諸表を作成している。【資料１】及び【資料２】に基づき、×29年度（×29年４月１日から×30年３月31日まで）に宮城商事が作成した連結財務諸表における以下の(1)及び(2)に示した金額を答えなさい。

(1) 連結貸借対照表

①　のれん　　②　買掛金　　③　資本金

(2) 連結損益計算書

④　売上高　　⑤　売上原価

解答上の留意事項

イ　宮城商事及び仙台商会の決算日はともに３月31日の年１回である。

ロ　個別財務諸表は適正に作成されているものとする。

ハ　計算の過程で生じた千円未満の端数は、百円の位で四捨五入するものとする。

ニ　個別貸借対照表及び連結貸借対照表の科目名称は、財務諸表等規則及び連結財務諸表等規則に記載されている科目名称から一部変更している。

ホ　解答上、【資料１】及び【資料２】に与えられた内容のみを考慮する。

ヘ　税効果会計は考慮しないものとする。

【資料１】連結財務諸表作成上の留意事項

1　宮城商事は仙台商会以外に関係会社を有していない。

2　×29年３月31日における仙台商会の資本金は50,000千円、利益剰余金は108,250千円である。

3　仙台商会が保有する土地については連結財務諸表の作成にあたり全面時価評価法により時価評価を行う。仙台商会が保有する土地の時価は×29年３月31日が23,250千円、×30年３月31日が24,000千円である。なお、×29年度において仙台商会において土地の取得及び売却は行っていない。

4　のれんは×29年４月１日から10年間で償却する。

5　宮城商事は×29年４月１日より仙台商会に対する商品の販売を開始した。なお、当該販売はすべて掛けで行われており、×29年度における当該商品販売に関する原価率は80%である。

6　×30年３月31日において宮城商事が販売した商品2,250千円（売価）が仙台商会に到着していないため、仙台商会では仕入計上を行っていない。

7　×29年度の宮城商事の個別財務諸表には、仙台商会に対する売上高67,500千円及び売掛金6,000千円が含まれている。

8　×29年度の仙台商会の個別財務諸表には、宮城商事から仕入れた商品3,000千円が含まれている。

【資料２】×29年度の個別財務諸表

1　宮城商事

貸借対照表（一部）　　　　（単位：千円）

科　目	金　額	科　目	金　額
売　掛　金	90,000	買　掛　金	70,500
商　　品	51,500	資　本　金	225,000
土　　地	56,250	利益剰余金	317,250
関係会社株式	174,150		

損益計算書（一部）　　　　（単位：千円）

科　目	金　額
売　上　高	685,000
売上原価	513,000

2　仙台商会

貸借対照表（一部）　　　　（単位：千円）

科　目	金　額	科　目	金　額
売　掛　金	26,250	買　掛　金	21,750
商　　　品	17,000	資　本　金	50,000
土　　　地	21,000	利益剰余金	111,600

損益計算書（一部）　　　　（単位：千円）

科　目	金　額
売　上　高	202,500
売上原価	157,500

⇨解答：217ページ

第 10 章　収益認識基準

問題10－1　収益認識基準(1)

重要度　B

水道橋株式会社の第45期（自×１年４月１日　至×２年３月31日）における下記の資料により、会社計算規則に準拠した貸借対照表及び損益計算書の必要な部分を作成しなさい。計算の過程で生じた千円未満の端数は、百円の位で四捨五入するものとする。

〔資料Ⅰ〕残高試算表（一部）

（単位：千円）

借方		貸方	
現　　　金	15,000	買　掛　金	9,000
		仮　受　金	6,000

〔資料Ⅱ〕決算整理未済事項その他

１．売上に関する事項

(1) 当社は商品売上の減少が懸念されたため、新宿株式会社との間で消化仕入契約を締結し商品を仕入れ、同社の商品を陳列し、個人顧客に対し現金販売を行っている。

当期中に顧客に販売した代金は15,000千円であり、全額が現金に含まれている。

また、同時に消化仕入契約に基づく買掛金を9,000千円計上（期末時点で決済は未了である。）しているが、9,000千円との差額は仮受金として処理している。

(2) 消化仕入契約では、当社は店舗への納品時に検収を行わず、法的所有権も新宿社が保有しており、商品に関する保管管理責任やリスクも新宿社が有している。

顧客への商品販売時に、商品の法的所有権は仕入先から当社に移転し、同時に顧客に移転する。当社は、商品の販売代金を顧客から受け取り、販売代金にあらかじめ定められた料率を乗じた金額について、仕入先に対する支払義務を負う。

(3) 当社が契約した消化仕入契約に基づく履行義務は、商品管理等のリスクは仕入先に有する等の一定の要件を満たし、顧客との約束の性質が、商品を自らが提供する履行義務ではなく、商品が他の当事者によって提供されるように手配する履行義務に該当する。したがって、当社は「収益認識に関する会計基準」に基づいて自らを代理人に該当するものとして処理することとする。

⇨解答：219ページ

問題10－2　収益認識基準(2)

重要度	B

上尾社の第45期（自×１年４月１日　至×２年３月31日）における下記の資料により、上尾社の商品の販売時及び決算時の仕訳を答えなさい。解答に当たっては表示科目を用いることとする。なお、千円未満の端数は百円の位で四捨五入するものとする。

〔資　料〕決算整理未済事項その他

(1) 当社は、当社の商品を顧客が10千円分購入するごとに１ポイントを顧客に付与するポイントサービスを提供している。顧客は、ポイントを利用して、当社の商品を購入する際に１ポイント当たり１千円の値引きを受けることができる。

(2) ×１年度中に顧客は当社の商品50,000千円を現金で購入し、5,000ポイント（＝50,000千円÷10千円×１ポイント）を獲得した。対価は固定であり、顧客が購入した商品の独立販売価格は50,000千円であった。

(3) 当社は商品の販売時点で、将来4,800ポイントが使用されると見込んだ。当社は、顧客により使用される可能性を考慮して、１ポイント当たりの独立販売価格を0.96千円（合計額は4,800千円（＝0.96千円×5,000ポイント））と見積った。

(4) 当該ポイントは、契約を締結しなければ顧客が受け取れない重要な権利を顧客に提供するものであるため、顧客へのポイントの付与により履行義務が生じると結論付けた。

(5) 各年度に使用されたポイント、決算日までに使用されたポイント累計及び使用されると見込むポイント総数は次のとおりである。

	×１年度
各年度に使用されたポイント	2,300
決算日までに使用されたポイント累計	2,300
使用されると見込むポイント総数	4,800

⇨解答：219ページ

TAX ACCOUNTANT

解答編

第1章　資産会計

問題1－1　現金及び預金(1)

解答

貸借対照表

S株式会社　　×6年3月31日　　(単位：千円)

科　目	金　額	科　目	金　額
資産の部		負債の部	
Ⅰ流動資産	(×××)	Ⅰ流動負債	(×××)
現金及び預金	83,200	買掛金	4,000
受取手形	16,000	⋮	⋮
貯蔵品	1,100		

解答への道　(仕訳の単位：千円)

1．現　金

(現金及び預金)	75,000	(現　　金)	91,000
(受取手形)	16,000		

2．金庫の実査

(現金及び預金)	8,200	(有価証券利息)	2,400
		(受取配当金)	1,800
		(買　掛　金)	4,000
(貯　蔵　品)	1,100	(通　信　費)	400
		(租税公課)	700

※　**現金として処理すべき項目・現金と間違いやすい項目には次のものがある。**

(1) 現金として処理すべき項目

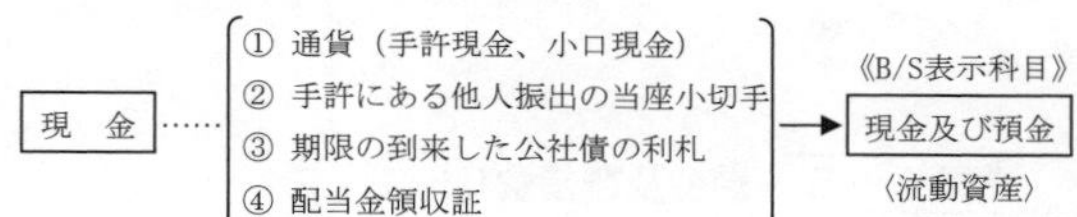

(2) 現金と間違いやすい項目

① 収入印紙の未使用分 ──→ 貯蔵品
　……………(使用分は租税公課)

② 郵便切手の未使用分 ──→ 貯蔵品
　………………(使用分は通信費)

③ 先日付小切手 ──→ 受取手形

④ 自己振出の回収小切手 ──→ 当座預金
　…(B/S表示科目は現金及び預金)

⑤ 未渡小切手 ──→ 当座預金
　…(B/S表示科目は現金及び預金)

問題1－2　現金及び預金(2)

解答

貸借対照表

K株式会社　　×6年3月31日　　(単位：千円)

科　目	金　額	科　目	金　額
資産の部		負債の部	
Ⅰ流動資産	(×××)	Ⅰ流動負債	(×××)
現金及び預金	71,100	短期借入金	7,500
Ⅱ固定資産	(×××)	⋮	⋮
3投資その他の資産	(×××)		
長期預金	204,000		
(注) 長期預金のうち174,000千円を当座借越契約の担保に供している。			

解答への道　(仕訳の単位：千円)

(現金及び預金)	71,100	(現金預金)	267,600
(長期預金)＊	204,000	(短期借入金)	7,500

＊　内訳：積立預金30,000千円及び定期預金174,000千円

なお、積立預金については次のように判断する。

1,500千円×36カ月（満期金額） － 30,000千円（既積立額） ＝ 24,000千円（未積立額）

24,000千円÷1,500千円＝16カ月（当期末後、満期までの月数）

※　1年基準により長期と判断される。

注記　担保提供資産につき、貸借対照表等に関する注記が必要となる。

なお、預金として処理すべき項目には次のものがある。

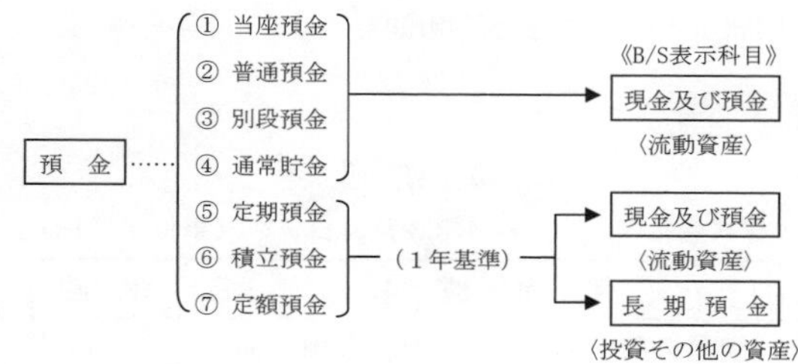

問題1－3　現金及び預金(3)

解　答

貸　借　対　照　表　（単位：千円）

Ⅰ流動資産	(×××)	Ⅰ流動負債	(×××)
現金及び預金	341,350	買　掛　金	270,000
売　掛　金	370,000	短期借入金	2,800
Ⅱ固定資産	(×××)	⋮	⋮
1有形固定資産	(×××)		
土　　地	1,050,000		

損　益　計　算　書　（単位：千円）

Ⅰ　売　　上　　高	700,000
Ⅳ　営業外収益	
有価証券利息	1,000
Ⅵ　特別利益	
固定資産売却益	50,000

解答への道　（仕訳の単位：千円）

1．乙銀行に係る当座借越

(当座借越)	2,800	(短期借入金)	2,800

2．工場用地の売却

(現金及び預金)	200,000	(土　　地)	150,000
		(固定資産売却益)	50,000

3．売掛金の決済

(現金及び預金)	30,000	(売　掛　金)	30,000

4．未渡小切手

(現金及び預金)	10,000	(買　掛　金)	10,000

5．有価証券利息

(現金及び預金)	1,000	(有価証券利息)＊	1,000

＊　100,000千円×2％×$\frac{6カ月}{12カ月}$＝1,000千円

問題1－4　現金及び預金(4)

解　答

貸　借　対　照　表

W株式会社　×14年3月31日　（単位：千円）

科　　目	金　額	科　　目	金　額
資産の部		負債の部	
Ⅰ流動資産	(×××)	Ⅰ流動負債	(×××)
現金及び預金	213,900	未　払　金	1,500
受取手形	320,000	⋮	⋮
関係会社受取手形	1,500		
貯　蔵　品	200		
⋮	⋮		

解答への道　（仕訳の単位：千円）

1．金庫の実査

(1) 表示科目への振替え

(現金及び預金)	211,700	(現　　金)	211,700

(2) 先日付小切手

(関係会社受取手形)＊	1,500	(現金及び預金)	1,500

＊　水道橋株式会社は当社の関係会社（親会社）に該当するため、問題文の指示により独立科目で表示する。

(3) 郵便切手の未使用分

(貯　蔵　品)	200	(通　信　費)	200

2．当座預金

(1) 表示科目への振替え

(現金及び預金)	2,800	(当座預金)	2,800

(2) 引落未記帳…問題資料の2(3)

(水道光熱費)	600	(現金及び預金)	600

(3) 未渡小切手…問題資料の2(4)

(現金及び預金)	1,500	(未　払　金)	1,500

※　問題資料の2(1)未取付小切手及び2(2)時間外預入れは、銀行側の修正事項であるため、当社において修正は不要である。

問題1－5　現金及び預金(5)

解　答

貸　借　対　照　表

C株式会社　×14年6月30日　（単位：千円）

科　　目	金　額	科　　目	金　額
資産の部		負債の部	
Ⅰ流動資産	(×××)	Ⅰ流動負債	(×××)
現金及び預金	13,882	支払手形	29,700
⋮	⋮	買　掛　金	28,900
Ⅱ固定資産	(×××)	短期借入金	1,300

３投資その他の資産	(×××)	⋮	⋮
長期預金	35,000		
⋮	⋮		

解答への道 (仕訳の単位：千円)

1. 科目の振替え

(現金及び預金)	48,980	(現　　金)	3,480
		(当座預金)	10,500
		(定期預金)	35,000

2. 金庫の実査

(1) 配当金領収証

(現金及び預金)	102	(受取配当金)	120
(法人税、住民税及び事業税)	18		

(2) 未渡小切手

(現金及び預金)	300	(買　掛　金)	300

3. 甲銀行当座預金

(支払手形)	1,800	(現金及び預金)	1,800

4. 乙銀行当座預金

(1) 時間外預入

銀行側の処理のため当社において処理不要

(2) 未渡小切手

上記2. (2)参照

(3) 当座借越の振替え

(現金及び預金)＊	1,300	(短期借入金)＊	1,300

＊　当社の当座預金勘定残高（甲銀行及び乙銀行の合計額）と乙銀行の銀行残高の差額は、すべての差異の調整が終わっているため、甲銀行に当座借越が生じているためと読み取ることとなる。

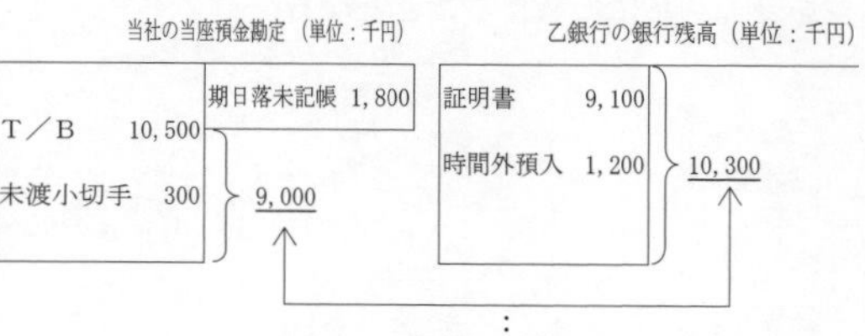

5. 定期預金

(長期預金)	35,000	(現金及び預金)	35,000

問題１－６ 現金及び預金(6)

解　答

(単位：千円)

貸借対照表		損益計算書	
Ⅰ流動資産	(×××)	⋮	
現金及び預金	(337,016)	Ⅲ販売費及び一般管理費	
受取手形	(2,000)	⋮	
⋮		旅費交通費	(960)
Ⅰ流動負債	(×××)	接待交際費	(440)
未払金	(1,400)	⋮	
⋮		Ⅴ営業外費用	
		⋮	
		為替差損	(620)
		⋮	

解答への道 (仕訳の単位：千円)

1　現金及び預金に関する事項

(1) 表示科目の振替

(現金及び預金)	339,636	(現　　金)	4,300
		(当座預金)	138,886
		(普通預金)	196,450

(2) 現金

(旅費交通費)〈販売費及び一般管理費〉	960	(未　払　金)	1,400
(接待交際費)〈販売費及び一般管理費〉	440		

(3) 当座預金

(受取手形)	2,000	(現金及び預金)	2,000

(4) 換算

(為替差損)＊	620	(現金及び預金)	620

＊　13,340千円（試算表）－120千USドル×106円/USドル（貸借対照表価額）＝620千円

問題１－７　現金及び預金(7)

解　答

（単位：千円）

貸借対照表		損益計算書	
Ⅰ流動資産	（×××）	⋮	
現金及び預金	(1,125,000)	Ⅲ販売費及び一般管理費	
⋮		⋮	
⋮		修繕費	(500)
Ⅰ流動負債	（×××）	Ⅳ営業外収益	
買掛金	(99,000)	⋮	
短期借入金	(9,000)	受取利息	(5,000)
前受収益	(5,000)	Ｖ営業外費用	
		⋮	
		為替差損	(5,000)
		⋮	

解答への道　（仕訳の単位：千円）

１．現金及び預金に関する事項

(1) 表示科目の振替

(現金及び預金)	1,122,500	(当座預金)	177,500
		(定期預金)	945,000

(2) 預金

① ＡＡ銀行

(修繕費)〈販売費及び一般管理費〉	500	(現金及び預金)	500

② ＢＢ銀行

(買掛金)	21,000	(現金及び預金)	21,000
(現金及び預金)*	9,000	(短期借入金)	9,000

*　当座預金残高△9,000千円を短期借入金に振替える。

③ ＣＣ銀行（定期預金の為替予約）

イ　直々差額

(現金及び預金)*	5,000	(為替差益)〈営業外収益〉	5,000

*　5,000千米ドル×（104円／ドル（予約日直物）－103円／ドル（取引日直物））＝5,000千円

※　直々差額は、為替予約締結日までに生じている為替相場の変動による差額であるため、為替差損益として処理を行う。

ロ　直先差額

(現金及び預金)	10,000	(前受収益)*1	10,000
(前受収益)	5,000	(受取利息)*2〈営業外収益〉	5,000

*1　5,000千米ドル×（106円／米ドル（予約日先物）－104円／米ドル（予約日直物））＝10,000千円

*2　$10,000千円\times\frac{10カ月}{20カ月}=5,000千円$

※　「外貨建取引等の会計処理に関する実務指針」では、各期に配分された為替予約差額の損益計算書上の表示について以下の記述がある。

> 各期に配分された為替予約差額の損益計算書上の表示（注解（注７））
>
> ９．各期に配分された外貨建金銭債権債務等に係る為替予約差額は、為替差損益に含めて表示するが、合理的な方法により配分された直先差額は、金融商品会計実務指針における債券に係る償却原価法に準じて、利息法又は定額法により利息の調整項目として処理することができる。

本問は、問題文の指示により直先差額である前受収益を受取利息に振替えることとなる。

問題1－8 現金及び預金(8)

解 答

貸借対照表　　（単位：千円）

Ⅰ流動資産	(×××)	Ⅰ流動負債	(×××)
現金預金	400,941	未払金	5,468
貯蔵品	215	⋮	⋮
未収入金	2,977	⋮	⋮

損益計算書　　（単位：千円）

科目	金額
Ⅲ 販売費及び一般管理費	⋮
支払手数料	50
租税公課	555
通信費	760

解答への道　（仕訳の単位：千円）

1．現金預金に関する事項

(1) 科目の振替

(現金預金)	400,800	(現　　金)	500
		(預　　金)	400,300

(2) 収入印紙

(貯蔵品)	155	(租税公課)	155

(3) 郵便切手

(貯蔵品)	60	(通信費)	60

(4) 未渡小切手

(現金預金)	68	(未払金)	68

(5) 振込未記帳

(現金預金)	123	(未収入金)	123

(6) 引落未記帳

(支払手数料)	50	(現金預金)	50

問題1－9 金銭債権(1)

解 答

貸借対照表

甲株式会社　　×7年3月31日　　（単位：千円）

科目	金額	科目	金額
資産の部		⋮	⋮
Ⅰ流動資産	(×××)		
受取手形	215,600		
売掛金	551,400		
短期貸付金	2,600		
短期固定資産売却受取手形	24,000		
貸倒引当金	△15,392		
Ⅱ固定資産	(×××)		
3投資その他の資産	(×××)		
長期貸付金	50,000		
関係会社長期貸付金	68,000		
長期固定資産売却受取手形	8,000		
貸倒引当金	△2,360		

(注) 取締役に対する金銭債権が50,000千円ある。

解答への道　（仕訳の単位：千円）

1．受取手形

(関係会社長期貸付金)＊1	68,000	(受取手形)	100,000
(短期固定資産売却受取手形)＊2	24,000		
(長期固定資産売却受取手形)＊2	8,000		

＊1　問題文の指示により、関係会社に対する金銭債権は独立科目で表示する。また、手形貸付による受取手形は、貸付金として取扱う。

＊2　32,000千円÷2,000千円＝16カ月
2,000千円×12カ月＝24,000千円（短期）
32,000千円－24,000千円＝8,000千円（長期）

2．売掛金

(売掛金)＊1	16,830	(売掛金)	17,000
(支払手数料)＊2	170		

＊1　クレジット売掛金として表示する場合もあるが、答案スペースから売掛金に含めて表示する。

＊2　17,000千円×1％＝170千円

3．貸付金

(短期貸付金)	2,600	(貸付金)	52,600
(長期貸付金)	50,000		

注記 取締役に対する金銭債権につき、貸借対照表等に関する注記が必要となる。

4．貸倒引当金

(貸倒引当金繰入額) *	17,752	(貸倒引当金)	17,752

* 受取手形 215,600千円、売掛金 534,570千円、クレジット売掛金 16,830千円、短期貸付金 2,600千円 ×2％=15,392千円 (流動資産)
長期貸付金 50,000千円、関係会社長期貸付金 68,000千円 ×2％= 2,360千円 (固定資産)
計 17,752千円

問題1－10 金銭債権(2)

解答

貸借対照表

丙株式会社 ×7年3月31日 (単位：千円)

科目	金額
資産の部	
Ⅰ流動資産	(×××)
現金及び預金	108,270
受取手形	271,800
売掛金	412,200
短期貸付金	20,000
立替金	150
関係会社短期固定資産売却受取手形	4,500
貸倒引当金	△14,080
Ⅱ固定資産	(×××)
3投資その他の資産	(×××)
関係会社株式	12,000
長期預金	5,000
関係会社長期未収金	1,700

損益計算書

丙株式会社 自×6年4月1日 至×7年3月31日 (単位:千円)

摘要	金額	
⋮	⋮	⋮
Ⅲ販売費及び一般管理費		
減価償却費	3,800	
貸倒引当金繰入額	13,680	
⋮	⋮	×××
営業利益		×××
⋮	⋮	
Ⅴ営業外費用		
貸倒引当金繰入額	400	
⋮	⋮	×××
経常利益		×××
⋮	⋮	
Ⅶ特別損失		
固定資産売却損	500	
⋮	⋮	×××

重要な会計方針に係る事項に関する注記

(1) 貸倒引当金は債権の貸倒れによる損失に備えるため、受取手形(関係会社短期固定資産売却受取手形を除く)、売掛金及び貸付金の期末残高に対して2％を計上している。

損益計算書に関する注記

(1) 関係会社との営業取引以外の取引高(固定資産売却高)が6,200千円ある。

解答への道 (仕訳の単位：千円)

1．現金及び預金

(関係会社株式)	12,000	(現金及び預金)	17,000
(長期預金)	5,000		

2．受取手形

(関係会社短期固定資産売却受取手形)	4,500	(受取手形)	4,500
(関係会社長期未収金)	1,700	(未収金)	1,700
(短期貸付金)	20,000	(受取手形)	20,000

注記 関係会社(子会社)との営業取引以外の取引高(固定資産売却高)につき、損益計算書に関する注記が必要となる。

3．仮払金

(立替金)	150	(仮払金)	150

4．貸倒引当金

(貸倒引当金繰入額) *	14,080	(貸倒引当金)	14,080

* 受取手形 271,800千円、売掛金 412,200千円 ×2％=13,680千円 (販管費)
短期貸付金 20,000千円 ×2％= 400千円 (営業外費用)
計 14,080千円

注記 引当金の計上基準につき、重要な会計方針に係る事項に関する注記が必要となる。

問題１－11　金銭債権(3)

解　答

（単位：千円）

科　　目	金　額	科　　目	金　額
資産の部		負債の部	
Ⅰ流動資産	(×××)	Ⅰ流動負債	(×××)
受取手形	76,000	⋮	⋮
貸倒引当金	△ 1,520	⋮	⋮
売　掛　金	109,000	摘　　要	金　額
貸倒引当金	△ 2,180	Ⅲ販売費及び一般管理費	
⋮	⋮	⋮	⋮
Ⅱ固定資産	(×××)	貸倒引当金繰入額	43,100
3投資その他の資産	(×××)	Ⅳ営業外収益	
不渡手形	37,000	償却債権取立益	3,500
貸倒引当金	△22,400	⋮	⋮
破産更生債権等	35,000	Ⅴ営業外費用	
貸倒引当金	△17,000	⋮	⋮
⋮	⋮	電子記録債権売却損	2,000
		⋮	⋮

解答への道　（仕訳の単位：千円）

1．不渡手形

（不渡手形） <投資その他の資産>	37,000	（受取手形）	37,000

2．破産更生債権等

（破産更生債権等） <投資その他の資産>	35,000	（受取手形）	20,000
		（売　掛　金）	15,000

3．電子記録債権の譲渡

（仮　受　金）	48,000	（電子記録債権）	50,000
（電子記録債権売却損）＊	2,000		

＊　電子記録債権（その発生又は譲渡について電子記録を要件とする金銭債権）は、手形債権と異なる側面があるものの、手形債権の代替として機能することが想定されており、手形債権に準じて取り扱うことが適当であると考えられる。また、貸借対照表に表示する場合、電子記録債権は「電子記録債権（又は電子記録債務）」等、電子記録債権を示す科目をもって表示する。

4．償却債権の取立

（仮　受　金）	3,500	（償却債権取立益）	3,500

5．貸倒引当金

（貸倒引当金繰入額）＊	43,100	（貸倒引当金）	43,100

＊ 受取手形　76,000千円×２％ ＝ 1,520千円
　売　掛　金　109,000千円×２％ ＝ 2,180千円
　不渡手形　(37,000千円−5,000千円)×70％ ＝22,400千円
　破産更生債権等　35,000千円−18,000千円 ＝17,000千円
　合　計　43,100千円

問題１－12　金銭債権(4)

解　答

貸　借　対　照　表　（単位：千円）

科　　目	金　　額
資産の部	
Ⅰ流　動　資　産	（ ××× ）
受　取　手　形	300,000
売　　掛　　金	240,000
破産更生債権等	1,600
貸　倒　引　当　金	△ 7,000
Ⅱ固　定　資　産	（ ××× ）
3投資その他の資産	（ ××× ）
破産更生債権等	6,400
貸　倒　引　当　金	△ 6,400

損　益　計　算　書　（単位：千円）

摘　　要	金　　額
Ⅲ販売費及び一般管理費	
⋮	⋮
貸倒引当金繰入額	5,400
⋮	⋮
Ⅶ特　別　損　失	
貸倒引当金繰入額	8,000
⋮	⋮

解答への道 （仕訳の単位：千円）

1．破産更生債権等

（貸倒引当金）	32,000	（売　掛　金）	40,000
（破産更生債権等）＊ 〈流 動 資 産〉	1,600		
（破産更生債権等） 〈投資その他の資産〉	6,400		

＊　40,000千円×20％×$\frac{1}{5}$＝1,600千円

2．貸倒引当金

(1) 破産更生債権等

（貸倒引当金繰入額） 〈特 別 損 失〉	8,000	（貸倒引当金）＊	8,000

＊　8,000千円 ｛うち1,600千円 ──→ 流動
うち6,400千円 ──→ 投資その他の資産｝

(2) 受取手形・売掛金

（貸倒引当金繰入額） 〈販売費及び一般管理費〉	5,400	（貸倒引当金）＊ 〈流 動 資 産〉	5,400

＊　受取手形　300,000千円×１％＝3,000千円
　　売 掛 金　240,000千円×１％＝2,400千円
　　　　　　　　　　　　合計　5,400千円

問題１－13　金銭債権(5)

解　答

（単位：千円）

科　　目	金　額	摘　　要	金　額
資産の部		Ⅲ販売費及び一般管理費	
Ⅰ流 動 資 産	（×××）	保　険　料	8,040
売　掛　金	314,500	貸倒引当金繰入額	6,290
前 払 費 用	3,600	Ⅳ営業外収益	
短期貸付金	184,000	受 取 利 息	5,500
破産更生債権等	1,440	Ⅴ営業外費用	
貸倒引当金	△14,955	貸倒引当金繰入額	6,710
Ⅱ固 定 資 産	（×××）	⋮	⋮
３投資その他の資産	（×××）		
長期貸付金	151,500		
破産更生債権等	4,320		
貸倒引当金	△4,545		

（注）取締役に対する金銭債権が3,000千円ある。

解答への道 （仕訳の単位：千円）

1．売掛金

（破産更生債権等）＊1 〈流 動 資 産〉	1,440	（売　掛　金）	7,200
（破産更生債権等）＊2 〈投資その他の資産〉	4,320		
（雑　収　入）	1,440		

＊１　18,000千円×（１－60％）－1,440千円＝5,760千円（破産更生債権等の残額）

5,760千円×$\frac{1年}{4年}$＝1,440千円（流動資産）

＊２　5,760千円－1,440千円＝4,320千円（投資その他の資産）

2．保険料

（前 払 費 用）＊	3,600	（保　険　料）	3,600

＊　従来の１カ月分の保険料をＸとおくと
　５Ｘ＋12Ｘ×1.2＝11,640千円
　Ｘ＝600千円
　∴ 新保険料月額＝600千円×1.2＝720千円
　720千円×５カ月＝3,600千円

3．貸付金

(1) 取締役貸付金

（短期貸付金）	3,000	（貸　付　金）	3,000

注記　取締役に対する金銭債権につき、貸借対照表等に関する注記が必要である。

(2) 阿蘇商事社貸付金

（短期貸付金）	181,000	（貸　付　金）	181,000

(3) 熊本工業社貸付金

① 本来の仕訳

（長期貸付金）	151,500	（貸　付　金）	120,000
		（受 取 利 息）＊	1,500
		（現 金 預 金）	30,000

＊　120,000千円×2.5％×$\frac{6カ月}{12カ月}$＝1,500千円

② 会社が行った仕訳

（仮　払　金）	30,000	（現 金 預 金）	30,000

③ 修正仕訳

(長期貸付金)	151,500	(貸　付　金)	120,000
		(受 取 利 息)	1,500
		(仮　払　金)	30,000

4．貸倒引当金

(貸倒引当金)	6,500	(貸倒引当金戻入額)	6,500
(貸倒引当金繰入額)	19,500	(貸倒引当金)	19,500

※ 売 掛 金 314,500千円(注1)×3％＝ 9,435千円 ｝14,955千円(流動資産)
　短期貸付金 184,000千円(注2)×3％＝ 5,520千円
　長期貸付金 151,500千円 ×3％＝ 4,545千円 ｝投資その他の資産
　650,000千円　19,500千円

(注1) 321,700千円(試算表)－7,200千円(台東社)＝314,500千円

(注2) 3,000千円(取締役)＋181,000千円(阿蘇社)＝184,000千円

〈損益計算書表示〉

販売費及び一般管理費分

$$(19,500千円-6,500千円)\times\frac{314,500千円}{650,000千円}=6,290千円$$

営業外費用分

$$(19,500千円-6,500千円)\times\frac{184,000千円+151,500千円}{650,000千円}=6,710千円$$

問題1－14　金銭債権(6)

解　答

(単位：千円)

科　目	金　額	科　目	金　額
資産の部		負債の部	
Ⅰ流 動 資 産	(×××)	Ⅰ流 動 負 債	(×××)
現 金 預 金	417,310	支 払 手 形	103,408
受 取 手 形	136,120	買　掛　金	430,163
売　掛　金	441,380	短期借入金	8,307
⋮	⋮	⋮	⋮
貸倒引当金	△5,775	Ⅱ固 定 負 債	(×××)
Ⅱ固 定 資 産	(×××)	長期預り保証金	15,000
3投資その他の資産	(×××)	⋮	⋮
破産更生債権等	32,550		
⋮	⋮		
貸倒引当金	△27,550		
⋮	⋮		

摘　要	金　額
Ⅲ販売費及び一般管理費	
貸倒引当金繰入額	110
⋮	⋮
Ⅶ特 別 損 失	
貸倒引当金繰入額	25,900
⋮	⋮

解答への道　(仕訳の単位：千円)

1．現金預金

(1) 売掛金の回収

(現 金 預 金)	3,670	(売　掛　金)	3,670

(2) A銀行当座預金

① 広告費支払代金の未取付

未取付小切手は、銀行側の修正事項であるため、当社の処理は不要である。

② 売掛金回収の未記帳

(現 金 預 金)	14,700	(売　掛　金)	14,700

(3) B銀行当座預金

① 手形期日落ちの未記帳

(支 払 手 形)	25,200	(現 金 預 金)	25,200

② 当座借越

(現 金 預 金)	8,307	(短期借入金)＊	8,307

＊ 16,893千円－25,200千円＝△8,307千円

2．受取手形及び売掛金に関する事項

(1) G社に対する債権

(破産更生債権等)	9,450	(受 取 手 形)	7,140
		(売　掛　金)	2,310

(2) 代理店H社に対する債権

(破産更生債権等)	23,100	(売　掛　金)	23,100

※ 受取手形については、N社が振出した手形を裏書譲渡されたものである。N社からの代金の回収には問題がないため、一般債権(受取手形)として扱う。

3．貸倒引当金に関する事項

(1) 一般債権

(貸倒引当金)	5,665	(貸倒引当金戻入額)＊1	5,665
(貸倒引当金繰入額)＊2	5,775	(貸倒引当金)〈流 動 資 産〉	5,775

＊1 一般債権に係る貸倒引当金の戻入額
7,315千円－1,650千円(※)＝5,665千円
※ 貸倒懸念債権に係る貸倒引当金の残高
(6,300千円－3,000千円) ×50％＝1,650千円

＊2　受取手形期末残高

143,260千円（試算表）－7,140千円（G社）＝136,120千円

売掛金期末残高

485,160千円（試算表）－3,670千円－14,700千円（回収）

－2,310千円（G社）－23,100千円（H社）＝441,380千円

貸倒引当金繰入額

（136,120千円＋441,380千円）×1％

＝5,775千円

※　販売費及び一般管理費に計上される貸倒引当金繰入額

5,775千円－5,665千円＝110千円

(2)　破産更生債権等

(貸倒引当金繰入額)＊ <特別損失>	25,900	(貸倒引当金)	25,900

＊　G社に係る貸倒引当金：9,450千円－2,000千円＝7,450千円

H社に係る貸倒引当金：23,100千円－3,000千円＝20,100千円

貸倒引当金繰入額：(7,450千円＋20,100千円)－1,650千円＝25,900千円

※　固定資産に計上される貸倒引当金の額

7,450千円＋20,100千円＝27,550千円

問題1－15　金銭債権(7)

解　答

（単位：千円）

科目	金額	科目	金額
資産の部		負債の部	
Ⅰ流動資産	(×××)	Ⅰ流動負債	(×××)
受取手形	644,000	保証債務	4,300
貸倒引当金	△12,880	前受収益	5,400
売掛金	410,500	Ⅱ固定負債	(×××)
貸倒引当金	△8,210	長期預り保証金	30,000
関係会社売掛金	306,000	**摘要**	**金額**
貸倒引当金	△6,120	Ⅲ販売費及び一般管理費	
短期貸付金	148,200	貸倒引当金繰入額	44,605
貸倒引当金	△2,964	Ⅳ営業外収益	
Ⅱ固定資産	(×××)	受取利息	10,510
3投資その他の資産	(×××)	為替差益	4,860
長期貸付金	256,000	その他営業外収益	14,740
貸倒引当金	△19,770	Ⅴ営業外費用	
破産更生債権等	61,000	手形売却損	5,160
貸倒引当金	△31,000	貸倒損失	330
⋮	⋮	貸倒引当金繰入額	21,022

解答への道　（仕訳の単位：千円）

1．受取手形及び売掛金

(1)　破産更生債権等

(破産更生債権等)	61,000	(受取手形)	21,000
		(売掛金)	40,000
(預り金)	30,000	(長期預り保証金)	30,000

(2)　売掛金

(関係会社売掛金)	306,000	(売掛金)	306,000

(3)　割引手形

(仮受金)	42,140	(受取手形)＊1	43,000
(手形売却損)＊1	860		
(手形売却損)	4,300	(保証債務)＊2	4,300

＊1　額面金額をXとおくと

$$X - X \times 4\% \times \frac{6カ月}{12カ月} = 42,140千円$$

X＝43,000千円

43,000千円－42,140千円＝860千円

＊2　43,000千円×10％＝4,300千円

2．貸付金

(1)　当社取締役に対する貸付金

(長期貸付金)	23,000	(貸付金)	23,000

(2)　中田株式会社に対する貸付金

(長期貸付金)	33,000	(貸付金)	33,000
(貸倒損失)＊1 <営業外費用>	330	(未収金)	1,320
(受取利息)＊2	990		

$$＊1\quad 33,000千円 \times 4\% \times \frac{3カ月}{12カ月} = 330千円$$

$$＊2\quad 33,000千円 \times 4\% \times \frac{3カ月}{12カ月} + 33,000千円 \times 4\% \times \frac{6カ月}{12カ月} = 990千円$$

※　債務者から契約上の利払日を相当期間経過しても利息の支払いを受けていない債権及び破産更生債権等については、すでに計上されている未収利息を当期の損失として処理するとともに、それ以後の期間に係る利息を計上してはならない。

＜前期末＞

(未収収益)	330	(受取利息)	330

＜当期首＞

(受取利息)	330	(未収収益)	330

＜利払日＞×13年９月30日

(未　収　金)＊	660	(受取利息)	660

＜利払日＞×14年３月31日

(未　収　金)＊	660	(受取利息)	660

＊　33,000千円×４％×$\frac{6カ月}{12カ月}$＝660千円

(3)　竹田商事株式会社に対する貸付金

(長期貸付金)	200,000	(貸　付　金)	200,000

(4)　ベドフォード社に対する貸付金

(短期貸付金)	148,200	(貸　付　金)	148,200
(その他営業外収益)＊1	10,260	(為替差益)＊2	4,860
		(前受収益)＊3	5,400

＊１（130円/ドル－121円/ドル）×1,140千ドル
　　＝10,260千円

＊２　10,260千円×$\frac{9カ月}{19カ月}$＝ 4,860千円

＊３　10,260千円×$\frac{10カ月}{19カ月}$＝ 5,400千円

３．貸倒引当金

(貸倒引当金)	15,317	(貸倒引当金戻入額)	15,317
(貸倒引当金繰入額)＊	80,944	(貸倒引当金)	80,944

＊(1)　一般債権

受取手形：644,000千円（＝708,000千円〔試算表〕－21,000千円〔札幌社〕－43,000千円〔割引手形〕）×２％＝12,880千円

売 掛 金：410,500千円（＝756,500千円〔試算表〕－40,000千円〔札幌社〕－306,000千円〔関係会社〕）×２％＝8,210千円

関係会社売掛金：306,000千円×２％＝6,120千円

短 期 貸 付 金：148,200千円×２％＝2,964千円

長 期 貸 付 金：23,000千円×２％＝　460千円

合　計　1,531,700千円　合 計 30,634千円

(30,634千円－15,317千円)×$\frac{1,360,500千円(注１)}{1,531,700千円}$

＝13,605千円（販管費）

(30,634千円－15,317千円)×$\frac{171,200千円(注２)}{1,531,700千円}$

＝1,712千円（営外費）

(注１) 644,000千円〔受取手形〕＋410,500千円〔売掛金〕＋306,000千円〔関係会社売掛金〕
　　＝1,360,500千円

(注２) 148,200千円〔短期貸付金〕＋23,000千円〔長期貸付金〕＝171,200千円

(2)　貸倒懸念債権

①　中田株式会社に対する貸付金（長期貸付金）
　(33,000千円－41,000千円×70％）×50％
　＝2,150千円（営外費）

②　竹田商事株式会社に対する貸付金（長期貸付金）
(イ) 200,000千円×２％×0.95＋200,000千円×２％×0.90＋(200,000千円×２％＋200,000千円)×0.86
＝182,840千円

(ロ) 200,000千円－(イ)＝17,160千円（営外費）

(3)　破産更生債権等
　61,000千円－30,000千円＝31,000千円（販管費）

(4)　貸倒引当金合計
　30,634千円〔一般債権〕＋2,150千円＋17,160千円〔貸倒懸念債権〕＋31,000千円〔破産更生債権等〕
　＝80,944千円

問題1－16　金銭債権(8)

解答

（単位：千円）

科　　目	金　額	科　　目	金　額
資産の部		Ⅲ販売費及び一般管理費	
Ⅰ流動資産	(×××)	貸倒引当金繰入額	10,516
受取手形	246,000	⋮	⋮
売掛金	2,033,000	Ⅴ営業外費用	
⋮	⋮	貸倒引当金繰入額	848
貸倒引当金	△ 13,674	⋮	⋮
Ⅱ固定資産	(×××)	Ⅶ特別損失	
3投資その他の資産	(×××)	貸倒引当金繰入額	2,952
長期貸付金	30,000	貸倒損失	8,610
破産更生債権等	2,952	⋮	⋮
⋮	⋮		
貸倒引当金	△ 4,100		
⋮	⋮		

解答への道　（仕訳の単位：千円）

1．売上債権等に関する事項

(1) 売掛金の貸倒れ（Ｉ社）

(貸倒引当金(短期))	8,700	(販売費及び一般管理費) <貸倒損失>	8,700

(2) 破産更生債権等（Ｈ社）

(貸倒引当金(短期))	12,300	(受取手形)	17,000
(貸倒損失)＊1 <特別損失>	8,610	(売掛金)	7,600
(仮受金)	738		
(破産更生債権等)＊2 <投資その他の資産>	2,952		

＊1　(17,000千円＋7,600千円)（債権金額）×85%－12,300千円（貸倒引当金）
＝8,610千円

＊2　(17,000千円＋7,600千円)（債権金額）×15%－738千円（当期返済分）
＝2,952千円

なお、本問では、問題の指示により、翌期に返済期限が到来するものについても投資その他の資産とする。

2．貸倒引当金に関する事項

(1) 一般債権

(販売費及び一般管理費)＊ <貸倒引当金繰入額>	10,516	(貸倒引当金)	10,516

＊①　一般営業債権に係る戻入額
3,158千円（＝T/B貸倒引当金(短期)24,158千円－8,700千円（Ｉ社）－12,300千円（Ｈ社））

②　一般債権に係る繰入額

受取手形：(263,000千円（試算表）－17,000千円（破産）)×0.6%(※)＝ 1,476千円

売掛金：2,040,600千円（試算表）－7,600千円（破産）)×0.6%(※)＝12,198千円

合　計：13,674千円

※　貸倒実績率の算定

×28年3月期：14,500千円÷（260,044千円＋1,829,442千円）＝0.7%（小数第一位未満四捨五入）

×29年3月期：16,034千円÷（245,984千円＋1,981,500千円）＝0.7%（小数第一位未満四捨五入）

×30年3月期：8,700千円÷（260,300千円＋1,998,570千円）＝0.4%（小数第一位未満四捨五入）

∴（0.7%＋0.7%＋0.4%）÷3＝0.6%

③　13,674千円－3,158千円＝10,516千円

(2) Ｖ社に対する長期貸付金（貸倒懸念債権）

(貸倒引当金繰入額)＊ <営業外費用>	848	(貸倒引当金)	848

＊①　Ｖ社債権に係る戻入額
300千円

②　貸倒懸念債権に係る繰入額

イ　将来キャッシュ・フロー
×32年3月31日利息受取額：300千円
×33年3月31日利息及び元本受取額：30,300千円

ロ　現在価値
300千円÷1.03＋30,300千円÷1.03^2
＝28,852千円（千円未満四捨五入）

ハ　繰入額
30,000千円－28,852千円＝1,148千円
1,148千円－300千円＝848千円

(3) H社に対する受取手形及び売掛金（破産更生債権等）

(貸倒引当金繰入額) * <特別損失>	2,952	(貸倒引当金)	2,952

*① 破産更生債権等に係る戻入額
　0千円
② 破産更生債権等に係る繰入額
　2,952千円
③ 2,952千円－0千円＝2,952千円

(4) 財務諸表表示
① 貸倒引当金の貸借対照表表示
イ 流動資産（一般債権）
　13,674千円
ロ 投資その他の資産（貸倒懸念債権及び破産更生債権等）
　1,148千円＋2,952千円＝4,100千円
② 貸倒引当金繰入額の損益計算書表示
イ 販売費及び一般管理費（一般債権）
　10,516千円
ロ 営業外費用（貸倒懸念債権）
　848千円
ハ 特別損失（破産更生債権等）
　2,952千円

問題1－17 金銭債権(9)

解　答

（単位：千円）

科　目	金　額	科　目	金　額
資産の部		負債の部	
Ⅰ流動資産	(×××)	Ⅰ流動負債	(×××)
受取手形	162,000	⋮	⋮
売掛金	122,050	Ⅱ固定負債	(×××)
⋮	⋮	営業保証金	8,500
貸倒引当金	△ 4,942	⋮	⋮
Ⅱ固定資産	(×××)		
3投資その他の資産	(×××)		
長期貸付金	60,000		
破産更生債権等	4,700		
⋮	⋮		
貸倒引当金	△ 4,600		
⋮	⋮		

（単位：千円）

科　目	金　額
Ⅲ販売費及び一般管理費	
貸倒引当金繰入額	2,992
⋮	⋮
Ⅴ営業外費用	
貸倒引当金繰入額	200
⋮	⋮
Ⅶ特別損失	
貸倒引当金繰入額	2,000
⋮	⋮

解答への道（仕訳の単位：千円）

1．貸倒引当金に関する事項

(1) 乙社に対する金銭債権

乙社に対する売掛金は4カ月を経過して、遅延状態が完全に解消されていないため、同社は債務の弁済に重大な問題が生じている債務者に該当する。これに伴い、同社に対する債権（受取手形及び売掛金）は貸倒懸念債権に分類されることとなる。なお、貸借対照表上は特別な表示を要しないことに留意する。

(2) 丙社に対する金銭債権

(破産更生債権等)	4,700	(受取手形)	1,500
		(売掛金)	3,200

(3) 貸倒引当金
① 一般債権及び貸倒懸念債権

(貸倒引当金繰入額) *1 <販売費及び一般管理費>	2,992	(貸倒引当金)	3,192
(貸倒引当金繰入額) *2 <営業外費用>	200		

*1 イ 営業債権に係る戻入額
　3,950千円（前期設定額）－2,000千円（丙社債権）＝1,950千円
ロ 営業債権に係る繰入額
a 一般債権
(a) 受取手形：161,200千円
　（＝163,500千円（T／B）－800千円（懸念）－1,500千円（丙社債権））
　×1％＝1,612千円
(b) 売掛金：118,000千円（＝125,250千円（T／B）
　－4,050千円（懸念）－3,200千円（丙社債権））×1％

＝1,180千円

(c)　(a)＋(b)＝2,792千円

b　貸倒懸念債権（乙社債権）

（800千円＋4,050千円－550千円）×50％＝2,150千円
（800千円：受取手形、4,050千円：売掛金、550千円：営業保証金）

c　a＋b＝4,942千円

ハ　ロ－イ＝2,992千円

＊2　イ　営業外債権に係る戻入額
400千円

ロ　営業外債権（長期貸付金）に係る繰入額
60,000千円×１％＝600千円

ハ　ロ－イ＝200千円

② 破産更生債権等（丙社債権）

(貸倒引当金繰入額)＊〈特別損失〉	2,000	(貸倒引当金)	2,000

＊　イ　破産更生債権等（丙社債権）に係る戻入額
2,000千円

ロ　破産更生債権等（丙社債権）に係る繰入額
4,700千円－700千円＝4,000千円
（4,700千円：債権額、700千円：営業保証金）

ハ　ロ－イ＝2,000千円

③ 貸倒引当金のＢ／Ｓ表示

流動分：1,612千円＋1,180千円＋2,150千円＝4,942千円
（1,612千円：受取手形（一般）、1,180千円：売掛金（一般）、2,150千円：懸念（乙社債権））

固定分：600千円＋4,000千円＝4,600千円
（600千円：長期貸付金、4,000千円：破産更生（丙社債権））

問題１－18　有価証券(1)

解　答

貸借対照表（単位：千円）		損益計算書（単位：千円）	
Ⅰ流動資産	(×××)	Ⅳ営業外収益	
有価証券	67,500	有価証券売却益	15,000
短期有価証券売却受取手形	45,000	⋮	⋮
Ⅱ固定資産	(×××)		
３投資その他の資産	(×××)		
投資有価証券	54,000		
関係会社株式	238,500		

解答への道　（仕訳の単位：千円）

１．期末評価

(1)　Ａ社株式（売買目的有価証券）

(短期有価証券売却受取手形)	45,000	(有価証券)	30,000
		(有価証券売却益)〈営業外収益〉	15,000

(2)　Ｂ社株式（子会社株式）

(関係会社株式)〈投資その他の資産〉	202,500	(有価証券)	202,500

(3)　Ｃ社株式（関連会社株式）

(関係会社株式)〈投資その他の資産〉	36,000	(有価証券)	36,000

(4)　Ｄ社社債（満期保有目的の債券）

(投資有価証券)	54,000	(有価証券)	54,000

(5)　Ｅ社社債（その他有価証券）

(有価証券)〈流動資産〉	22,500	(有価証券)〈試算表〉	22,500

(6)　Ｆ社株式（売買目的有価証券）

(有価証券)〈流動資産〉	45,000	(有価証券)〈試算表〉	45,000

問題１－19　有価証券(2)

解　答

貸借対照表（単位：千円）		
Ⅰ流動資産	(×××)	⋮
有価証券	53,000	
Ⅱ固定資産	(×××)	
３投資その他の資産	(×××)	
投資有価証券	100,000	
関係会社株式	246,000	

貸借対照表等に関する注記

関係会社株式115,000千円を長期借入金120,000千円の担保に供している。

解答への道（仕訳の単位：千円）

1．八重洲社株式（売買目的有価証券）

(有 価 証 券) 〈流動資産〉	23,000	(有 価 証 券) 〈T ／ B〉	23,000

2．渋谷社社債（満期保有目的の債券）

(有 価 証 券)＊ 〈流動資産〉	30,000	(有 価 証 券) 〈T ／ B〉	30,000

＊　1年以内に期限が到来する社債その他の債券に該当するため、「有価証券」として流動資産に表示する。

3．新宿社株式（子会社株式）

(関係会社株式)＊ 〈投資その他の資産〉	115,000	(有 価 証 券) 〈T ／ B〉	115,000

＊　自己（当社及び子会社）の計算において議決権の50%超を保有（当社60%）するため、新宿社は当社の子会社に該当する。したがって、「関係会社株式」として投資その他の資産に表示する。

注記　担保提供資産につき、貸借対照表等に関する注記が必要となる。

4．池袋社株式（関連会社株式）

(関係会社株式)＊ 〈投資その他の資産〉	86,000	(有 価 証 券) 〈T ／ B〉	86,000

＊　自己（当社及び子会社）の計算において議決権の20%以上を保有（当社20%）するため、池袋社は当社の関連会社に該当する。したがって、「関係会社株式」として投資その他の資産に表示する。

5．大宮社株式（関連会社株式）

(関係会社株式)＊ 〈投資その他の資産〉	45,000	(有 価 証 券) 〈T ／ B〉	45,000

＊　自己（当社及び子会社）の計算において議決権の15%以上20%未満を保有（16%＝当社12%＋子会社（新宿社）4%）し、影響を及ぼしていることを示す事実（「重要な営業上の取引を行っている」）があるため、大宮社は当社の関連会社に該当する。したがって、「関係会社株式」として投資その他の資産に表示する。

6．横浜社株式（その他有価証券）

(投資有価証券)＊ 〈投資その他の資産〉	58,000	(有 価 証 券) 〈T ／ B〉	58,000

＊　自己（当社及び子会社）の計算において議決権の15%以上20%未満を保有（当社15%）しているが、影響を及ぼしていることを示す事実（「重要な営業上の取引を行っている」）がないため、横浜社は当社の関連会社に該当しない。売買目的以外、かつ、関係会社以外の株式に該当するため、「投資有価証券」として投資その他の資産に表示する。

7．町田社株式（その他有価証券）

(投資有価証券)＊ 〈投資その他の資産〉	42,000	(有 価 証 券) 〈T ／ B〉	42,000

＊　自己（当社及び子会社）の計算において議決権の15%未満を保有し、緊密な者及び同意した者を含めると20%以上を保有する場合、影響を及ぼしていることを示す事実が必要となる。当社と緊密な者を合わせて20%以上を保有（21%＝当社9%＋緊密な者12%）しているが、影響を及ぼしていることを示す事実がないため、町田社は当社の関連会社に該当しない。売買目的以外、かつ、関係会社以外の株式に該当するため、「投資有価証券」として投資その他の資産に表示する。

問題1－20　有価証券(3)

解　答

（単位：千円）

科　目	金　額	科　目	金　額
資産の部		負債の部	
Ⅰ流動資産	(×××)	Ⅱ固定負債	(×××)
有価証券	25,300	繰延税金負債	84
Ⅱ固定資産	(×××)	⋮	⋮
3投資その他の資産	(×××)	純資産の部	
投資有価証券	18,900	⋮	⋮
関係会社株式	69,000	Ⅱ評価・換算差額等	(×××)
⋮	⋮	1その他有価証券評価差額金	126

摘　要	金　額
Ⅳ営業外収益	
有価証券利息	2,190
Ⅴ営業外費用	
有価証券評価損	700

重要な会計方針に係る事項に関する注記
有価証券の評価基準及び評価方法は以下のとおりである。
① 売買目的有価証券は時価法（売却原価は総平均法により算定）により評価している。
② 満期保有目的の債券は、償却原価法（定額法）により評価している。
③ 子会社株式は、総平均法による原価法により評価している。
④ 市場価格のあるその他有価証券は、時価法（償却原価法（定額法）を適用した上で評価差額は税効果会計を適用し全部純資産直入法により処理、売却原価は総平均法により算定）により評価している。

解答への道 （仕訳の単位：千円）

(1) 網島社株式（子会社株式）

（関係会社株式）	69,000	（有 価 証 券）	69,000

(2) 蒲田社株式（売買目的有価証券）

（有 価 証 券） <流動資産>	17,100	（有 価 証 券） <試 算 表>	18,500
（有価証券評価損）	1,400		

(3) 大森社株式（売買目的有価証券）

（有 価 証 券） <流動資産>	8,200	（有 価 証 券） <試 算 表>	7,500
		（有価証券評価益）＊	700

＊ 蒲田社株式に係る有価証券評価損と相殺し、「有価証券評価損」700千円を営業外費用へ計上する。

(4) 下丸子社社債（市場価格のあるその他有価証券）

（投資有価証券）＊1	5,460	（有 価 証 券）	5,200
		（有価証券利息）＊2	50
		（繰延税金負債）＊3	84
		（その他有価証券評価差額金）＊4	126

＊1 時価法の適用により、時価による評価となる。

＊2 債券金額と取得価額（帳簿価額）との差額は金利調整と認められるため、まず、償却原価法（定額法）を適用することとなる。

$$(5,500千円-5,200千円)\times\frac{6カ月}{36カ月}=50千円$$

＊3 時価（5,460千円）と償却原価法適用後の簿価（5,250千円）との差額は一時差異（将来加算一時差異）となるため、税効果会計を適用し、繰延税金負債を計上することとなる。

(5,460千円－5,250千円)×40％＝84千円

＊4 (5,460千円－5,250千円)－84千円＝126千円

(5) 久が原社社債（満期保有目的の債券）

（投資有価証券）	13,440	（有 価 証 券）	12,800
		（有価証券利息）＊	640

$$＊\ (16,000千円-12,800千円)\times\frac{12カ月}{60カ月}=640千円$$

注記 有価証券の評価基準及び評価方法につき、重要な会計方針に係る事項に関する注記が必要となる。

問題1－21 有価証券(4)

解 答

（単位：千円）

科　　目	金　額	科　　目	金　額
資産の部		⋮	⋮
Ⅰ流動資産	(×××)		
有価証券	22,000	純資産の部	
未収収益	400	⋮	⋮
Ⅱ固定資産	(×××)	Ⅱ評価・換算差額等	(×××)
3投資その他の資産	(×××)	1その他有価証券評価差額金	△1,320
投資有価証券	47,200	摘　　要	金　額
関係会社株式	40,000	Ⅳ営業外収益	
繰延税金資産	880	有価証券利息	1,200
⋮	⋮	有価証券評価益	4,800
		Ⅶ特別損失	
		投資有価証券評価損	16,000

解答への道 （仕訳の単位：千円）

(1) 甲社株式（市場価格のあるその他有価証券）

（投資有価証券）	7,000	（有 価 証 券）	4,800
		（繰延税金負債）＊1	880
		（その他有価証券評価差額金）＊2	1,320

＊1 7,000千円－4,800千円＝2,200千円

2,200千円×40％＝880千円

＊2 2,200千円－880千円＝1,320千円

(2) 丙社株式（売買目的有価証券）

(有 価 証 券) 〈流動資産〉	22,000	(有 価 証 券) 〈試 算 表〉	17,200
		(有価証券評価益)＊	4,800

＊　22,000千円－17,200千円＝4,800千円

(3) 丁社株式（子会社株式）

(関係会社株式)	40,000	(有 価 証 券)	40,000

(4) D社株式（市場価格のあるその他有価証券）

(投資有価証券)	15,000	(有 価 証 券)	20,000
(繰延税金資産)＊1	2,000		
(その他有価証券評価差額金)＊2	3,000		

＊1　15,000千円－20,000千円
　＝△5,000千円（評価差額）
　5,000千円×40％＝2,000千円

＊2　5,000千円－2,000千円＝3,000千円

(5) E社社債（市場価格のあるその他有価証券）

(投資有価証券)	11,200	(有 価 証 券)	10,000
		(有価証券利息)＊1	600
		(繰延税金負債)＊2	240
		(その他有価証券評価差額金)＊3	360
(未 収 収 益)	400	(有価証券利息)＊4	400

＊1　(12,000千円－10,000千円)×$\dfrac{12カ月}{7年\times12カ月-44カ月}$＝600千円

＊2　11,200千円－(10,000千円＋600千円)
　＝600千円（評価差額）
　600千円×40％＝240千円

＊3　600千円－240千円＝360千円

＊4　12,000千円×5％×$\dfrac{8カ月}{12カ月}$＝400千円

(6) F社株式（市場価格のないその他有価証券）

(投資有価証券)	14,000	(有 価 証 券)	30,000
(投資有価証券評価損)＊	16,000		

＊　140,000千円×10％＝14,000千円
　30,000千円－14,000千円＝16,000千円

問題1－22　有価証券(5)

解　答

貸借対照表（単位：千円）		損益計算書（単位：千円）	
Ⅰ流動資産	(×××)	Ⅳ営業外収益	
⋮	⋮	有価証券利息	50
有価証券	2,850	Ⅴ営業外費用	
⋮	⋮	有価証券評価損	150
Ⅱ固定資産	(×××)	有価証券売却損	300
3投資その他の資産	(×××)	Ⅵ特別利益	
投資有価証券	14,750	投資有価証券売却益	700
関係会社株式	12,200	Ⅶ特別損失	
繰延税金資産	80	関係会社株式評価損	2,800

解答への道　（仕訳の単位：千円）

1．期末評価

(1) A社株式（売買目的有価証券）

(有 価 証 券) 〈流動資産〉	1,150	(有 価 証 券) 〈試 算 表〉	1,200
(有価証券評価損)	50		

(2) B社株式（売買目的有価証券）

(有 価 証 券) 〈流動資産〉	1,700	(有 価 証 券) 〈試 算 表〉	1,800
(有価証券評価損)	100		

(3) C社株式（市場価格のあるその他有価証券）

(投資有価証券)	3,200	(有 価 証 券)	3,400
(繰延税金資産)＊1	80		
(その他有価証券評価差額金)＊2	120		

＊1　(3,400千円－3,200千円)×40％＝80千円

＊2　(3,400千円－3,200千円)－80千円＝120千円

(4) D社社債（市場価格のあるその他有価証券）

(投資有価証券)	9,000	(有 価 証 券)	9,000

(5) E社株式（関連会社株式）

(関係会社株式)＊	2,700	(有 価 証 券)	5,500
(関係会社株式評価損)	2,800		

＊　9,000千円×30％＝2,700千円

(6) F社株式（関連会社株式）

(関係会社株式)	7,500	(有 価 証 券)	7,500

(7) G社社債（満期保有目的の債券）

(投資有価証券)	2,550	(有 価 証 券)	2,500
		(有価証券利息) ＊	50

＊ $(3,000\text{千円}-2,500\text{千円})\times\dfrac{6\text{カ月}}{5\text{年}\times12\text{カ月}}$

$=50\text{千円}$

2．仮払金

(関係会社株式) ＊	2,000	(仮　払　金)	2,000

＊　新株式申込証拠金領収証は会計上は有価証券として取扱う。なお、F社は関係会社（関連会社）であるため、B/S上は関係会社株式として表示する。

3．有価証券売却益

(有価証券売却益)	400	(投資有価証券売却益) ＊	700
(有価証券売却損) ＊	300		

＊　B社株式（有価証券）の売却損とD社社債（投資有価証券）の売却益は、P/L上それぞれ表示科目及び表示区分が異なることから、相殺せずにそれぞれ独立表示する。

問題1－23　有価証券(6)

解　答

（単位：千円）

科　目	金　額	科　目	金　額
資産の部		純資産の部	
I 流 動 資 産	(×××)	︙	︙
有 価 証 券	16,190	II 評価・換算差額等	(×××)
未 収 金	13,200	1 その他有価証券評価差額金	△615
︙	︙	摘　要	金　額
II 固 定 資 産	(×××)	IV 営業外収益	
3 投資その他の資産	(×××)	有価証券利息	384
投資有価証券	38,659	有価証券売却益	300
関係会社株式	162,000	V 営業外費用	
繰延税金資産	410	有価証券評価損	1,286
︙	︙	︙	︙
		VII 特 別 損 失	
		投資有価証券評価損	6,000

解答への道　（仕訳の単位：千円）

(1) 横浜株式会社株式（売買目的有価証券）

(有 価 証 券) 〈流動資産〉	16,190	(有 価 証 券) 〈試 算 表〉	17,476
(有価証券評価損)	1,286		

(2) 蒲田株式会社株式（売買目的有価証券）

(未　収　金)	13,200	(有 価 証 券)	12,900
		(有価証券売却益) ＊	300

＊　13,200千円－12,900千円＝300千円

(3) 大森株式会社株式（市場価格のあるその他有価証券）

(投資有価証券)	5,075	(有 価 証 券)	6,100
(繰延税金資産) ＊1	410		
(その他有価証券評価差額金) ＊2	615		

＊1 (6,100千円－5,075千円) ×40％＝410千円

＊2 (6,100千円－5,075千円) －410千円＝615千円

(4) 鶴見株式会社株式（市場価格のないその他有価証券）

(投資有価証券)	6,600	(有 価 証 券)	12,600
(投資有価証券評価損) ＊ 〈特別損失〉	6,000		

＊ (5,920,000千円－5,700,000千円) ×3％

＝6,600千円≦12,600千円×60％＝7,560千円

∴著しい下落

12,600千円－6,600千円＝6,000千円

(5) 菊名株式会社株式（子会社株式）

(関係会社株式)	162,000	(有 価 証 券)	162,000

(6) 南与野株式会社社債（満期保有目的の債券）

(投資有価証券) ＊2	26,984	(有 価 証 券)	26,880
		(有価証券利息) ＊1	104

＊1　$26,880\text{千円}\times2.86\%\times\dfrac{6\text{カ月}}{12\text{カ月}}$

$-28,000\text{千円}\times2.0\%\times\dfrac{6\text{カ月}}{12\text{カ月}}$

＝104.384千円→104千円（千円未満四捨五入）

＊2　26,880千円＋104千円＝26,984千円

問題1−24 有価証券(7)

解答

（単位：千円）

科目	金額	科目	金額
資産の部		負債の部	
Ⅰ流動資産	(×××)	Ⅱ固定負債	(×××)
有価証券	92,800	繰延税金負債	2,920
未収金	184,000	純資産の部	
Ⅱ固定資産	(×××)	Ⅱ評価・換算差額等	(×××)
3投資その他の資産	(×××)	1その他有価証券評価差額金	4,380
投資有価証券	469,500	摘要	金額
関係会社株式	270,000	Ⅳ営業外収益	
⋮	⋮	有価証券利息	17,200
		Ⅴ営業外費用	
		有価証券評価損	1,200
		Ⅵ特別利益	
		投資有価証券売却益	19,000
		Ⅶ特別損失	
		投資有価証券評価損	70,000

解答への道　（仕訳の単位：千円）

(1) 京都社株式（売買目的有価証券）

(有価証券)〈流動資産〉 92,800　(有価証券)〈試算表〉 94,000
(有価証券評価損)＊ 1,200

＊ 92,800千円−94,000千円＝△1,200千円

(2) 山口社株式（市場価格のあるその他有価証券）

(投資有価証券) 169,300　(有価証券) 162,000
　(繰延税金負債)＊1 2,920
　(その他有価証券評価差額金)＊2 4,380

＊1 (169,300千円−162,000千円)×40%＝2,920千円
＊2 (169,300千円−162,000千円)−2,920千円＝4,380千円

(3) 青森社株式（子会社株式）

(関係会社株式) 270,000　(有価証券) 270,000

(4) 広島社社債（満期保有目的の債券）

① 当期分の利息の計上

(仮受金) 16,000　(有価証券利息)＊ 16,000

＊ 250,000千円×6.4%＝16,000千円

② 有価証券の評価

(投資有価証券) 245,200　(有価証券) 244,000
　(有価証券利息)＊ 1,200

＊ (250,000千円−244,000千円) × $\frac{12\text{カ月}}{60\text{カ月}}$
＝1,200千円

(5) 兵庫社株式（市場価格のないその他有価証券）

(投資有価証券) 55,000　(有価証券) 125,000
(投資有価証券評価損)＊ 70,000

＊ 550,000千円×10%−125,000千円＝△70,000千円

(6) 千葉社株式（市場価格のあるその他有価証券）

(未収金) 184,000　(有価証券) 165,000
　(投資有価証券売却益) 19,000

問題1−25 有価証券(8)

解答

（単位：千円）

科目	金額	科目	金額
資産の部		純資産の部	
Ⅰ流動資産	(×××)	⋮	⋮
有価証券	96,600	Ⅱ評価・換算差額等	(×××)
⋮	⋮	1その他有価証券評価差額金	2,400
Ⅱ固定資産	(×××)	摘要	金額
3投資その他の資産	(×××)	Ⅳ営業外収益	
投資有価証券	240,920	受取利息配当金	41,630
関係会社株式	252,000	有価証券利息	7,740
⋮	⋮	有価証券評価益	2,600
負債の部		⋮	⋮
Ⅱ固定負債	(×××)	Ⅶ特別損失	
繰延税金負債	1,600	投資有価証券評価損	38,000
⋮	⋮	⋮	⋮

重要な会計方針に係る事項に関する注記

有価証券の評価基準及び評価方法は以下のとおりである。

(1) 売買目的有価証券は時価法（評価差額は切り放し方式により処理し、売却原価は移動平均法により算定）により評価している。

(2) 満期保有目的の債券は償却原価法（定額法）により評価している。

(3) **子会社株式は**移動平均法による原価法により評価している。

(4) **市場価格のあるその他有価証券は**時価法（評価差額は全部純資産直入法により処理し、売却原価は移動平均法により算定）により評価している。

解答への道　（仕訳の単位：千円）

(1) 遠藤社株式（子会社株式）

（関係会社株式）	252,000	（有 価 証 券）	252,000

(2) 富岡社株式（売買目的有価証券）

（有 価 証 券） 〈流動資産〉	18,600	（有 価 証 券） 〈試 算 表〉	18,000
		（有価証券評価益）	600

(3) 村上社株式（市場価格のあるその他有価証券）

（投資有価証券）	94,000	（有 価 証 券）	90,000
		（繰延税金負債）＊	1,600
		（その他有価証券評価差額金）＊	2,400

＊　評価差額　94,000千円－90,000千円＝4,000千円
　繰延税金負債　4,000千円×40％＝1,600千円
　その他有価証券評価差額金　4,000千円－1,600千円＝2,400千円

(4) 毛利社株式（市場価格のあるその他有価証券）

（投資有価証券）	22,000	（有 価 証 券）	60,000
（投資有価証券評価損） 〈特別損失〉	38,000		

(5) 谷川社社債（満期保有目的の債券）

（投資有価証券）	124,920	（有 価 証 券）	122,380
		（有価証券利息）＊1	2,540
（受取利息配当金）	5,200	（有価証券利息）＊2	5,200

＊1　$(130{,}000\text{千円}-122{,}380\text{千円})\times\dfrac{12\text{カ月}}{3\text{年}\times12\text{カ月}}$＝2,540千円

＊2　130,000千円×４％＝5,200千円

(6) 株式投資信託の受益証券（売買目的有価証券）

（有 価 証 券）＊ 〈流動資産〉	48,000	（有 価 証 券） 〈試 算 表〉	46,000
		（有価証券評価益）	2,000

＊　当該証券投資信託の受益証券は、短期的な時価の変動により利益を得ることを目的（売買目的）として保有するものであるため、有価証券として流動資産に表示する。

(7) 公社債投資信託の受益証券

（有 価 証 券）＊ 〈流動資産〉	30,000	（有 価 証 券） 〈試 算 表〉	30,000

＊　当該証券投資信託の受益証券は、預金と同様の性格を有するものであるため、有価証券として流動資産に表示する。

注記　有価証券の評価基準及び評価方法につき重要な会計方針に係る事項に関する注記が必要である。

問題１－26　有価証券(9)

解　答

（単位：千円）

科　　目	金　額	摘　　要	金　額
Ⅰ流動資産	（×××）	**Ⅵ特別利益**	
未　収　金	3,500	投資有価証券売却益	356
Ⅱ固定資産	（×××）	**Ⅶ特別損失**	
３投資その他の資産	（×××）	関係会社株式評価損	2,250
投資有価証券	3,800	⋮	⋮
関係会社株式	4,750		
純資産の部			
⋮	⋮		
Ⅱ評価・換算差額等	（×××）		
１その他有価証券評価差額金	△200		
⋮	⋮		

解答への道　（仕訳の単位：千円）

(1) Ｂ社株式（子会社株式）

（関係会社株式）	3,000	（投資有価証券） 〈試 算 表〉	3,000

(2) Ｅ社株式（関連会社株式）

（関係会社株式）＊1	1,750	（投資有価証券） 〈試 算 表〉	4,000
（関係会社株式評価損）＊2 〈特別損失〉	2,250		

＊1　4,000千円×50％＝2,000千円
　$\geqq \underbrace{500\text{株}\times10\%}_{50\text{株}}\times35{,}000\text{円／株}=1{,}750\text{千円}$
　∴減損処理の適用あり

＊2　4,000千円－1,750千円＝2,250千円

当社はE社の議決権の15%未満（10%）しか所有していないが、緊密な者（当社の役員）とあわせてG社の議決権の20%以上（10%＋10%＝20%）を所有しており、かつ、当社の役員がE社の取締役に就任しているため、E社は当社の関連会社に該当する。

(3) F社株式（市場価格のあるその他有価証券）

(仮　受　金)	600	(投資有価証券) 〈試 算 表〉	3,744
(未　収　金)	3,500	(投資有価証券売却益)＊ 〈特別利益〉	356

＊　4,100千円－3,744千円＝356千円

(4) H社株式（市場価格のあるその他有価証券）

(投資有価証券)	3,800	(投資有価証券) 〈試 算 表〉	4,000
(その他有価証券評価差額金)＊	200		

＊　4,000千円－3,800千円＝200千円

その他有価証券の評価差損に関する繰延税金資産は回収可能性がないため、計上できないことに留意すること。

問題1－27　有価証券(10)

解　答　（単位：千円）

貸借対照表		損益計算書	
Ⅰ流 動 資 産	(×××)	⋮	
⋮	⋮	Ⅳ営業外収益	(×××)
⋮	⋮	有価証券利息	(500)
Ⅱ固 定 資 産		⋮	
3 投資その他の資産	(×××)	Ⅴ営業外費用	(×××)
投資有価証券	(39,500)	投資有価証券評価損	(200)
関係会社株式	(210,096)	⋮	
⋮		Ⅶ特 別 損 失	(×××)
⋮		関係会社株式評価損	(19,200)
⋮		⋮	

解答への道　（仕訳の単位：千円）

1　投資有価証券に関する事項

(1) 甲社株式（その他有価証券）

(投資有価証券)＊2	19,800	(投資有価証券)＊1	20,000
(投資有価証券評価損)＊3 〈営業外費用〉	200		
(繰延税金資産)＊4	60	(法人税等調整額)	60

＊1　10,000株×@2,000円＝20,000千円

＊2　10,000株×@1,980円＝19,800千円

＊3　20,000千円－19,800千円＝200千円

※　問題文の指示により、評価差額は部分純資産直入法で処理することとなる。その他有価証券について、部分純資産直入法を適用した場合の評価損は、投資有価証券評価損の科目で営業外費用に表示される。

＊4　200千円×30%＝60千円

(2) 乙社株式（子会社株式）

(関係会社株式)＊2	16,000	(投資有価証券)＊1	35,200
(関係会社株式評価損)＊3 〈特 別 損 失〉	19,200		

＊1　11,000株×@3,200円＝35,200千円

＊2　当社の保有株数

11,000 株÷乙社の発行済株式総数 13,750 株　80%＞50%　∴　子会社に該当

実質価額：(乙社資産130,000千円－乙社負債110,000千円)（乙社純資産額）×80%＝16,000 千円

＊3　35,200千円－16,000千円＝19,200千円

(3) 丙社株式（子会社株式）

(関係会社株式)	194,096	(投資有価証券)＊1	26,000
		(仮　払　金)＊2	168,096

＊1　2,000株×@100英ポンド×130円／英ポンド＝26,000千円

＊2　12,000株×@103英ポンド×136円／英ポンド＝168,096千円

※　株式の追加取得により持分比率が増加し、その他有価証券が子会社株式又は関連会社株式に該当することとなった場合には、帳簿価額で振り替える。

(4) 丁社社債（満期保有目的の債券）

(投資有価証券)＊3	19,700	(投資有価証券)＊1	19,600
(仮　受　金)	400	(有価証券利息)＊2	500

＊1　20, 000口×@980円＝19, 600千円

＊2　償却原価法による償却額：(20, 000口×@1, 000円 －20, 000口×@980円)×$\frac{12カ月}{48カ月}$＝100千円

利息受取額：20, 000口×@1, 000円×２％＝400千円

合計：100千円＋400千円＝500千円

＊3　19, 600千円＋100千円＝19, 700千円

問題１－28　有価証券(11)

解　答

（単位：千円）

科　　目	金　額	科　　目	金　額
資産の部		負債の部	
Ⅰ流動資産	(×××)	⋮	⋮
現金預金	61, 693	Ⅱ固定負債	(×××)
⋮	⋮	⋮	⋮
有価証券	35, 000	繰延税金負債	1, 960
⋮	⋮	純資産の部	
Ⅱ固定資産	(×××)	⋮	⋮
3投資その他の資産	(×××)	Ⅱ評価・換算差額等	(×××)
投資有価証券	39, 955	1その他有価証券評価差額金	2, 940
ゴルフ会員権	3, 000	摘　　要	金　額
貸倒引当金	△1, 000	Ⅵ特別利益	
		抱合せ株式消滅差益	17, 986
		投資有価証券売却益	5
		Ⅶ特別損失	
		ゴルフ会員権評価損	2, 000
		貸倒引当金繰入額	1, 000
		投資有価証券売却損	14, 000
		投資有価証券評価損	7, 000
		関係会社株式評価損	10, 000

解答への道　（仕訳の単位：千円）

1．有価証券

(1) 公社債投資信託

(有価証券)＊ 〈流動資産〉	35, 000	(有価証券) 〈試算表〉	35, 000

＊　当該証券投資信託の受益証券は、預金と同様の性格を有するものであるため、有価証券として流動資産に表示する。

(2) C社株式

① 科目の振替え

(投資有価証券)＊	17, 000	(有価証券)	17, 000

＊　次のことから、期首におけるその他有価証券に係る評価差額の振り戻し処理が行われていないことがわかる。

(イ) 残高試算表に「その他有価証券評価差額金」が計上されていること

(ロ) 残高試算表上の「有価証券」の金額との整合性

したがって、C社株式の残高試算表上の金額は、前期末残高である17, 000千円となる。

② 評価差額の振り戻し

(繰延税金負債)＊1	2, 800	(投資有価証券)	7, 000
(その他有価証券評価差額金)＊2	4, 200		

＊１（17, 000千円－10, 000千円）×40％＝2, 800千円

＊２（17, 000千円－10, 000千円）－2, 800千円 ＝4, 200千円

③ その他資本剰余金による配当

(仮受金)	100	(投資有価証券)	100

④ 期末評価

(投資有価証券)	5, 000	(繰延税金負債)＊1	2, 000
		(その他有価証券評価差額金)＊2	3, 000

＊１｛14, 900千円－（10, 000千円－100千円)｝×40％ ＝2, 000千円

＊２｛14, 900千円－（10, 000千円－100千円)｝ －2, 000千円＝3, 000千円

(3) D社株式

① 科目の振替え

(投資有価証券)＊	36, 000	(有価証券)	36, 000

＊　次のことから、期首におけるその他有価証券に係る評価差額の振り戻し処理が行われていないことがわかる。

(イ) 残高試算表に「その他有価証券評価差額金」が計上されていること

(ロ) 残高試算表上の「有価証券」の金額との整合性

したがって、D社株式の残高試算表上の金額は、前期末残高である36, 000千円となる。

② 評価差額の振り戻し

(繰延税金負債)＊1	2, 400	(投資有価証券)	6, 000
(その他有価証券評価差額金)＊2	3, 600		

＊1 (36,000千円－30,000千円) ×40%＝2,400千円

＊2 (36,000千円－30,000千円) －2,400千円
＝3,600千円

③ 期中売却分

(仮　受　金)	6,000	(投資有価証券)＊	20,000
(投資有価証券売却損)	14,000		

＊ $\underset{\text{取得原価}}{30{,}000\text{千円}} \times \frac{2}{3}$ ＝20,000千円

④ 期末評価

(投資有価証券評価損)＊	7,000	(投資有価証券)	7,000

＊ 10,000千円×50%≧3,000千円 ∴減損処理適用
10,000千円－3,000千円＝7,000千円

(4) E社株式

(現 金 預 金)	33,068	(未払法人税等)	82
		(有 価 証 券)	15,000
		(抱合せ株式消滅差益)＊ 〈特別利益〉	17,986
(未払法人税等)	82	(仮　払　金)	82

＊ 貸借差額

(5) F社株式

(関係会社株式評価損)	10,000	(有 価 証 券)	10,000

(6) G社株式

① 科目の振替え

(投資有価証券)	11,700	(有 価 証 券)＊	11,700

＊ 9ドル×10,000株×130円/ドル＝11,700千円

次のことから、期首におけるその他有価証券に係る評価差額の振り戻し処理が行われていないことがわかる。

(イ) 残高試算表に「その他有価証券評価差額金」が計上されていること

(ロ) 残高試算表上の「有価証券」の金額との整合性

したがって、G社株式の残高試算表上の金額は、前期末残高である11,700千円となる。

② 評価差額の振り戻し

(繰延税金資産)＊1	320	(繰延税金負債)	320
(投資有価証券)	800	(繰延税金資産)＊2	320
		(その他有価証券評価差額金)＊3	480

＊1 (12,500千円－11,700千円) ×40%＝320千円

残高試算表の繰延税金負債は純額表示であるため、仕訳の都合上、いったん総額表示に直す。

＊2 (12,500千円－11,700千円) ×40%＝320千円

＊3 (12,500千円－11,700千円) －320千円＝480千円

③ 期末評価

(投資有価証券)＊1	11,400	(投資有価証券)	12,500
(繰延税金資産)＊2	440		
(その他有価証券評価差額金)＊3	660		

＊1 9.5ドル×10,000株×120円/ドル＝11,400千円

＊2 (12,500千円－11,400千円) ×40%＝440千円

＊3 (12,500千円－11,400千円) －440千円＝660千円

(7) H社株式

① J社株式に対応する部分

(投資有価証券)＊	4,655	(有 価 証 券)＊	4,655

＊ $\underset{\text{H社株式簿価}}{4{,}900\text{千円}} \times \frac{4{,}750\text{千円（※1）}}{5{,}000\text{千円（※2）}}$ ＝4,655千円

※1 J社株式の公正評価額：1,900円／株×5,000株×0.5株＝4,750千円

※2 J社株式の公正評価額＋交付現金：
(1,900円／株＋100円／株) ×5,000株×0.5株
＝5,000千円

② 現金に対応する部分

(仮　受　金)＊	250	(有 価 証 券)＊	245
		(投資有価証券売却益)＊ 〈特別利益〉	5

＊ $\underset{\text{H社株式簿価}}{4{,}900\text{千円}} \times \frac{250\text{千円（※1）}}{5{,}000\text{千円（※2）}}$ ＝245千円

250千円－245千円＝5千円

なお、当該売却益は、株式交換という臨時的な事象により生じたものであるため、特別損益に表示する。

※1 交付現金：100円／株×5,000株×0.5株
＝250千円

※2 J社株式の公正評価額＋交付現金：
(1,900円／株＋100円／株) ×5,000株×0.5株
＝5,000千円

(8)　I社株式

(投資有価証券)	6,000	(有 価 証 券)*1	5,000
		(繰延税金負債)*2	400
		(その他有価証券評価差額金)*3	600

＊１　15,000千円（取得原価）×50%≧5,000千円（前期末時価）

∴　前期末に減損処理の適用あり

＊２（6,000千円−5,000千円）×40%＝400千円

＊３（6,000千円−5,000千円）−400千円＝600千円

(9)　Kゴルフ会員権

①　科目の振替え

(ゴルフ会員権)	5,000	(有 価 証 券)	5,000

②　減損処理

(ゴルフ会員権評価損)*1 <特別損失>	2,000	(ゴルフ会員権)	2,000
(貸倒引当金繰入額)*2 <特別損失>	1,000	(貸倒引当金)	1,000

＊１　5,000千円（取得原価）−3,000千円（預託保証金）＝2,000千円

＊２　3,000千円（預託保証金）−2,000千円（時価）＝1,000千円

問題1－29 **棚卸資産(1)**

解 答

（単位：千円）

貸借対照表	
資産の部	
Ⅰ流動資産	（×××）
⋮	⋮
商品	30,795
貯蔵品	800
⋮	⋮

損益計算書		
売上高		628,000
売上原価		
期首商品たな卸高	32,800	
当期商品仕入高	545,600	
合計	578,400	
期末商品たな卸高	52,500	
差引	525,900	
商品減耗損	2,100	
商品評価損	485	528,485
売上総利益		99,515
販売費及び一般管理費		
事務用消耗品費	14,500	
営業外収益		
仕入割引	**38,000**	
営業外費用		
⋮	⋮	
特別損失		
商品評価損	19,120	

解答への道 （仕訳の単位：千円）

1．商品

（期首商品たな卸高）	32,800	（商品）	32,800
（当期商品仕入高）＊1	545,600	（仕入高）	592,600
（仕入値引）	17,500		
（仕入戻し）	22,500		
（仕入割戻）	7,000		
（商品）	30,795	（期末商品たな卸高）	52,500
（商品減耗損）＊2	2,100		
（商品評価損）＊3	19,605		

＊1　当期商品仕入高は、仕入値引・仕入戻し・仕入割戻を控除して純仕入高で表示し、仕入割引は営業外収益に表示する。

＊2　商品減耗損については、原価性を有する場合は売上原価の内訳または販管費に表示することとなる（企原・注解10）が、指示により商品減耗損は売上原価の内訳科目として表示する。

＊3　商品評価損については、原則として売上原価の内訳科目として表示することとなるが、当該評価損の発生が臨時的な事象に起因し、かつ、多額であるときは特別損失として表示することとなる。

A商品

1,500
評価損
減耗損
700
単価（円）
実地たな卸高（正味売却価額）
0
数量（個） 23,900 25,000

① 減耗損（25,000個－23,900個）×1,500円＝1,650千円

② 評価損　23,900個×（1,500円－700円）＝19,120千円

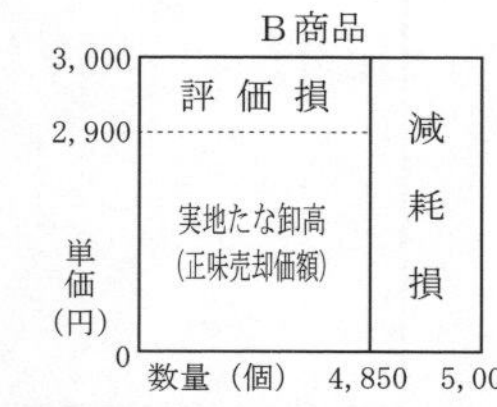

① 減耗損（5,000個－4,850個）×3,000円＝450千円

② 評価損　4,850個×（3,000円－2,900円）＝485千円

2．貯蔵品

（事務用消耗品費）	5,500	（貯蔵品）	5,500
（貯蔵品）	800	（事務用消耗品費）	800

問題1－30 棚卸資産(2)

解 答

①売上原価	②期末評価額
5,793,689千円	897,085千円

解答への道 (仕訳の単位：千円)

1 棚卸資産に関する事項

(売上原価)	1,306,760	(繰越商品)	1,306,760
(売上原価) <当期商品仕入高>	5,384,014	(仕　　入)	5,384,014
(商　　品)*	897,085	(売上原価)	897,085

* (1,306,760千円＋5,384,014千円)÷(1,600個＋16,934個)＝361千円（単価）

361千円×(2,480個＋5個)＝897,085千円

※ 売上原価

1,306,760千円（期首商品）＋5,384,014千円（当期商品仕入高）－897,085千円（期末商品）

＝5,793,689千円

問題1－31 棚卸資産(3)

解 答

貸借対照表（単位：千円）	
流動資産	(×××)
⋮	⋮
商品	55,440
⋮	⋮
〔注記事項〕	
(1) 商品は移動平均法による原価法（収益性の低下に基づく簿価切下げの方法）により評価している。	

損益計算書（単位：千円）		
売上高		3,270,475
売上原価		
期首商品たな卸高	89,800	
当期商品仕入高	2,263,700	
合計	2,353,500	
見本品費振替高	13,500	
商品災害損失振替高	11,025	
期末商品たな卸高	58,500	2,270,475
売上総利益		1,000,000
販売費及び一般管理費		
商品減耗損	1,800	
見本品費	13,500	
特別損失		
商品災害損失	11,025	
商品評価損	1,260	

解答への道 (仕訳の単位：千円)

(期首商品たな卸高)	89,800	(商品)	89,800
(当期商品仕入高)	2,263,700	(仕入)	2,263,700
(見本品費)＊	13,500	(見本品費振替高)	13,500
(商品災害損失)＊	11,025	(商品災害損失振替高)	11,025
(商品)＊	55,440	(期末商品たな卸高)	58,500
(商品減耗損)＊	1,800		
(商品評価損)＊	1,260		

＊ ＜甲商品＞

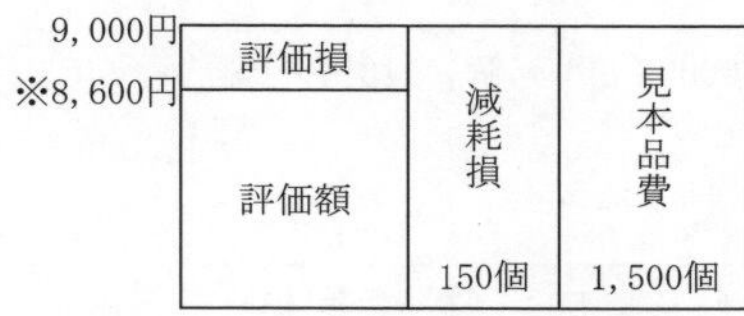

見本品費　1,500個×9,000円＝13,500千円
期末商品たな卸高　(4,800個－1,500個)×9,000円＝29,700円
減耗損　150個×9,000円＝1,350千円
評価損　3,150個×(9,000円－8,600円)＝1,260千円

※ 9,200円－600円＝8,600円

＊ ＜乙商品＞

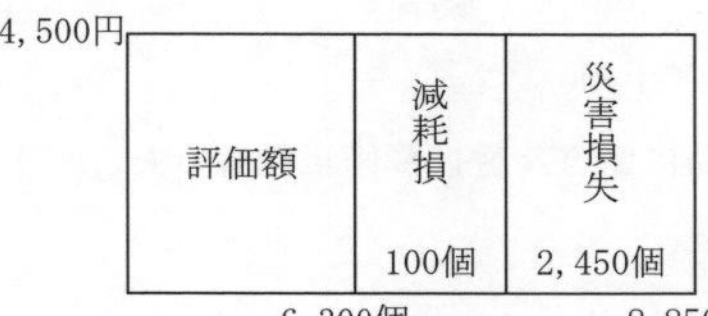

災害損失　2,450個×4,500円＝11,025千円
期末商品たな卸高　(8,850個－2,450個)×4,500円＝28,800円
減耗損　100個×4,500円＝450千円

※ 4,820円－100円＝4,720円

注記 商品の評価基準及び評価方法につき、重要な会計方針に係る事項に関する注記が必要となる。

問題１－32 棚卸資産(4)

解答

損益計算書 (単位：千円)

摘要	金額	
Ⅰ売上高		3,016,260
Ⅱ売上原価		
期首商品たな卸高	76,200	
当期商品仕入高	984,000	
合計	1,060,200	
広告宣伝費振替高	2,624	
期末商品たな卸高	63,304	
差引	994,272	
商品減耗損	328	994,600
売上総利益		2,021,660
Ⅲ販売費及び一般管理費		
⋮		
広告宣伝費	30,924	
事務用消耗品費	12,920	
⋮		

解答への道 (仕訳の単位：千円)

1．商品

(期首商品たな卸高)	76,200	(商品)	76,200
(当期商品仕入高)	984,000	(仕入高)	900,000
		(仕入諸掛)	84,000
(広告宣伝費)	2,624	(広告宣伝費振替高)＊1	2,624
(商品減耗損)＊3	328	(期末商品たな卸高)＊2	63,304
(商品)	62,976		

＊1 1個当たりの仕入諸掛：
84,000千円÷150,000個＝0.56千円
1個当たりの商品原価：
900,000千円÷150,000個＝6千円
6千円＋0.56千円＝6.56千円
@6.56千円×400個＝2,624千円

＊2 (10,050個－400個) ×@6.56千円＝63,304千円

＊3 {(10,050個－400個) －9,600個}×@6.56千円
＝328千円

2．貯蔵品

(事務用消耗品費)	4,840	(貯蔵品)	4,840
(貯蔵品)	5,320	(事務用消耗品費)	5,320

問題1－33　棚卸資産(5)

解　答

B/S商　　品	500,000 千円
P/L売上原価	4,500,000 千円

解答への道　（仕訳の単位：千円）

借方	金額	貸方	金額
(期首商品たな卸高)	380,000	(商　　　品)	380,000
(当期商品仕入高)	4,620,000	(仕　　　入)	4,620,000
(商　　　品)＊	500,000	(期末商品たな卸高)＊	512,000
(商品評価損)＊	12,000		
<売上原価>			

＊　(1)　原価率（原則）

$$\frac{380,000\text{千円}+4,620,000\text{千円}}{760,000\text{千円}+4,620,000\text{千円}+2,460,000\text{千円}+200,000\text{千円}-40,000\text{千円}-190,000\text{千円}+2,500\text{千円}}=0.64$$

原価率（特例）

$$\frac{380,000\text{千円}+4,620,000\text{千円}}{760,000\text{千円}+4,620,000\text{千円}+2,460,000\text{千円}+200,000\text{千円}-40,000\text{千円}}=0.625$$

(2)　P/L期末商品たな卸高

800,000千円（期末たな卸高（売価））×0.64（原則）＝512,000千円

(3)　B/S商品

800,000千円（期末たな卸高（売価））×0.625（特例）＝500,000千円

(4)　P/L商品評価損

512,000千円－500,000千円＝12,000千円

※　売上原価

380,000千円（期首商品）＋4,620,000千円（当期仕入）－512,000千円（期末商品）＋12,000千円（商品評価損）＝4,500,000千円

問題1－34　棚卸資産(6)

解　答

問１

P/L売上原価	4,532,918 千円

問２

B/S商　　品	300,700 千円

解答への道　（仕訳の単位：千円）

(1)　丁商品の仕入に係る修正

①　会社が行った処理

借方	金額	貸方	金額
(商品仕入高)＊	10,500	(買　掛　金)	10,500
(買　掛　金)	10,500	(現 金 預 金)	11,100
(為 替 差 損)	600		

＊　100個×1,000USドル／個×105円／USドル＝10,500千円

②　正しい処理

借方	金額	貸方	金額
(商品仕入高)＊	11,000	(買　掛　金)	11,000
(買　掛　金)	11,000	(現 金 預 金)	11,100
(為 替 差 損)	100		

＊　100個×1,000USドル／個×110円／USドル＝11,000千円

③　修正処理

借方	金額	貸方	金額
(商品仕入高)＊	500	(為 替 差 損)	500

＊　11,000千円－10,500千円＝500千円

(2)　売上原価の算定

借方	金額	貸方	金額
(期首商品たな卸高)	300,000	(商　　　品)	300,000
(当期商品仕入高)	4,533,618	(商品仕入高)＊1	4,533,618
(商　　　品)＊2	300,700	(期末商品たな卸高)	300,700

＊1　4,533,118千円（T/B）＋500千円（丁商品）＝4,533,618千円

＊2　301,600千円（実地たな卸高）－1,000千円（丙商品）＋100千円(注)（丁商品）＝300,700千円

(注)　丁商品に係る為替換算修正額のうち、期末商品残高分

$$500\text{千円}\times\frac{20\text{個}}{100\text{個}}=100\text{千円}$$

※　売上原価：300,000千円（期首）＋4,533,618千円（当期仕入）－300,700千円（期末）＝4,532,918千円

問題1－35　棚卸資産(7)

解　答

B商品売上原価	1,291,154千円
C商品売上原価	938,083千円

解答への道　（仕訳の単位：千円）

1．B商品

(1) 決算整理

(売上原価(B))	179,368	(商　　品(B))	179,368
(売上原価(B))	1,295,431	(商品仕入高(B))	1,295,431
(投資器具備品)	2,000	(売上原価(B)) <投資器具備品振替高>	2,000
(商　　品(B))	181,645	(売上原価(B))＊	181,645

＊　183,401千円－2,000千円＋244千円＝181,645千円

※　B商品売上原価：179,368千円＋1,295,431千円
　　－2,000千円－181,645千円＝1,291,154千円

2．C商品

(1) 期末日仕入の記帳漏れ

(商品仕入高(C))	3,000	(買　掛　金)	3,000

(2) 貯蔵品に関する誤処理

(消 耗 品 費)	327	(商品仕入高(C))	327

(3) 決算整理

(売上原価(C))	149,473	(商　　品(C))	149,473
(売上原価(C))	955,000	(商品仕入高(C))＊1	955,000
(商　　品(C))	142,000	(売上原価(C))＊2	142,000

＊1　952,327千円＋3,000千円－327千円＝955,000千円

＊2　139,327千円＋3,000千円－327千円＝142,000千円

(4) 決算整理

(買　掛　金)	28,650	(売上原価(C))＊	24,390
		(商　　品(C))＊	4,260

＊①　期首C商品を除くC商品の売上原価：
　　955,000千円－142,000千円＝813,000千円

②　C商品期末たな卸高：142,000千円

③　仕入割戻の配分額

売上原価配分額：28,650千円×$\frac{813,000千円}{813,000千円+142,000千円}$
＝24,390千円

期末商品配分額：28,650千円×$\frac{142,000千円}{813,000千円+142,000千円}$
＝4,260千円

※　C商品売上原価：149,473千円＋955,000千円
－142,000千円－24,390千円＝938,083千円

問題1－36　有形固定資産(1)

解　答

貸　借　対　照　表

F株式会社　　　×7年3月31日　　（単位：千円）

科　　目	金　額	科　　目	金　額
資産の部		⋮	⋮
Ⅰ流動資産	(×××)		
前　渡　金	18,000		
Ⅱ固定資産	(×××)		
1有形固定資産	(×××)		
建　　物	900,000		
減価償却累計額	△388,800		
機械装置	240,000		
減価償却累計額	△121,875		
土　　地	1,050,000		
建設仮勘定	330,000		
⋮	⋮		
3投資その他の資産	(×××)		
投資土地	450,000		

注記事項
重要な会計方針に係る事項に関する注記
(1) 有形固定資産のうち建物は定額法により、機械装置は定率法により減価償却している。

解答への道　（仕訳の単位：千円）

1．仮払金

(前　渡　金)	18,000	(仮　払　金)	48,000
(建設仮勘定)	30,000		

2．減価償却

(1) 建　物

(減価償却費)＊	16,200	(減価償却累計額)	16,200

＊　900,000千円×0.9×0.020＝16,200千円

※　定額法で、耐用年数と年償却率の両方が与えられている場合は、年償却率を用いること。

(2) 機械装置

(減価償却費)＊	39,375	(減価償却累計額)	39,375

＊（240,000千円－82,500千円）×0.250＝39,375千円

3．土　地

(投 資 土 地)＊	450,000	(土　　地)	450,000

＊　専業下請会社に賃貸している土地については有形

固定資産の部に「土地」として表示する（当社製品（商品）の販売子会社に賃貸している場合も同様の表示をする）。

したがって、投資その他の資産の部に「投資土地」として表示するのは、

$1,500,000千円 \times \frac{1}{2} \times 60\% = 450,000千円$　となる。

注記　有形固定資産の減価償却方法につき、重要な会計方針に係る事項に関する注記が必要となる。

問題１－37　有形固定資産(2)

解　答

貸　借　対　照　表

M株式会社　　×15年３月31日　　（単位：千円）

科　　目	金　額	科　　目	金　額
資産の部		⋮	⋮
⋮	⋮		
Ⅱ固定資産	（×××）		
1有形固定資産	(2,022,429)		
建　物	2,000,000		
減価償却累計額	△495,000		
車　両	300,000		
減価償却累計額	△160,871		
機械装置	390,000		
減価償却累計額	△11,700		

解答への道　（仕訳の単位：千円）

１．仮払金

（機械装置）	390,000	（仮払金）	392,000
（支払利息）	2,000		

※　据付費及び試運転費は付随費用として原価算入するが、購入資金の借入利息は財務費用として費用処理するので注意すること。

２．減価償却

本問の場合、直接法により記帳していることから、建物、車両とも、まず「取得原価」及び「減価償却累計額」を求める必要がある。

(1) 建　物

（建　物）	450,000	（減価償却累計額）*1	450,000
（減価償却費）*2	45,000	（減価償却累計額）	45,000

＊１①　取得原価（取得原価をｘとおく）

ｘ－ｘ×0.9×0.025×10年＝1,550,000千円

ｘ＝2,000,000千円

②　減価償却累計額

2,000,000千円－1,550,000千円

＝450,000千円

＊２　2,000,000千円×0.9×0.025＝45,000千円

(2) 車　両

（車　両）	95,700	（減価償却累計額）*1	95,700
（減価償却費）*2	65,171	（減価償却累計額）	65,171

＊１　①　取得原価（取得原価をｘとおく）

ｘ－ｘ×0.319＝204,300千円

ｘ＝300,000千円

②　減価償却累計額

300,000千円－204,300千円＝95,700千円

＊２　（300,000千円－95,700千円）×0.319

＝65,171千円（千円未満切捨）

(3) 機械装置

（減価償却費）＊	11,700	（減価償却累計額）	11,700

＊　$390,000千円 \times 0.9 \times 0.200 \times \frac{2カ月}{12カ月} = 11,700千円$

※　減価償却は、「取得した日」から行うのではなく「事業供用日」から行うのであるから注意すること。

問題１－38　有形固定資産(3)

解　答

貸借対照表（単位：千円）	
有形固定資産	(466,850)
建　物	241,600
備　品	25,250
土　地	200,000

損益計算書（単位：千円）	
販売費及び一般管理費	
減価償却費	11,700
営業外費用	
遊休備品減価償却費	1,350
特別損失	
固定資産売却損	60,050

貸借対照表等に関する注記
(1) 土地のうち100,000千円を長期借入金の担保に供している。
(2) 有形固定資産から減価償却累計額183,150千円が控除されている。

損益計算書に関する注記
(1) 関係会社との営業取引以外の取引高（固定資産売却高）が35,000千円ある。

解答への道　（仕訳の単位：千円）

1．減価償却

(1) 建　物

① 売却分

（減価償却累計額）*1	3,600	（固定資産売却損）	4,950
（減価償却費）*2	1,350		

＊1　$100,000千円 \times 0.9 \times \frac{1年}{50年} \times 2年 = 3,600千円$

＊2　$100,000千円 \times 0.9 \times \frac{1年}{50年} \times \frac{9カ月}{12カ月}$
＝1,350千円

注記　関係会社との営業取引以外の取引高（固定資産売却高）につき、損益計算書に関する注記が必要となる。なお、注記する金額は、売却価額35,000千円（＝100,000千円－65,000千円）となる。

② 既存分

（減価償却費）＊	7,200	（減価償却累計額）	7,200

＊　$400,000千円 \times 0.9 \times \frac{1年}{50年} = 7,200千円$

※　残高試算表の400,000千円は、①の売却分以外の取得価額であることに注意しなければならない。売却分は、期中に減額しているのである。

(2) 備　品

（遊休備品減価償却費）*1	1,350	（減価償却累計額）	4,500
（減価償却費）*2	3,150		

＊1　$15,000千円 \times 0.9 \times \frac{1年}{10年} = 1,350千円$

＊2　$(50,000千円 - 15,000千円) \times 0.9 \times \frac{1年}{10年}$
＝3,150千円

末稼働設備については減価償却は行わないが、遊休設備については減価償却は継続して行う。なお、その場合の減価償却費の表示場所は営業外費用となることに注意をすること。

注記　有形固定資産の取得価額から直接控除された減価償却累計額につき、貸借対照表等に関する注記が必要となる。

減価償却累計額　175,050千円（試算表）
－3,600千円（建物）＋7,200千円（建物）＋4,500千円（備品）
＝183,150千円

2．土　地

注記　担保提供資産につき、貸借対照表等に関する注記が必要である。

問題1－39　有形固定資産(4)

解　答

貸　借　対　照　表

A株式会社　　×13年6月30日　　（単位：千円）

科　　目	金　額	科　　目	金　額
資産の部		⋮	⋮
⋮	⋮		
Ⅱ固定資産	(×××)		
1有形固定資産	(×××)		
建　　物	150,000		
減価償却累計額	△17,490		
車　　両	14,400		
減価償却累計額	△5,400		
備　　品	12,000		
減価償却累計額	△7,150		

解答への道　（仕訳の単位：千円）

1．有形固定資産

（建　　物）	78,000	（有形固定資産）	104,400
（車　　両）	14,400		
（備　　品）	12,000		

2．減価償却

(1) 建　物

① 取壊分

（減価償却累計額）	38,000	（建　　物）	50,000
（減価償却費）*1	750	（仮　払　金）*2	1,800
（固定資産取壊損）	13,050		

＊1　$50,000千円 \times 0.9 \times 0.050 \times \frac{4カ月}{12カ月} = 750千円$

＊2　仮払金として処理されているもののうち取壊費用1,800千円は、取壊損として処理する。なお、残りの建設会社への支払額及び設計依頼費は新建物の取得原価に算入する。

② 新規分

（建　　物）	122,000	（仮　払　金）	122,000
（減価償却費）＊	1,830	（減価償却累計額）	1,830

取得原価：123,600千円－1,800千円＋200千円

＝122,000千円

＊　122,000千円×0.9×0.050×$\frac{4カ月}{12カ月}$＝1,830千円

③ 従来分

(減価償却費)＊	1,260	(減価償却累計額)	1,260

＊ (78,000千円－50,000千円) ×0.9×0.050

＝1,260千円

(2) 車　両

(減価償却費)＊	3,000	(減価償却累計額)	3,000

＊ {14,400千円－2,400千円} ×0.250＝3,000千円

(3) 備　品

(減価償却費)＊	1,350	(減価償却累計額)	1,350

＊　12,000千円×0.9×0.125＝1,350千円

問題1－40　有形固定資産(5)

解　答

貸　借　対　照　表　（単位：千円）

有形固定資産	(×××)
建　　物	100,000
減価償却累計額	△ 9,180
機械装置	50,000
減価償却累計額	△19,687
車　　両	11,100
減価償却累計額	△ 3,375
備　　品	10,000
減価償却累計額	△ 5,142

損　益　計　算　書　（単位：千円）

販売費及び一般管理費	
減価償却費	14,514
⋮	⋮
特別損失	
固定資産売却損	25
⋮	⋮

解答への道　(仕訳の単位：千円)

1．各資産の期首減価償却累計額

(1) 建　物

100,000千円×0.9×0.034×２年＝6,120千円

(2) 機械装置

50,000千円×0.9×0.125×２年＝11,250千円

(3) 車　両

10,000千円×0.9×0.250×２年＝4,500千円

(4) 備　品

10,000千円×0.250＝2,500千円

(10,000千円－2,500千円)×0.250＝1,875千円

2,500千円＋1,875千円＝4,375千円

2．減価償却

(1) 建　物

(減価償却費)＊	3,060	(減価償却累計額)	3,060

＊　100,000千円×0.9×0.034＝3,060千円

(2) 機械装置

(減価償却費)＊	8,437	(減価償却累計額)	8,437

＊ (50,000千円－11,250千円－50,000千円×0.1)

×0.250＝8,437千円 (千円未満切捨)

(3) 車　両

① 買換分

(減価償却累計額)＊1	2,250	(車　　両)〈旧〉	5,000
(減価償却費)＊2	1,125	(未　払　金)	4,500
(固定資産売却損)	25		
(車　　両)〈新〉	6,100		

＊1　5,000千円×0.9×0.250×２年＝2,250千円

＊2　5,000千円×0.9×0.250＝1,125千円

※　車両の買換は次のように考えるとよい。

(ｲ) 車両〈旧〉を時価で売却した (売却代金は現金預金としておく)。これを仕訳すると次のようになる。

(減価償却累計額)	2,250	(車　　両)〈旧〉	5,000
(減価償却費)	1,125		
(現金預金)	1,600		
(固定資産売却損)	25		

(ﾛ) 次に車両〈新〉を購入した。購入代金は上記(ｲ)の現金預金1,600千円に、実際に支払う6,300千円－1,800千円＝4,500千円を加算した額となる。こ

れを仕訳すると次のようになる。

(車　　両)〈新〉	6,100	(現金預金)	1,600
		(未　払　金)	4,500

(ハ) (イ)と(ロ)の仕訳を一本化すると上記の修正仕訳となる。

(ニ) なお、下取価額・時価が与えられている場合には下記の点に注意すること。

下取価額 (1,800千円)
時　　価 (1,600千円)　　値引 200千円…＊
簿　　価 (1,625千円)　　売却損益 25

＊ 取得資産の取得価額から控除

② 従来分

(減価償却費)＊	1,125	(減価償却累計額)	1,125

＊ (10,000千円－5,000千円) ×0.9×0.250
=1,125千円

(4) 備　品

(減価償却費)＊	767	(減価償却累計額)	767

＊ (10,000千円－4,375千円－10,000千円×0.1) ×0.166
=767千円 (千円未満切捨)

問題1－41 有形固定資産(6)

解　答

貸借対照表 (単位：千円)

科　　目	金　　額
Ⅱ固定資産	(×××)
1有形固定資産	(536,743)
建　　物	500,000
減価償却累計額	△129,600
構　築　物	130,000
減価償却累計額	△ 46,800
車　　両	110,000
減価償却累計額	△ 75,122
器具備品	49,000
減価償却累計額	△ 24,735
リース資産	30,000
減価償却累計額	△ 6,000

重要な会計方針に係る事項に関する注記
(1) 有形固定資産のうち建物及び構築物は定額法、車両及び器具備品は定率法により減価償却している。
ただし、所有権移転外ファイナンス・リース取引に係るリース資産については、リース期間を耐用年数とし、残存価額を零とする定額法によっている。

解答への道 (仕訳の単位：千円)

1．建　物

(減価償却費)＊	22,500	(建物減価償却累計額)	22,500

＊ 500,000千円×0.9×0.050=22,500千円

2．構築物

(減価償却費)＊	11,700	(構築物減価償却累計額)	11,700

＊ 130,000千円×0.9×0.100=11,700千円

3．車　両

(減価償却費)＊	16,337	(車両減価償却累計額)	16,337

＊ (110,000千円－58,785千円) ×0.319
=16,337千円 (千円未満切捨)

4．器具備品

(器具備品)	9,000	(その他販売費・管理費)	9,000
(減価償却費)＊	12,435	(器具備品減価償却累計額)	12,435

＊ 9,000千円×0.369×$\frac{8カ月}{12カ月}$
＋(40,000千円－12,300千円) ×0.369
=12,435千円 (千円未満切捨)

5．リース資産

(リース資産)	30,000	(支払リース料)	7,317
(支払利息)	2,100	(リース債務)	5,583
		(長期リース債務)	19,200
(減価償却費)	6,000	(リース資産減価償却累計額)	6,000

(1) 会社の行った処理

(支払リース料)	7,317	(現金預金)	7,317

(2) 正しい処理

① リース資産取得時 (期首)

(リース資産)	30,000	(リース債務)	30,000

＊ 5,217千円 (1年度リース債務減少分) ＋24,783千円 (1年度リース債務残高) =30,000千円

② リース料支払時 (期末)

(リース債務)	5,217	(現金預金)	7,317
(支払利息)	2,100		

③ 期　末

(リース債務)	19,200	(長期リース債務)	19,200
(減価償却費)＊	6,000	(リース資産減価償却累計額)	6,000

＊　30,000千円×0.200＝6,000千円

問題1－42　有形固定資産(7)

解　答

(単位：千円)

科　　目	金　額	摘　　要	金　額
資産の部		Ⅲ販売費及び一般管理費	
Ⅱ固定資産	(×××)	減価償却費	20,090
1 有形固定資産	(588,168)	租税公課	180
建　　物	130,000	支払保険料	4,500
減価償却累計額	△36,980	Ⅵ特別利益	
車　　両	58,500	固定資産売却益	26,699
減価償却累計額	△21,431	Ⅶ特別損失	
器具備品	18,000	建物圧縮損	20,000
減価償却累計額	△3,510	⋮	⋮
土　　地	443,589		
⋮	⋮		

重要な会計方針に係る事項に関する注記
重要な会計方針
有形固定資産のうち建物、器具備品は定額法により、車両は定率法により減価償却している。
貸借対照表等に関する注記
建物から圧縮額20,000千円が控除されている。

解答への道　(仕訳の単位：千円)

(1) 期中取得建物

(雑　収　入)	25,000	(固定資産売却益)	25,000
(建物圧縮損)	20,000	(建　　物)	20,000
(減価償却費)＊	150	(減価償却累計額)	150

＊ $(\underset{\text{取得原価}}{\underline{56,000\text{千円}}}-\underset{\text{圧縮額}}{\underline{20,000\text{千円}}})\times 0.050\times\frac{1\text{カ月}}{12\text{カ月}}=150\text{千円}$

(2) その他の建物

(建　　物)＊1	32,130	(減価償却累計額)＊1	32,130
(減価償却費)＊2	4,700	(減価償却累計額)	4,700

＊1　減価償却累計額が取得原価から直接控除されているため、修正を行う。

＊2　$(\underset{\text{簿価}}{\underline{117,870\text{千円}}}+\underset{\text{減価償却累計額}}{\underline{32,130\text{千円}}}-\underset{\text{期中取得建物}}{\underline{56,000\text{千円}}})\times 0.050=4,700\text{千円}$

(3) 期中買換車両

① 会社が行った処理の取消

(車　　両)	1,500	(未　決　算)	1,500
(現金預金)	30,180	(車　　両)	30,180

② 売　却

(減価償却費)＊1	199	(車　　両)	1,500
(現金預金)	3,000	(固定資産売却益)＊2	1,699

＊1　$1,500\text{千円}\times 0.319\times\frac{5\text{カ月}}{12\text{カ月}}=199\text{千円}$

＊2　$\underset{\text{下取価額}}{\underline{3,000\text{千円}}}-\underset{\text{車両売却直前簿価}}{\underline{(1,500\text{千円}-199\text{千円})}}=1,699\text{千円}$

③ 取得時及び取得車両の減価償却

(車　　両)＊1	28,500	(現金預金)	33,180
(租税公課)	180		
(支払保険料)	4,500		
(減価償却費)＊2	5,303	(減価償却累計額)	5,303

＊1　$\underset{\text{購入価格}}{\underline{28,500\text{千円}}}$

＊2　$28,500\text{千円}\times 0.319\times\frac{7\text{カ月}}{12\text{カ月}}=5,303\text{千円}$（千円未満切捨）

(4) その他の車両

(車　　両)＊1	9,630	(減価償却累計額)＊1	9,630
(減価償却費)＊2	6,498	(減価償却累計額)	6,498

＊1　減価償却累計額が取得原価から直接控除されているため、修正を行う。

＊2　$(\underset{\text{簿価}}{\underline{50,550\text{千円}}}-\underset{\text{期中取得車両}}{\underline{30,180\text{千円}}})\times 0.319=6,498\text{千円}$（千円未満切捨）

(5) 器具備品

(器具備品)＊1	270	(減価償却累計額)＊1	270
(減価償却費)＊2	3,240	(減価償却累計額)	3,240

＊1　減価償却累計額が取得原価から直接控除されているため、修正を行う。

＊2　$(\underset{\text{簿価}}{\underline{17,730\text{千円}}}+\underset{\text{減価償却累計額}}{\underline{270\text{千円}}})\times 0.9\times 0.200=3,240\text{千円}$

注記　減価償却の方法につき重要な会計方針の注記が必要となる。

注記　建物圧縮額につき貸借対照表等に関する注記が必要となる。

問題1－43 有形固定資産(8)

解答

（単位：千円）

科目	金額	科目	金額
資産の部		負債の部	
Ⅰ流動資産	(×××)	Ⅰ流動負債	(×××)
前払費用	600	支払手形	326,600
未収金	50	短期固定資産購入支払手形	15,600
⋮	⋮	リース債務	22,887
Ⅱ固定資産	(×××)	⋮	⋮
1 有形固定資産	(×××)	Ⅱ固定負債	(×××)
建物	1,130,000	長期固定資産購入支払手形	7,800
減価償却累計額	△248,680	長期リース債務	78,723
構築物	72,000	⋮	⋮
減価償却累計額	△12,270		
車両	121,200	摘要	金額
減価償却累計額	△61,012	Ⅲ販売費及び一般管理費	
備品	90,000	減価償却費	77,452
減価償却累計額	△35,100	⋮	⋮
リース資産	123,000	Ⅴ営業外費用	
減価償却累計額	△24,600	支払利息	9,090
土地	964,000	⋮	⋮
⋮	⋮	Ⅵ特別利益	
3 投資その他の資産	(×××)	固定資産売却益	100,000
長期前払費用	120	⋮	⋮
⋮	⋮		

解答への道

（仕訳の単位：千円）

(1) 建物A

(建物)＊1	179,280	(減価償却累計額)＊1	179,280
(減価償却費)＊2	12,960	(減価償却累計額)	12,960

＊1 減価償却累計額が直接控除されているため、間接控除形式に修正する。

＊2 $720,000千円 \times 0.9 \times \dfrac{1年}{50年} = 12,960千円$

(2) 建物B

(建物)＊1	47,500	(減価償却累計額)＊1	47,500
(減価償却費)＊2	7,500	(減価償却累計額)	7,500

＊1 減価償却累計額が直接控除されているため、間接控除形式に修正する。

＊2 $250,000千円 \times 0.9 \times \dfrac{1年}{30年} = 7,500千円$

(3) 土地の売却及び建物C

① 土地の売却に係る修正

(仮受金)	130,000	(土地)	30,000
		(固定資産売却益) 〈特別利益〉	100,000

② 建物の取得に係る修正

(イ) 建物の修正

(建物)	130,000	(仮払金)	130,000

(ロ) 支払手形の修正

(支払手形)	23,400	(短期固定資産購入支払手形)＊1	15,600
		(長期固定資産購入支払手形)＊2	7,800

＊1 7,800千円×2回＝15,600千円（翌期到来分）

＊2 7,800千円×1回＝7,800千円（翌々期到来分）

(ハ) 利息相当額の修正

(支払利息)＊1	480	(建物)	1,200
(前払費用)＊2	600		
(長期前払費用)＊3	120		

＊1 $1,200千円(※) \times \dfrac{4-(1-1)}{\dfrac{4 \times (1+4)}{2}} = 480千円$

※ $\underbrace{130,000千円 + 7,800千円 \times 4回}_{支払総額} - \underbrace{160,000千円}_{現金正価} = 1,200千円$

＊2 $1,200千円 \times \dfrac{4-(2-1)}{\dfrac{4 \times (1+4)}{2}} + 1,200千円 \times \dfrac{4-(3-1)}{\dfrac{4 \times (1+4)}{2}} = 600千円$

なお、支払手形に含まれる利息部分のうち、翌期以降に係る利息部分については、問題文の指示により「前払費用」及び「長期前払費用（下記＊3参照）」として処理する。

＊3 $1,200千円 \times \dfrac{4-(4-1)}{\dfrac{4 \times (1+4)}{2}} = 120千円$

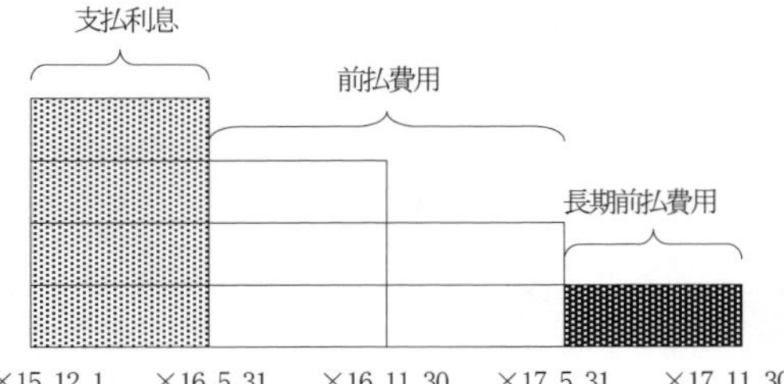

㈡ 減価償却

(減価償却費)＊	1,440	(減価償却累計額)	1,440

＊ $160,000千円 \times 0.9 \times \frac{1年}{50年} \times \frac{6カ月}{12カ月} = 1,440千円$

(4) 構築物

① 従来分

(構　築　物)＊1	9,180	(減価償却累計額)＊1	9,180
(減価償却費)＊2	3,060	(減価償却累計額)	3,060

＊１　減価償却累計額が直接控除されているため、間接控除形式に修正する。

＊２　$68,000千円 \times 0.9 \times \frac{1年}{20年} = 3,060千円$

② 新規取得分

(構　築　物)＊1	4,000	(土　　　地)	4,000
(減価償却費)＊2	30	(減価償却累計額)	30

＊１　アスファルト舗装は貸借対照表上「構築物」として表示する。

＊２　$4,000千円 \times 0.9 \times \frac{1年}{20年} \times \frac{2カ月}{12カ月} = 30千円$

(5) 車　両

① 従来分

(車　　　両)＊1	41,250	(減価償却累計額)＊1	41,250
(減価償却費)＊2	19,687	(減価償却累計額)	19,687

＊１　減価償却累計額が直接控除されているため、間接控除形式に修正する。

＊２ (80,000千円－1,250千円)×0.250
＝19,687千円（千円未満切捨）

② 新規取得分

(未　収　金)	50	(車　　　両)	50
(減価償却費)＊	75	(減価償却累計額)	75

＊ $(1,250千円 - 50千円) \times 0.250 \times \frac{3カ月}{12カ月} = 75千円$

(6) 備　品

① 従来分

(備　　　品)＊1	27,000	(減価償却累計額)＊1	27,000
(減価償却費)＊2	8,100	(減価償却累計額)	8,100

＊１　減価償却累計額が直接控除されているため、間接控除形式に修正する。

＊２　$90,000千円 \times 0.9 \times \frac{1年}{10年} = 8,100千円$

② リース分

(リース資産)＊1	123,000	(リース債務)	123,000
(リース債務)＊2	21,390	(仮　払　金)	30,000
(支 払 利 息)＊3	8,610		
(リース債務)	78,723	(長期リース債務)＊4	78,723
(減価償却費)＊5	24,600	(減価償却累計額)	24,600

＊１　期首元本

＊２　１年度の元本返済額

＊３　１年度の利息相当額

＊４　２年度の期末元本

＊５　$123,000千円 \times \frac{1年}{5年} = 24,600千円$

問題1－44 有形固定資産(9)

解答

（単位：千円）

貸借対照表		損益計算書		
Ⅰ流動資産	（ ××× ）	⋮		
⋮		Ⅲ販売費及び一般管理費		
未収金	90,000	⋮		
⋮		減価償却費	298,685	
Ⅱ固定資産	（ ××× ）	⋮		
⋮		Ⅵ特別利益		
建物	599,750	⋮		
車両運搬具	38,000	固定資産売却益	5,000	
器具備品	56,565	⋮		
⋮		Ⅶ特別損益		
⋮		⋮		
⋮		器具備品圧縮損	12,000	
⋮		⋮		

解答への道 （仕訳の単位：千円）

(1) 商品倉庫

① 売却時の処理

(建物減価償却累計額)*	300,000	(建　　物)	400,000
(減価償却費)	15,000	(固定資産売却益) 〈特別利益〉	5,000
(未　収　金)	90,000		

* $400,000千円\times0.050\times\dfrac{9カ月}{12カ月}=15,000千円$

② 完成・引渡時の処理の修正

(建　　物)	500,000	(建設仮勘定)	500,000

③ 減価償却

(減価償却費)*	6,250	(建物減価償却累計額)	6,250

* $500,000千円\times0.050\times\dfrac{3カ月}{12カ月}=6,250千円$

(2) 器具備品（耐用年数の短縮）

(減価償却費)*	4,275	(器具備品減価償却累計額)	4,275

* 16,000千円×0.200＝3,200千円（期首減価償却累計額）

$\underset{未償却残高}{\underline{(16,000千円-3,200千円)}}\times\underset{残存耐用年数(3年)償却率}{\underline{0.334}}$

＝4,275千円（千円未満四捨五入）

(3) 器具備品（圧縮記帳）

(器具備品圧縮損) 〈特別損失〉	12,000	(器具備品)	12,000
(減価償却費)*	1,000	(器具備品減価償却累計額)	1,000

* $(32,000千円-12,000千円)\times0.100\times\dfrac{6カ月}{12カ月}$

＝1,000千円

(4) 器具備品（税務上の減価償却）

(減価償却費)*	2,160	(器具備品減価償却累計額)	2,160

* ① 償却率による当期の本来の減価償却費

初年度（前々々期）：20,000千円×0.400
＝8,000千円

２年目（前々期）：(20,000千円－8,000千円
(＝12,000千円)) ×0.400＝4,800千円

３年目（前期）：(12,000千円－4,800千円
(＝7,200千円)) ×0.400＝2,880千円

４年目（当期）：(7,200千円－2,880千円
(＝4,320千円)) ×0.400＝1,728千円

② 償却保証額：20,000千円×0.10800
＝2,160千円

③　①＜②　∴　4,320千円×0.500
期首帳簿価額　改定償却率

＝2,160千円

償却率による当期の本来の減価償却費が償却保証額を下回るため、均等償却に切り替える。

※200％定率法における減価償却限度額

イ　期首帳簿価額×償却率
ロ　取得価額×保証率　　償却保証額という。
ハ　イ≧ロの場合　償却限度額＝イの金額 　　イ＜ロの場合　償却限度額＝改定取得価額×改定償却率

（注）1　改定取得価額

上記ロの金額が多くなった事業年度における期首帳簿価額をいう。

2　上記ロの金額が多くなった事業年度の翌事業年度以後

「改定取得価額×改定償却率」により償却限度額を計算する。

【図　解】　定率法

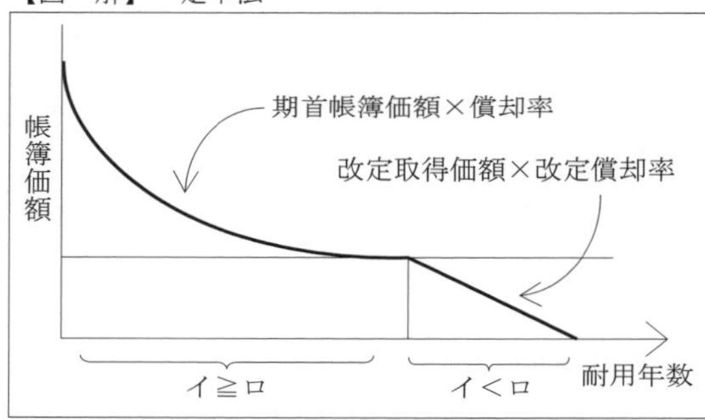

(5) 貸借対照表表示

建物：1,000,000千円（※1）－400,250千円（※2）
取得原価　減価償却累計額

＝599,750千円

車両運搬具：86,000千円－48,000千円
取得原価　減価償却累計額

＝38,000千円

器具備品：88,000千円（※3）－31,435千円（※4）
取得原価　減価償却累計額

＝56,565千円

※1　900,000千円－400,000千円＋500,000千円
試算表　上記(1)①　上記(1)②

＝1,000,000千円

※2　694,000千円－300,000千円＋6,250千円
試算表　上記(1)①　上記(1)③

＝400,250千円

※3　100,000千円－12,000千円＝88,000千円
試算表　上記(3)

※4　24,000千円＋4,275千円＋1,000千円＋2,160千円
試算表　上記(2)　上記(3)　上記(4)

＝31,435千円

問題1－45　有形固定資産(10)

解　答

(1) 株式会社南与野産業（第25期）の貸借対照表及び損益計算書

貸　借　対　照　表

×21年6月30日現在　（単位：千円）

資産の部		負債の部	
科　目	金　額	科　目	金　額
流動資産	×××	流動負債	×××
⋮	⋮	⋮	⋮
固定資産	×××	前受収益	300
有形固定資産	1,302,561	⋮	⋮
建　物	703,562	固定負債	×××
機械装置	229,525	⋮	⋮
器具備品	84,700	長期預り保証金	400
土　地	284,774	⋮	⋮
⋮	⋮	⋮	⋮
投資その他の資産	×××	⋮	⋮
⋮	⋮	⋮	⋮
投資土地	12,417	⋮	⋮
⋮	⋮	⋮	⋮

損　益　計　算　書

自　×20年7月1日
至　×21年6月30日　（単位：千円）

科　目	金　額	
⋮		
販売費及び一般管理費		
⋮		
減価償却費	42,129	
研究開発費	5,273	
支払リース料	8,400	
⋮		
営業外収益		

⋮		
投資不動産賃貸料	900	
権利金収入	400	
⋮		
営業外費用		
⋮		
雑損失	24,927	
⋮		
特別損失		
⋮		
減損損失	43,590	
固定資産取壊損	6,040	
⋮		

(2) 貸借対照表等に関する注記

減価償却累計額	
1,115,556	千円

(3) 製造経費に含まれる減価償却費

100,538	千円

解答への道　(仕訳の単位：千円)

1．有形固定資産

※　解答への道では、説明の都合上、一旦、間接法に修正していることに留意する。

(1) 甲市のA工場に係る資産グループ

① 減価償却累計額への振替え

(建　　物)	27,000	(減価償却累計額)	50,125
(機械装置)	23,125		

② 当期に係る減価償却計算

※　減損損失の認識時点は期末であるため、期末までの減価償却計算が必要であることに留意する。

(イ) 建物

(減価償却費)＊ 〈製造経費〉	1,800	(減価償却累計額)	1,800

＊ (73,000千円＋27,000千円)×0.9×0.020＝1,800千円
（73,000千円＋27,000千円：取得原価）

A工場に係るものであるため、すべて製造部門に係るものとして取扱うことに留意する。

(ロ) 機械装置

(減価償却費)＊ 〈製造経費〉	4,218	(減価償却累計額)	4,218

＊　16,875千円×0.250＝4,218千円（千円未満端数切捨）
（16,875千円：期首未償却残高）

A工場に係るものであるため、すべて製造部門に係るものとして取扱うことに留意する。

③ 減損処理

(減損損失)＊1	43,590	(建　　物)＊2	21,360
		(機械装置)＊2	3,797
		(土　　地)＊2	18,433

＊1　減損処理の一連の会計手続

(イ) 減損の兆候の把握

生産規模の縮小により工場に対する投資の回収可能価額は著しく低下することから、資産又は資産グループが使用されている範囲又は方法について、当該資産又は資産グループの回収可能価額を著しく低下させる変化が生じているため、減損の兆候が認められる。

(ロ) 減損損失の認識

建　　物：73,000千円（期首簿価）－1,800千円（減価償却費）＝71,200千円（期末簿価）

機械装置：16,875千円（期首簿価）－4,218千円（減価償却費）＝12,657千円（期末簿価）

土　　地：61,443千円（期末簿価）

合計　145,300千円

＞ 112,627千円

（割引前将来キャッシュ・フロー）

∴　減損損失を認識すべき

(ハ) 減損損失の測定

(a) 回収可能価額

(i)　正味売却価額：

102,978千円（期末時価総額）－1,268千円（処分費用）＝101,710千円

(ii)　使用価値：89,078千円

(iii)　(i)＞(ii)　∴　101,710千円

(b) 減損損失

145,300千円（簿価合計）－101,710千円（回収可能価額）＝43,590千円

＊2　減損損失の各資産への按分は、問題文（〔資料Ⅱ〕）に「帳簿価額の比率に応じて按分し、その際に千円未満の端数が生じた場合には、四捨五入する」とあるため、これに従って行う。

建　　物：$43,590千円 \times \dfrac{71,200千円}{145,300千円} = 21,360千円$

機械装置：43,590千円×$\frac{12,657千円}{145,300千円}$

＝3,797千円（千円未満四捨五入）

土　　地：43,590千円×$\frac{61,443千円}{145,300千円}$

＝18,433千円（千円未満四捨五入）

(2) Ａ工場に係る建物以外の建物

① 減価償却累計額への振替え

(建　　物)	378,360	(減価償却累計額)＊	378,360

＊ 405,360千円（T/B）－27,000千円（Ａ工場に係るもの）＝378,360千円

② 当期に係る減価償却計算

(減価償却費)＊ 〈販売費及び一般管理費〉	9,459	(減価償却累計額)	18,918
(減価償却費)＊ 〈製造経費〉	9,459		

＊ ｛(745,640千円－73,000千円)＋378,360千円｝（取得原価）×0.9×0.020＝18,918千円

営業部門：18,918千円×50%＝9,459千円

製造部門：18,918千円×50%＝9,459千円

(3) 甲市のＡ工場に係る機械装置以外の機械装置

① 減価償却累計額への振替え

(機械装置)	375,781	(減価償却累計額)＊	375,781

＊ 398,906千円（T/B）－23,125千円（Ａ工場に係るもの）＝375,781千円

② 当期に係る減価償却計算

(イ) 研究開発活動使用分

(研究開発費)＊ 〈販売費及び一般管理費〉	5,273	(減価償却累計額)	5,273

＊ 21,094千円（期首未償却残高）×0.250＝5,273千円（千円未満端数切捨）

(ロ) ×21年６月16日購入分

(機械装置)	15,000	(仮払金)	15,000

※ 期末現在未稼働設備に該当するため、減価償却計算は行わないことに留意する。

(ハ) その他

(減価償却費)＊ 〈製造経費〉	63,281	(減価償却累計額)	63,281

＊ (291,094千円－16,875千円－21,094千円)（期首未償却残高）×0.250

＝63,281千円（千円未満端数切捨）

(4) 器具備品

① 減価償却累計額への振替え

(器具備品)	163,350	(減価償却累計額)	163,350

② 本社の事務用オフィス機器

(支払リース料)＊ 〈販売費及び一般管理費〉	8,400	(仮払金)	8,400

＊ 700千円／月×12カ月＝8,400千円

本社に係るものであるため、すべて営業部門に係るものとして取扱うことに留意する。

③ その他に係る減価償却計算

(減価償却費)＊ 〈販売費及び一般管理費〉	32,670	(減価償却累計額)	54,450
(減価償却費)＊ 〈製造経費〉	21,780		

＊ (139,150千円＋163,350千円)（取得原価）×0.9×0.200

＝54,450千円

営業部門：54,450千円×60%＝32,670千円

製造部門：54,450千円×40%＝21,780千円

(5) 土　地

① Ｃ営業所の取壊しに係る修正

(固定資産取壊損)	6,040	(雑損失)	6,040

② 投資不動産への振替え

(投資土地)	12,417	(土　　地)	12,417

③ 権利金等に係る修正

(投資不動産賃貸料)	1,100	(権利金収入)*1	400
		(長期預り保証金)*2	400
		(前受収益)*3	300

＊1 礼金は、返還不要のため、「権利金収入」として営業外収益に計上する。

＊2 敷金については、契約満了時（×22年９月30日）に返還される（長期）ため、「長期預り保証金」として固定負債に計上する。

＊3 1,200千円×$\frac{3カ月}{12カ月}$＝300千円（翌期分）

注記 減価償却累計額の一括注記につき、貸借対照表等に関する注記が必要である。

※ 減価償却累計額

建　物：(27,000千円＋1,800千円)（Ａ工場）＋(378,360千円＋18,918千円)（その他）

＝426,078千円

機械装置：(23,125千円＋4,218千円)（Ａ工場）

＋(375,781千円＋5,273千円＋63,281千円)（その他）＝471,678千円

器具備品：163,350千円＋54,450千円　＝217,800千円

合計　1,115,556千円

※　B／S計上額

(イ) 建物

a　取得原価：745,640千円＋405,360千円－21,360千円
　　　　　　　T/B　　　　期首減価償却累計額　減損損失

＝1,129,640千円

b　減価償却累計額：426,078千円

c　a－b＝703,562千円

(ロ) 機械装置

a　取得原価：291,094千円＋398,906千円＋15,000千円
　　　　　　　T/B　　　　期首減価償却累計額　購入分

－3,797千円＝701,203千円
　減損損失

b　減価償却累計額：471,678千円

c　a－b＝229,525千円

(ハ) 器具備品

a　取得原価：139,150千円＋163,350千円＝302,500千円
　　　　　　　T/B　　　　期首減価償却累計額

b　減価償却累計額：217,800千円

c　a－b＝84,700千円

問題1－46　有形固定資産(11)

解　答

（単位：千円）

科　目	金　額	科　目	金　額
資産の部		負債の部	
⋮	⋮	Ⅰ流動負債	(×××)
Ⅱ固定資産	(×××)	リース債務	1,380
1 有形固定資産	(784,900)	Ⅱ固定負債	(×××)
建　物	420,866	長期リース債務	3,450
機械装置	121,800	資産除去債務	4,429
車　両	42,800	**摘　要**	**金　額**
器具備品	88,198	Ⅲ販売費及び一般管理費	
リース資産	5,520	減価償却費	16,310
減価償却累計額	△171,400	Ⅴ営業外費用	
土　地	277,116	支払利息	560
3 投資その他の資産	(×××)	Ⅶ特別損失	
差入保証金	35,600	減損損失	16,900

解答への道　（仕訳の単位：千円）

1．所有権移転外ファイナンス・リース

借方	金額	貸方	金額
（リース資産）＊1	5,520	（リース債務）	5,520
（支払利息）＊2	60	（支払手数料）	750
（リース債務）＊3	690		
（リース債務）	3,450	（長期リース債務）＊4	3,450
（減価償却費）＊5	690	（減価償却累計額）	690

＊1　5,700千円＞5,520千円　∴　5,520千円
　　見積現金　　現在価値

＊2　(6,000千円－5,520千円)÷48カ月＝10千円（1カ月当たりの利息相当額）

10千円×6カ月＝60千円

＊3　5,520千円÷48カ月＝115千円（1カ月当たりの返済額）

115千円×6カ月＝690千円

＊4　115千円×12カ月＝1,380千円（翌期返済額）

5,520千円－690千円－1,380千円＝3,450千円（翌々期以降返済額）

＊5　5,520千円×$\frac{1年}{4年}$×$\frac{6カ月}{12カ月}$＝690千円

2．減損処理

(1) 乙営業所

139,440千円≧38,390千円＋14,520千円＋70,690千円
割引前CF　　　　　　　　帳簿価額

＝123,600千円　∴減損処理の適用なし

※　「金融商品に関する会計基準」（以下、「基準」という。）に定められている金融資産については、「基準」に定めがあるため、適用対象資産からは除かれることとなる。

(2) 丙営業所

借方	金額	貸方	金額
（減損損失）＊1	16,900	（建　物）＊2	5,634
		（器具備品）＊2	1,482
		（土　地）＊2	9,784

※　81,940千円＜28,170千円＋7,410千円＋48,920千円
　　割引前CF　　　　　　　帳簿価額

＝84,500千円　∴減損処理の適用あり

＊1　84,500千円－67,600千円＝16,900千円
　　帳簿価額　　正味売却価額

＊2　建物への配分額：16,900千円×$\frac{28,170千円}{84,500千円}$

＝5,634千円

器具備品への配分額：16,900千円

$\times \frac{7,410千円}{84,500千円} = 1,482千円$

土地への配分額：$16,900千円 \times \frac{48,920千円}{84,500千円}$

$= 9,784千円$

3．資産除去債務

(1) 資産計上

(機械装置)	54,300	(仮払金)	50,000
		(資産除去債務)＊	4,300

＊　5,000千円×0.86＝4,300千円

(2) 時の経過による資産除去債務の調整額

(利息費用)＊	129	(資産除去債務)	129
<製造経費>			

＊　4,300千円×３％＝129千円

(3) 機械装置及び資産計上した除去費用の減価償却

(減価償却費)＊	10,860	(減価償却累計額)	10,860
<製造経費>			

＊　$50,000千円 \times \frac{1年}{5年} + 4,300千円 \times \frac{1年}{5年}$

$= 10,860千円$

問題１－47　有形固定資産(12)

解　答

(単位：千円)

科　　目	金　額	科　　目	金　額
資産の部		負債の部	
Ⅰ流動資産	(×××)	Ⅰ流動負債	(×××)
⋮	⋮	⋮	⋮
Ⅱ固定資産	(×××)	リース債務	3,419
1 有形固定資産	(×××)	未払費用	581
建　物	258,000	⋮	⋮
器具備品	42,500	Ⅱ固定負債	(×××)
リース資産	18,520	⋮	⋮
減価償却累計額	△141,054	長期リース債務	11,101
3 投資その他の資産	(×××)	⋮	⋮
⋮	⋮		
差入敷金保証金	84,075		
⋮	⋮		

(単位：千円)

科　　目	金　額
⋮	⋮
Ⅲ販売費及び一般管理費	
⋮	⋮
減価償却費	21,917
差入敷金保証金償却	925
⋮	⋮
Ⅴ営業外費用	
支払利息	3,381
⋮	⋮

解答への道　(仕訳の単位：千円)

1．リース取引に関する事項

(1) リース取引開始日

(リース資産)＊	18,520	(リース債務)＊	18,520

＊　18,800千円（見積現金購入価額）＞18,520千円（割引現在価値）　∴ 18,520千円

(2) 支払リース料

(リース債務)＊	4,000	(仮払金)	4,000

＊　前払方式であるため、最初のリース料の支払いはすべて元本の返済に充てられることに留意する。

(3) 期末

① リース資産の減価償却

(減価償却費)＊	3,704	(減価償却累計額)	3,704

＊　$18,520千円 \times \frac{1年}{5年} = 3,704千円$

② 利息の見越し

(支払利息)＊	581	(未払費用)	581

＊　(18,520千円－4,000千円）×4.0%

＝581千円（千円未満四捨五入）

③ リース債務の流動・固定分類

(リース債務)	11,101	(長期リース債務)＊	11,101

＊　4,000千円（支払リース料）－581千円（利息相当）＝3,419千円（翌期返済分）

18,520千円（リース料総額）－4,000千円（当期返済分）－3,419千円（翌期返済分）

＝11,101千円（翌々期以降返済分）

2．資産除去債務に関する事項

(差入敷金保証金償却)＊	925	(差入敷金保証金)	925

＊　$4,625千円 \times \frac{1年}{5年} = 925千円$

問題1－48 有形固定資産(13)

解答

(単位：千円)

科目	金額	科目	金額
資産の部		負債の部	
⋮	⋮	I 流動負債	(×××)
II 固定資産	(×××)	リース債務	7,397
1 有形固定資産	(×××)	未払費用	134
リース資産	39,400	II 固定負債	(×××)
⋮	⋮	長期リース債務	32,671

摘要	金額
III 販売費及び一般管理費	
減価償却費	668
V 営業外費用	
支払利息	134

解答への道 (仕訳の単位：千円)

(リース資産)*1	40,068	(リース債務)	40,068
(支払利息)*2	134	(未払費用)	134
(リース債務)	32,671	(長期リース債務)*3	32,671
(減価償却費)*4	668	(減価償却累計額)	668

＊1 ① リース料総額の現在価値
40,068千円
② 見積現金購入価額
40,500千円
③ ①<② ∴ 40,068千円

＊2 1,603千円× $\frac{1カ月}{12カ月}$ ＝134千円(千円未満四捨五入)

＊3 ① 翌期のリース債務の返済額
9,000千円－1,603千円＝7,397千円
② 翌々期以降のリース債務の返済額
40,068千円－7,397千円＝32,671千円

＊4 40,068千円× $\frac{1年}{5年}$ × $\frac{1カ月}{12カ月}$
＝668千円(千円未満四捨五入)

問題1－49 無形固定資産(1)

解答

(単位：千円)

貸借対照表 ×6年6月30日		損益計算書 自×5年7月1日 至×6年6月30日	
資産の部		III 販売費及び一般管理費	
II 固定資産	(×××)	公共施設負担金償却	250
2 無形固定資産	(×××)	共同施設負担金償却	450
公共施設負担金	2,250	⋮	
共同施設負担金	3,750		
⋮			

解答への道 (仕訳の単位：千円)

(1) 科目の振替え

(公共施設負担金)	2,500	(仮払金)	6,700
(共同施設負担金)	4,200		

(2) 償却

(公共施設負担金償却)*1	250	(公共施設負担金)	250
(共同施設負担金償却)*2	450	(共同施設負担金)	450

＊1 2,500千円× $\frac{12カ月}{10年×12カ月}$ ＝250千円

＊2 4,200千円× $\frac{9カ月}{7年×12カ月}$ ＝450千円

問題1－50 無形固定資産(2)

解答

(単位：千円)

貸借対照表 ×6年9月30日		損益計算書 自×5年10月1日 至×6年9月30日	
資産の部		III 販売費及び一般管理費	
II 固定資産	(×××)	のれん償却	640
2 無形固定資産	(×××)	実用新案権償却	1,500
のれん	5,760	ソフトウェア償却	1,900
実用新案権	4,125	ソフトウェア導入費	500
ソフトウェア	7,600	商標権使用料	600
借地権	164,000	長期前払費用償却	832
3 投資その他の資産	(×××)	VII 特別損失	

長期前払費用	6,008	借地権償却	16,000
⋮		⋮	

解答への道 （仕訳の単位：千円）

1．仮払金

(1) 商標権使用料

(商標権使用料)＊	600	(仮　払　金)	1,800
(前 払 費 用)＊	600		
(長期前払費用)＊	600		

$$＊\quad 1,800千円\times\begin{cases}\dfrac{12カ月}{3年\times12カ月}=600千円（商標権使用料）\\ \dfrac{12カ月}{3年\times12カ月}=600千円（前払費用）\\ \dfrac{12カ月}{3年\times12カ月}=600千円（長期前払費用）\end{cases}$$

※　無形固定資産の賃借に係る処理・表示

(○○使用料)	××	(現金及び預金)	××
(前 払 費 用)	××		
(長期前払費用)	××		

(2) ソフトウェア

(ソフトウェア償却)＊1	1,900	(仮　払　金)	10,000
(ソフトウェア導入費)＊2	500		
(ソフトウェア)	7,600		

$$＊1\quad(\underbrace{8,500千円}_{ソフトウェア代}+\underbrace{1,000千円}_{修正作業})\times\frac{12カ月}{5年\times12カ月}=1,900千円$$

$$＊2\quad\underbrace{300千円}_{講師派遣}+\underbrace{200千円}_{テキスト代}=500千円$$

(3) 共同施設負担金

(長期前払費用償却)＊	832	(仮　払　金)	6,240
(長期前払費用)	5,408		

$$＊\quad 6,240千円\times\frac{8カ月}{5年\times12カ月}=832千円$$

本来は「共同施設負担金」として表示すべきだが、答案用紙の指示により「長期前払費用」として表示する。

(4) 借地権

(借　地　権)	20,000	(仮　払　金)	20,000
(借地権償却)＊	16,000	(借　地　権)	16,000

＊　160,000千円×10％＝16,000千円

※　借地権の存続期間を更新する場合に支払った更新料の額は、その帳簿価額に加算される。また、更新を機会に既に計上されている借地権のうち減価した部分の償却を行うが、これは経常的に行う償却とは異なるため、当該費用は特別損失に表示する。

2．のれん

(のれん償却)＊	640	(の　れ　ん)	640

$$＊\quad 6,400千円\times\frac{6カ月}{5年\times12カ月}=640千円$$

3．実用新案権

(実用新案権償却)＊	1,500	(実用新案権)	1,500

$$＊\quad 5,625千円\times\frac{12カ月}{5年\times12カ月-15カ月}=1,500千円$$

問題1－51　無形固定資産(3)

解　答

（単位：千円）

科　　目	金　額	摘　　要	金　額
Ⅱ固 定 資 産	(×××)	Ⅲ販売費及び一般管理費	
⋮	⋮	のれん償却	3,000
2無形固定資産	(×××)	ソフトウェア償却	6,800
の　れ　ん	69,000	商標権償却	1,680
ソフトウェア	10,000	⋮	⋮
商　標　権	10,640	Ⅶ特 別 損 失	
ソフトウェア仮勘定	5,000	固定資産廃棄損	3,200
⋮	⋮	⋮	⋮

解答への道 （仕訳の単位：千円）

1．のれん

(のれん償却)＊	3,000	(の　れ　ん)	3,000

$$＊\quad 72,000千円\times\frac{5カ月}{10年\times12カ月}=3,000千円$$

2．ソフトウェア

(1) 廃　棄

(ソフトウェア償却)＊	800	(ソフトウェア)	4,000
(固定資産廃棄損)	3,200		

$$＊\quad 4,000千円\times\frac{8カ月}{5年\times12カ月-20カ月}=800千円$$

(2) 償　却

(ソフトウェア償却)＊	6,000	(ソフトウェア)	6,000

＊　16,000千円×$\frac{12カ月}{32カ月}$＝6,000千円

３．商標権

(商標権償却)＊	1,680	(商　標　権)	1,680

＊　12,320千円×$\frac{12カ月}{10年×12カ月－32カ月}$
＝1,680千円

４．仮払金

(ソフトウェア仮勘定)	5,000	(仮　払　金)	5,000

問題１－52　繰延資産・研究開発費(1)

解　答

(単位：千円)

貸借対照表 ×２年３月31日		損益計算書 自×１年４月１日 至×２年３月31日	
資産の部		Ｖ営業外費用	
Ⅲ繰延資産	(×××)	創立費償却	280
創　立　費	1,120	開業費償却	400
開　業　費	2,000	⋮	
⋮			

重要な会計方針に係る事項に関する注記
(1) 創立費及び開業費は５年間で定額法により償却している。

解答への道　(仕訳の単位：千円)

１．×１年４月１日

(創　立　費)	1,400	(現金及び預金)	1,400

２．×１年５月27日

(開　業　費)	2,400	(現金及び預金)	2,400

３．×２年３月31日

(創立費償却)＊1	280	(創　立　費)	280
(開業費償却)＊2	400	(開　業　費)	400

＊１　1,400千円×$\frac{12カ月}{5年×12カ月}$＝280千円

創立費は、会社の成立のときから５年以内の効果の及ぶ期間にわたって定額法により償却を行わなければならない。

＊２　2,400千円×$\frac{10カ月}{5年×12カ月}$＝400千円

開業費は、開業のときから５年以内の効果の及ぶ期間にわたって定額法により償却を行わなければならない。

注記　繰延資産の処理方法につき、重要な会計方針に係る事項に関する注記が必要である。

問題１－53　繰延資産・研究開発費(2)

解　答

(単位：千円)

貸借対照表 ×８年９月30日		損益計算書 自×７年10月１日 至×８年９月30日	
資産の部		Ⅲ販売費及び一般管理費	
Ⅲ繰延資産	(×××)	開発費償却	7,200
株式交付費	1,200	研究開発費	28,000
開　発　費	28,800	Ｖ営業外費用	
⋮		社債発行費	450

重要な会計方針に係る事項に関する注記
(1) 株式交付費は３年間で定額法により償却している。
(2) 社債発行費は全額支出時の費用として処理している。
(3) 開発費は５年間で定額法により償却している。

解答への道　(仕訳の単位：千円)

１．株式交付費

株式交付費は株式交付のとき（本問の場合には×８年10月１日）から償却を開始する。したがって、翌期から償却を行うため、当期は償却せず、そのまま貸借対照表に表示することになる。

注記　繰延資産の処理方法につき、重要な会計方針に係る事項に関する注記が必要となる。

２．社債発行費

(仮　受　金)	49,550	(社　　　債)	50,000
(社債発行費)＊	450		

＊　50,000千円－49,550千円＝450千円

注記　繰延資産の処理方法につき、重要な会計方針に係る事項に関する注記が必要となる。

３．開発費

(開発費償却)＊	7,200	(開　発　費)	7,200

＊　36,000千円×$\frac{12カ月}{5年×12カ月}$＝7,200千円

注記　繰延資産の処理方法につき、重要な会計方針に係る事項に関する注記が必要となる。

4．仮払金

(研究開発費)	28,000	(仮　払　金)	28,000

問題1－54　繰延資産・研究開発費(3)

解　答

(単位：千円)

科　　　目	金　額	摘　　　要	金　額
資産の部		Ⅲ販売費及び一般管理費	
⋮	⋮	⋮	⋮
Ⅱ固定資産	(×××)	開発費償却	43,200
⋮	⋮	開　発　費	43,200
2無形固定資産	(×××)	⋮	⋮
特　許　権	252,000	Ⅴ営業外費用	
⋮	⋮	⋮	⋮
Ⅲ繰延資産	(×××)	株式交付費償却	2,925
株式交付費	14,625	⋮	⋮
開　発　費	280,800		
⋮	⋮		

解答への道　(仕訳の単位：千円)

1．新株発行

(仮　受　金)	432,450	(資　本　金)＊1	225,000
(株式交付費)＊2	17,550	(資本準備金)＊1	225,000
(株式交付費償却)＊3	2,925	(株式交付費)	2,925

＊1　450,000千円×$\frac{1}{2}$＝225,000千円

＊2　450,000千円－432,450千円＝17,550千円

＊3　17,550千円×$\frac{6カ月}{3年×12カ月}$＝2,925千円

2．開発費

(1)　×8年2月14日支出分

(開発費償却)＊	43,200	(開　発　費)	43,200

＊　324,000千円×$\frac{8カ月}{5年×12カ月}$＝43,200千円

(2)　×8年4月20日支出分

経常的な支出であるため、期間費用（販売費及び一般管理費に記載）として処理する。

3．研究開発費

(特　許　権)	252,000	(仮　払　金)	252,000

当該特許権は、研究開発プロジェクトのために「多目的」に使用されるものであるため、研究開発費として発生時に費用処理することはできず、特許権として無形固定資産の区分に記載する。

なお、当該特許権は、翌期から事業に供されるため、当期の償却は行わないことに留意する。

問題1－55　税務上の繰延資産

解　答

（単位：千円）

貸借対照表		損益計算書	
Ⅰ 流動資産	（×××）	Ⅲ 販売費及び一般管理費	
⋮	⋮	⋮	⋮
Ⅱ 固定資産	（×××）	長期前払費用償却	1,920
⋮	⋮	⋮	⋮
長期前払費用	90,600		
⋮	⋮		

解答への道　（仕訳の単位：千円）

1．共用アーケードの負担金

（長期前払費用償却）＊ <販売費及び一般管理費>	420	（仮払金）	2,520
（長期前払費用） <投資その他の資産>	2,100		

＊　$2{,}520\text{千円} \times \dfrac{10\text{カ月}}{5\text{年} \times 12\text{カ月}} = 420\text{千円}$

2．建物を賃借するために支払った権利金

（長期前払費用償却）＊ <販売費及び一般管理費>	1,500	（仮払金）	90,000
（長期前払費用） <投資その他の資産>	88,500		

＊　$90{,}000\text{千円} \times \dfrac{1\text{カ月}}{5\text{年} \times 12\text{カ月}} = 1{,}500\text{千円}$

「中小企業の会計に関する指針」において、税法固有の繰延資産は、法人が支出した費用で、その支出の効果が支出の日以後1年以上に及ぶものをいう。会計処理を行う場合は、長期前払費用等として計上することが明らかとなっている。

第２章　負債会計

問題２－１　金銭債務(1)

解答

貸借対照表　(単位：千円)

負債の部	
Ⅰ流　動　負　債	(496,000)
支　払　手　形	110,000
関係会社支払手形	70,000
買　掛　金	80,000
関係会社買掛金	30,000
短期借入金	70,000
1年以内返済長期借入金	10,000
1年以内償還社債	30,000
未　払　金	3,000
未払法人税等	49,000
短期有価証券購入支払手形	30,000
預　り　金	7,000
前　受　金	7,000
Ⅱ固　定　負　債	(107,000)
社　債	30,000
長期借入金	50,000
関係会社長期未払金	20,000
長期預り金	4,000
長期預り保証金	3,000

(注) 取締役に対する金銭債務が3,000千円ある。

解答への道　(仕訳の単位：千円)

1．支払手形

(支払手形)	140,000	(関係会社支払手形)	70,000
		(短期借入金)	40,000
		(短期有価証券購入支払手形)	30,000

2．買掛金

(買　掛　金)	50,000	(関係会社長期未払金)	20,000
		(関係会社買掛金)	30,000

3．借入金

(借　入　金)	90,000	(長期借入金)	50,000
		(短期借入金)	30,000
		(1年以内返済長期借入金)	10,000

注記　取締役に対する金銭債務につき、貸借対照表等に関する注記が必要となる。

4．未払金

(未　払　金)＊	49,000	(未払法人税等)	49,000

＊　38,000千円＋11,000千円＝49,000千円

5．預り金

(預　り　金)	7,000	(長期預り金)	4,000
		(長期預り保証金)	3,000

6．社　債

(社　債)	30,000	(1年以内償還社債)	30,000

7．仮受金

(仮　受　金)	24,000	(売　掛　金)	19,000
		(短期貸付金)	5,000

8．前受金

(前　受　金)	12,000	(売　掛　金)	12,000

問題２－２　金銭債務(2)

解答

［問１］

(単位：千円)

科　目	金　額
負債の部	
Ⅰ　流　動　負　債	(× × ×)
支　払　手　形	**350,000**
買　掛　金	228,000
短期借入金	90,000
1年以内返済長期借入金	196,000
未　払　費　用	**4,280**
Ⅱ　固　定　負　債	(× × ×)
長期借入金	784,000

［問２］

(1) 関係会社に対する買掛金が28,000千円ある。
(2) 両国社から商標権の侵害があったとして、損害賠償請求額30,000千円を受け、現在係争中である。
(3) Ｉ社の銀行借入に対し、10,000千円の債務保証を行っている。

［問３］

支払利息……… 8,820 千円

解答への道 （仕訳の単位：千円）

１．子会社からの仕入

(仕　　入)	28,000	(買　掛　金)	28,000

注記　買掛金については関係会社（子会社）に対するものであるため、貸借対照表等に関する注記（科目別注記）が必要となる。

２．仮受金

(仮　受　金)	54,000	(売　　上)＊	19,000
		(売　掛　金)	35,000

＊　当社は物品販売業の他、運輸・倉庫業も営んでいるため、倉庫における貨物保管料は売上高として処理する。

３．係争事件

注記　係争事件に係る損害賠償請求につき、貸借対照表等に関する注記が必要となる。

４．債務保証

注記　債務保証につき、貸借対照表等に関する注記が必要となる。

５．借入金

(1) 運転資金

(借　入　金)	90,000	(短期借入金)	90,000

(2) 表示科目の振替

(借　入　金)	980,000	(1年以内返済長期借入金)	196,000
		(長期借入金)	784,000

(3) 金利スワップ

① ×５年５月１日受取

(a) 正しい会計処理

(支払利息)＊1	4,410	(現　　金)	4,410
(現　　金)	3,920	(支払利息)＊2	3,920

＊１　$980,000千円 \times 0.9\% \times \frac{6カ月}{12カ月} = 4,410千円$

＊２　$980,000千円 \times 0.8\% \times \frac{6カ月}{12カ月} = 3,920千円$

※　資料に、「結果的に、次の利率が適用された」とあるため、表中に与えられた利率はTIBOR＋0.4％適用後の利率と読み取ることとなる。

(b) 会社が行っている会計処理

(支払利息)	4,410	(現　　金)	4,410
(現　　金)	3,920	(受取利息)	3,920

※　金利スワップ契約のヘッジ対象である変動金利の支出については、支払利息として適正に処理済みであることに留意すること。

(c) 修正仕訳

(受取利息)	3,920	(支払利息)	3,920

② ×５年11月１日受取

(a) 正しい会計処理

(支払利息)＊1	4,410	(現　　金)	4,410
(現　　金)	5,390	(支払利息)＊2	5,390

＊１　$980,000千円 \times 0.9\% \times \frac{6カ月}{12カ月} = 4,410千円$

＊２　$980,000千円 \times 1.1\% \times \frac{6カ月}{12カ月} = 5,390千円$

※　資料に、「結果的に、次の利率が適用された」とあるため、表中に与えられた利率はTIBOR＋0.4％適用後の利率と読み取ることとなる。

(b) 会社が行っている会計処理

(支払利息)	4,410	(現　　金)	4,410
(現　　金)	5,390	(受取利息)	5,390

※　金利スワップ契約のヘッジ対象である変動金利の支出については、支払利息として適正に処理済みであることに留意すること。

(c) 修正仕訳

(受取利息)	5,390	(支払利息)	5,390

問題２－３　金銭債務(3)

解　答

（単位：千円）

貸借対照表		損益計算書		
Ⅰ流動負債	（×××）	⋮		
未払費用	245	Ⅳ営業外費用		
Ⅱ固定負債	（×××）	社債利息	245	
社債	40,000	社債発行費	125	
⋮		⋮		

解答への道　（仕訳の単位：千円）

1．科目の振替

(仮受金)	40,000	(社債)	40,000

2．利息の見越計上

(社債利息)＊	245	(未払費用)	245

＊　40,000千円×2.45%× $\frac{3カ月}{12カ月}$ ＝245千円

3．発行手数料

(社債発行費)＊ 〈営業外費用〉	125	(支払手数料)	125

＊　問題に一括して費用処理する会計方針を採用しているとの指示があることから、原則である全額支出時費用処理することになる。

問題2－4　引当金(1)

解　答

（単位：千円）

貸借対照表		損益計算書		
Ⅰ流動負債	(×××)	Ⅲ販売費及び一般管理費		
賞与引当金	16,000	給料手当	229,500	
役員賞与引当金	10,000	賞与引当金繰入額	16,000	
修繕引当金	3,000	役員賞与引当金繰入額	10,000	
債務保証損失引当金	7,000	修繕引当金繰入額	3,000	
⋮	⋮	貸倒引当金繰入額	12,000	
		⋮	⋮	⋮
		Ⅴ営業外費用		
		貸倒引当金繰入額	3,000	
		⋮	⋮	⋮
		Ⅶ特別損失		
		債務保証損失引当金繰入額	7,000	

解答への道　（仕訳の単位：千円）

1．給料手当

(役員退職慰労引当金)	10,500	(給料手当)	10,500

2．賞与引当金

(賞与引当金繰入額)	16,000	(賞与引当金)	16,000

3．役員賞与引当金

(役員賞与引当金繰入額)	10,000	(役員賞与引当金)	10,000

4．修繕引当金

(修繕引当金繰入額)	3,000	(修繕引当金)	3,000

5．貸倒引当金

(貸倒引当金)	25,000	(貸倒引当金戻入額)	25,000
(貸倒引当金繰入額)＊	40,000	(貸倒引当金)	40,000

＊　受取手形　900,000千円×2％＝18,000千円
　　売掛金　700,000千円×2％＝14,000千円
　　貸付金　400,000千円×2％＝ 8,000千円
　　合計　40,000千円

※　繰入額と戻入額を相殺した場合において、繰入額＞戻入額となる場合には、問題文の指示より差額を設定対象となった債権の割合等によって按分し、販売費及び一般管理費又は営業外費用に計上する。

① $(40{,}000\text{千円}-25{,}000\text{千円})\times\dfrac{900{,}000\text{千円}+700{,}000\text{千円}}{900{,}000\text{千円}+700{,}000\text{千円}+400{,}000\text{千円}}=12{,}000\text{千円}$（販管費）

② $(40{,}000\text{千円}-25{,}000\text{千円})\times\dfrac{400{,}000\text{千円}}{900{,}000\text{千円}+700{,}000\text{千円}+400{,}000\text{千円}}=3{,}000\text{千円}$（営外費）

6．債務保証損失引当金

(債務保証損失引当金繰入額)	7,000	(債務保証損失引当金)	7,000

問題２－５　引当金(2)

解　答

（単位：千円）

科　　目	金　額	摘　　要	金　額
Ⅰ流 動 負 債	(×××)	Ⅲ販売費及び一般管理費	
賞与引当金	46,200	賞 与 手 当	81,000
債務保証損失引当金	2,000	賞与引当金繰入額	46,200
役員賞与引当金	16,000	役員賞与引当金繰入額	16,000
Ⅱ固 定 負 債	(×××)	役員退職慰労引当金繰入額	6,000
役員退職慰労引当金	74,000	Ⅶ特 別 損 失	
⋮	⋮	債務保証損失引当金繰入額	2,000

解答への道　（仕訳の単位：千円）

1．賞与引当金

(賞与引当金)	40,000	(賞 与 手 当)	40,000
(賞与引当金繰入額)＊	46,200	(賞与引当金)	46,200

＊　①　当期９月の１人当たりの支給実績

60,000千円÷100人＝600千円

②　翌期９月の要支給額

600千円×105％×110人＝69,300千円

③　引当計上額

$$69,300千円\times\frac{4カ月}{6カ月}=46,200千円$$

2．債務保証損失引当金

(債務保証損失引当金繰入額)＊	2,000	(債務保証損失引当金)	2,000

＊　10,000千円（債務保証額）－5,000千円（土地の担保価値）－3,000千円（返済可能見積額）＝2,000千円

3．役員賞与引当金

(役員賞与引当金繰入額)	16,000	(役員賞与引当金)	16,000

4．役員退職慰労引当金

(役員退職慰労引当金)	12,000	(仮　払　金)	12,000
(役員退職慰労引当金繰入額)	6,000	(役員退職慰労引当金)	6,000

問題２－６　退職給付引当金(1)

解　答

退職給付引当金の額………　19,760　千円

退職給付費用の額………　2,560　千円

解答への道　（仕訳の単位：千円）

(退職給付費用)＊	2,560	(退職給付引当金)	2,560

＊　年金資産が存在する場合は、当該年金資産の運用によって得られると見込まれる期待運用収益（期首の年金資産に長期期待運用収益率を乗じて算定する）を退職給付費用の額の算定にあたって控除する。したがって、この場合の退職給付費用の額は、以下の算式により求められる。

退職給付費用＝勤務費用＋利息費用－期待運用収益

問題２－７　退職給付引当金(2)

解　答

退職給付引当金の額………　59,760　千円

退職給付費用の額………　8,160　千円

解答への道　（仕訳の単位：千円）

(退職給付引当金)＊	2,400	(仮　払　金)	2,400
(退職給付費用)	8,160	(退職給付引当金)	8,160

＊　年金基金に掛金を拠出することで年金資産が増加する。ここで年金資産は退職給付引当金の額の算定上控除項目として取り扱われることになるため、当該年金資産を増加させる年金掛金の支払いは、退職給付引当金の減少として処理される。

※

退職給付会計用のP/L

勤務費用 7,200千円	期待運用収益 2,640千円 ＊2
利息費用 3,600千円 ＊1	**退職給付費用 8,160千円**

退職給付会計用のB/S

年金資産 71,040千円 ＊3	退職給付債務 130,800千円 ＊5
退職給付引当金 59,760千円 ＊4	

＊１　120,000千円×３％＝3,600千円

＊２　66,000千円×４％＝2,640千円

＊３　期首66,000千円＋期待運用収益2,640千円＋年金掛金拠出2,400千円＝71,040千円

＊４　T/B退・引54,000千円－年金掛金拠出2,400千円＋退職給付費用8,160千円＝59,760千円

＊５　期首120,000千円＋勤務費用7,200千円＋利息費用3,600千円＝130,800千円

問題２－８　退職給付引当金(3)

解　答

（単位：千円）

貸借対照表		損益計算書	
Ⅱ固定資産		⋮	
1 投資その他の資産	（×××）	Ⅴ販売費及び一般管理費	（×××）
⋮		退職給付費用	（201,750）
繰延税金資産	（737,025）	⋮	
Ⅱ固定負債	（×××）	⋮	
退職給付引当金	（2,456,750）	⋮	

解答への道　（仕訳の単位：千円）

1　退職給付引当金に関する事項

(1) 退職給付費用の計上

（退職給付費用）＊ 〈販売費及び一般管理費〉	201,750	（退職給付引当金）	201,750

＊ ①　勤務費用

189,000 千円

②　利息費用

4,575,000 千円（期首退職給付債務）×1.0％＝45,750 千円

③　期待運用収益

2,125,000 千円（期首年金資産）×2.0％＝42,500 千円

④　数理計算上の差異の費用処理額

95,000 千円（前期末未認識数理計算上の差異）÷10 年

＝9,500 千円（借方差異）

⑤　退職給付費用

189,000 千円（勤務費用）＋45,750 千円（利息費用）－42,500 千円（期待収益）

＋ 9,500 千円（数理費用処理）＝201,750 千円

(2) 年金掛け金の支出額

（退職給付引当金）	100,000	（仮　払　金）	100,000

(3) 税効果会計

（法人税等調整額）	706,500	（繰延税金資産）	706,500
（繰延税金資産）＊	737,025	（法人税等調整額）	737,025

＊ ①　会計上の退職給付引当金

2,355,000 千円（試算表）＋201,750 千円（上記(1)）－100,000 千円（上記(2)）

＝2,456,750 千円

②　税務上の退職給付引当金

0 千円

③　(①－②)×30％＝737,025千円

問題２－９　退職給付引当金(4)

解　答

貸借対照表　（単位：千円）

科　　目	金　　額
負債の部	
Ⅱ　固定負債	（×××）
退職給付引当金	87,950

損益計算書　（単位：千円）

摘　　要	金　　額
Ⅲ　販売費及び一般管理費	
退職給付費用	20,310

解答への道　（仕訳の単位：千円）

1．期中取引に係る修正

（退職給付引当金）	4,810	（仮　払　金）＊	4,810

＊ 1,850千円（一時金）＋2,960千円（掛金）＝4,810千円

2．引当金の計上

（退職給付費用）	20,310	（退職給付引当金）＊	20,310

＊ 50,860千円（自己都合要支給額）＋54,040千円（数理債務）－16,950千円（年金資産）

＝87,950千円（B／S計上額）

87,950千円－（72,450千円－1,850千円－2,960千円）（引当金の期末残高）

＝20,310千円

問題２−10　退職給付引当金(5)

解　答

（単位：千円）

科　　目	金　額	摘　　要	金　額
負債の部		Ⅲ販売費及び一般管理費	
⋮	⋮	⋮	⋮
Ⅱ固定負債	(×××)	退職給付費用	47,900
⋮	⋮	⋮	⋮
退職給付引当金	407,900	Ⅶ特別損失	
⋮	⋮	⋮	⋮
		特別割増退職金	4,500
		⋮	⋮

解答への道　（仕訳の単位：千円）

1．期中処理の修正

(特別割増退職金) ＊1	4,500	(仮　払　金)	44,500
(退職給付引当金) ＊2	40,000		

＊1　退職金の通常支給額をXとおく。

X＋0.25X＝22,500千円

X＝18,000千円

22,500千円－18,000千円＝4,500千円

＊2　22,000千円（掛金拠出）＋18,000千円（一時金通常支給額）＝40,000千円

2．期末における数理計算上の差異の費用処理額

(退職給付費用) ＊	600	(退職給付引当金)	600

＊①　退職給付債務から生じる数理計算上の差異

(イ)　期末見積計上額

856,000千円（期首退・債）＋34,750千円（勤務費用）＋17,120千円(※)（利息費用）

－24,000千円（年金給付）－18,000千円（一時金給付）＝865,870千円

(ロ)　期末公正評価額

870,370千円

(ハ)　数理計算上の差異

(ロ)－(イ)＝4,500千円（損失）

②　年金資産から生じる数理計算上の差異

(イ)　期末見積計上額

438,000千円（期首年金資産）＋6,570千円(※)（期待運用収益）＋22,000千円（掛金拠出）

－24,000千円（年金給付）＝442,570千円

(ロ)　期末公正評価額

441,070千円

(ハ)　数理計算上の差異

(イ)－(ロ)＝1,500千円（損失）

③　当期発生数理計算上の差異の費用処理額

$$(4,500千円＋1,500千円)\times\frac{1年}{10年}＝600千円$$

※　利息費用　856,000千円×2.0%＝17,120千円

期待運用収益　438,000千円×1.5%＝6,570千円

問題２−11　退職給付引当金(6)

解　答

（単位：千円）

科　　目	金　額	摘　　要	金　額
負債の部		Ⅲ販売費及び一般管理費	
⋮	⋮	⋮	⋮
Ⅱ固定負債	(×××)	退職給付費用	7,600
⋮	⋮	⋮	⋮
退職給付引当金	42,750		
⋮	⋮		

解答への道　（仕訳の単位：千円）

1．退職金の支給

(退職給付引当金) ＊	4,850	(販売費及び一般管理費)	4,850

＊（600千円＋4,250千円）＝4,850千円

2．退職給付引当金の計上

(退職給付費用) ＊	7,600	(退職給付引当金)	7,600

＊（9,000千円＋33,750千円）－{(8,350千円＋31,650千円)

－(600千円＋4,250千円)}＝7,600千円

問題２−12　退職給付引当金(7)

解　答

退職給付引当金の金額……　57,120　千円

退職給付費用の金額……　18,720　千円

解答への道　（仕訳の単位：千円）

退職給付引当金に関する事項

(1)　期中処理に係る修正

(退職給付引当金) ＊	48,000	(退職給付費用) <販売費及び一般管理費>	48,000

＊　掛金拠出額

(2) 期末見積

(退職給付費用)＊ <販売費及び一般管理費>	18,720	(退職給付引当金)	18,720

＊① 勤務費用

585,120千円（期末退職給付債務）－（576,000千円（期首退職給付債務）＋11,520千円（利息費用）－24,000千円（年金給付額））＝21,600千円

② 利息費用

576,000千円（期首退職給付債務）×２％＝11,520千円

③ 期待運用収益

480,000千円（期首年金資産）×４％＝19,200千円

④ 数理計算上の差異の費用処理額

72,000千円（期首未認識数理差異）－4,800千円（当期発生（有利差異））－57,600千円（期末未認識数理差異）＝9,600千円

⑤ 過去勤務費用の費用処理額

62,400千円（期首未認識過去勤務費用（有利差異））×$\frac{1年}{14年－1年}$＝4,800千円

⑥ 退職給付費用

21,600千円（勤務費用）＋11,520千円（利息費用）－19,200千円（期待運用収益）＋9,600千円（数理差異費用処理）－4,800千円（過去勤務費用処理）＝18,720千円

問題２－13 退職給付引当金(8)

解 答

貸 借 対 照 表 (単位：千円)

科 目	金 額
負 債 の 部	
Ⅱ固 定 負 債	(× × ×)
退職給付引当金	45,810

損 益 計 算 書 (単位：千円)

科 目	金 額
Ⅲ販売費及び一般管理費	
退職給付費用	1,900

解答への道 (仕訳の単位：千円)

1．退職給付会計に関する事項

(1) 期中処理に係る修正

(退職給付引当金)＊	3,370	(仮 払 金)	3,370

＊ 掛金拠出額

(2) 退職給付費用の計上

(退職給付費用)＊	1,900	(退職給付引当金)	1,900

＊① 勤務費用 2,703千円

② 利息費用 1,286千円

③ 期待運用収益

23,300千円（期首年金資産）×３％＝699千円

④ 数理計算上の差異の費用処理額

(8,800千円（不利差異）－5,700千円（有利差異））×$\frac{1年}{10年}$

＝310千円 (不利差異)

⑤ 過去勤務費用の費用処理額

(72,800千円－64,300千円（有利差異））×$\frac{1年}{5年}$

＝1,700千円 (有利差異)

⑥ 退職給付費用

2,703千円（勤務費用）＋1,286千円（利息費用）－699千円（期待運用収益）＋310千円（数理計算上の差異）－1,700千円（過去勤務費用）＝1,900千円

第2章 負債会計

第３章　純資産会計

問題３－１　株主資本(1)

解　答

	ケース１	ケース２
資本金の額	36,000千円	48,000千円
資本準備金の額	36,000千円	0千円

解答への道

・資本金額の算定 … 原則：払込金額の総額（最高限度額）

例外：払込金額の $\frac{1}{2}$ （最低限度額）

<ケース１> … 例外的処理

(1) 払込金額の総額 …… 240千円×300株＝72,000千円

(2) 資本金の額 …… 240千円× $\frac{1}{2}$ ×300株＝36,000千円

(3) 資本準備金の額 …… 72,000千円－36,000千円＝36,000千円

<ケース２> … 原則的処理

(1) 払込金額の総額 …… 160千円×300株＝48,000千円

(2) 資本金の額 …… 48,000千円

※ 問題文指示（注２）が留意点にないため、原則的処理と判断する。

問題３－２　株主資本(2)

解　答

（単位：千円）

科　目	金　額
純資産の部	
Ⅰ株主資本	(2,148,000)
1資本金	1,600,000
2資本剰余金	(206,000)
(1)資本準備金	200,000
(2)その他資本剰余金	6,000
3利益剰余金	(342,000)
(1)利益準備金	157,000
(2)その他利益剰余金	(185,000)
新築積立金	20,000
別途積立金	44,000
繰越利益剰余金	121,000
純資産の部合計	2,148,000
負債及び純資産の部合計	×××

解答への道　（仕訳の単位：千円）

1．×６年３月20日

(繰越利益剰余金)	74,000	(現金及び預金)	40,000
		(利益準備金)＊	4,000
		(新築積立金)	20,000
		(別途積立金)	10,000

＊① 40,000千円× $\frac{1}{10}$ ＝4,000千円

② 1,600,000千円× $\frac{1}{4}$ －（200,000千円＋150,000千円）＝50,000千円

③ ①＜② ∴4,000千円

2．×６年７月

(繰越利益剰余金)	33,000	(現金及び預金)	30,000
		(利益準備金)＊	3,000

＊① 30,000千円× $\frac{1}{10}$ ＝3,000千円

② 1,600,000千円× $\frac{1}{4}$ －（200,000千円＋150,000千円＋4,000千円）＝46,000千円

③ ①＜② ∴3,000千円

3．期　末

(当期純利益)	44,000	(繰越利益剰余金)	44,000

問題３－３　株主資本(3)

解　答

（単位：千円）

科　目	金　額
純資産の部	
Ⅰ株主資本	(2,542,000)
1資本金	1,670,000
2新株式申込証拠金	120,000
3資本剰余金	(506,000)
(1)資本準備金	506,000
4利益剰余金	(276,000)

(1)利益準備金	114,000
(2)その他利益剰余金	(162,000)
別途積立金	40,000
繰越利益剰余金	122,000
5自己株式	△ 30,000
純資産の部合計	2,542,000
負債及び純資産の部合計	×××

株主資本等変動計算書に関する注記

(注1) 当該事業年度末日における発行済株式の数	普通株式 13,000株
(注2) 当該事業年度末日における自己株式の数	普通株式 200株
(注3) 当該事業年度中に行った剰余金の配当に関する事項	配当の総額 60,000千円

1株当たり情報に関する注記

(注1) 1株当たり純資産額	189,218円75銭
(注2) 1株当たり当期純利益	4,220円18銭

解答への道 (仕訳の単位:千円)

1. 預り金

(預り金)	120,000	(新株式申込証拠金)	120,000

2. 剰余金の配当

(繰越利益剰余金)	64,000	(仮払金)	60,000
		(利益準備金)*	4,000

*① $60,000千円 \times \frac{1}{10} = 6,000千円$

② $1,400,000千円 \times \frac{1}{4}$ − (236,000千円 +110,000千円) =4,000千円

③ ①>② ∴4,000千円

3. 仮受金

(仮受金)	540,000	(資本金)*	270,000
		(資本準備金)*	270,000

* 3,000株×180千円 (=540,000千円) $\times \frac{1}{2}$ =270,000千円

4. 期末

(当期純利益)	46,000	(繰越利益剰余金)	46,000

5. 株主資本等変動計算書に関する注記

(1) 当該事業年度末日における発行済株式の数

10,000株(期首)+3,000株(期中増資)=13,000株

(2) 当該事業年度末日における自己株式の数

200株 (×6年10月1日取得分)

(3) 当該事業年度中に行った剰余金の配当に関する事項

60,000千円 (×6年9月2日実施分)

6. 1株当たり情報に関する注記

(1) 1株当たり純資産額

$$\frac{2,542,000千円 - 120,000千円}{13,000株 - 200株} = 189,218.75円$$

(2) 1株当たり当期純利益

① 期中平均発行済株式数

$$10,000株 + 3,000株 \times \frac{4カ月}{12カ月} = 11,000株$$

② 期中平均自己株式数

$$200株 \times \frac{6カ月}{12カ月} = 100株$$

③ 1株当たり当期純利益

$$\frac{46,000千円}{11,000株 - 100株} = 4,220.18円$$

(円未満三位以下切捨て)

問題3-4 株主資本の計数の変動(1)

解答

貸借対照表 (単位:千円)

科目	金額	科目	金額
資産の部		純資産の部	
⋮	⋮	Ⅰ株主資本	(1,305,000)
		1資本金	960,000
		2資本剰余金	(144,000)
		(1)資本準備金	90,000
		(2)その他資本剰余金	54,000
		3利益剰余金	(201,000)
		(1)利益準備金	63,000
		(2)その他利益剰余金	(138,000)
		別途積立金	24,000
Ⅲ繰延資産	(6,525)	繰越利益剰余金	114,000
株式交付費	6,525	純資産の部合計	1,305,000
資産の部合計	×××	負債及び純資産の部合計	×××

第3章 純資産会計

解答への道　（仕訳の単位：千円）

１．新株発行

(1) 新株発行に係る修正処理

(仮　受　金)	111,900	(資　本　金)*2	60,000
(株式交付費)*1	8,100	(資本準備金)*3	60,000

＊１　120,000千円－111,900千円＝8,100千円

＊２　$120,000千円\times\frac{1}{2}=60,000千円$

＊３　120,000千円－60,000千円＝60,000千円

(2) 株式交付費の処理

(株式交付費償却)＊	1,575	(株式交付費)	1,575

＊　$8,100千円\times\frac{7カ月}{3年\times12カ月}=1,575千円$

２．11月開催の株主総会の決議事項

(1) 資本準備金の減少、その他資本剰余金の増加

(資本準備金)	45,000	(その他資本剰余金)	45,000

(2) 別途積立金の減少、繰越利益剰余金の増加

(別途積立金)	21,000	(繰越利益剰余金)	21,000

３．当期純利益の振替え

(当期純利益)	24,000	(繰越利益剰余金)	24,000

問題３－５　株主資本の計数の変動(2)

解　答

（単位：千円）

科　　目	金　　額
純資産の部	
Ⅰ株　主　資　本	(1,368,000)
1資　本　金	1,060,000
2資　本　剰　余　金	(　70,000)
(1)資　本　準　備　金	42,000
(2)その他資本剰余金	28,000
3利　益　剰　余　金	(　238,000)
(1)利　益　準　備　金	44,000
(2)その他利益剰余金	(　194,000)
新　築　積　立　金	20,000
別　途　積　立　金	56,000
繰越利益剰余金	118,000
純資産の部合計	1,368,000

解答への道　（仕訳の単位：千円）

１．６月開催の株主総会の決議事項

(1) 剰余金の配当

(その他資本剰余金)	20,000	(仮　払　金)	60,000
(繰越利益剰余金)	40,000		

(2) 準備金の積立て

(その他資本剰余金)	2,000	(資本準備金)＊	2,000
(繰越利益剰余金)	4,000	(利益準備金)＊	4,000

＊　$\underbrace{(100,000千円+60,000千円)}_{準備金}=160,000千円$

$<\underbrace{1,000,000千円}_{資本金}\times\frac{1}{4}=250,000千円$

① 準備金の積立額

(イ) 準備金積立限度額

250,000千円－(100,000千円+60,000千円)＝90,000千円

(ロ) $\underbrace{60,000千円}_{配当額}\times\frac{1}{10}=6,000千円$

(ハ) (イ)＞(ロ)　∴積立額6,000千円

② 資本準備金積立額

$6,000千円\times\frac{20,000千円}{20,000千円+40,000千円}=2,000千円$

③ 利益準備金積立額

$6,000千円\times\frac{40,000千円}{20,000千円+40,000千円}=4,000千円$

(3) 新築積立金

(繰越利益剰余金)	20,000	(新築積立金)	20,000

２．10月開催の株主総会の決議事項

(1) 準備金の減少、資本金の増加

(資本準備金)	60,000	(資　本　金)	60,000

(2) 準備金の減少、繰越利益剰余金の増加

(利益準備金)	20,000	(繰越利益剰余金)	20,000

３．当期純利益の振替

(当期純利益)	56,000	(繰越利益剰余金)	56,000

問題3－6　自己株式(1)

解　答

（単位：千円）

科　　　目	金　　額
純資産の部	
Ⅰ株　主　資　本	（ 401,420 ）
1資　　本　　金	300,000
2資 本 剰 余 金	（ 57,460 ）
(1)資 本 準 備 金	50,000
(2)その他資本剰余金	7,460
3利 益 剰 余 金	（ 103,000 ）
(1)利 益 準 備 金	15,000
(2)その他利益剰余金	（ 88,000 ）
別 途 積 立 金	28,000
繰越利益剰余金	60,000
4自　己　株　式	△ 59,040
Ⅱ評価・換算差額等	（ 1,800 ）
1その他有価証券評価差額金	1,800
Ⅲ新 株 予 約 権	×××
純資産の部合計	×××

解答への道　（仕訳の単位：千円）

1．有価証券

(1) 自己株式

① 取得に係る修正

（自 己 株 式）	118,080	（有 価 証 券）	119,010
（支払手数料）＊	930		

＊　自己株式の取得に係る手数料は、支払手数料として営業外費用に表示する。

② 処分に係る修正処理

（仮　受　金）	33,600	（自 己 株 式）＊1	39,360
（株式交付費）＊2	400		
（その他資本剰余金）	5,360		

＊1　自己株式の総平均単価

118,080千円÷120千株＝984円

40千株×@984円＝39,360千円

＊2　40千株×@850円－33,600千円＝400千円

※　自己株式の処分に係る費用については、株式交付費として処理する。

③ 消　却

（その他資本剰余金）	19,680	（自 己 株 式）＊	19,680

＊　20千株×@984円＝19,680千円

※　自己株式の消却は、その他資本剰余金を財源として行う。

(2) A社株式（その他有価証券）

（投資有価証券）	69,000	（有 価 証 券）	80,000
（繰延税金資産）＊1	4,400		
〈固　　定〉			
（その他有価証券評価差額金）＊2	6,600		

＊1（80,000千円－69,000千円）×40％＝4,400千円

＊2（80,000千円－69,000千円）－4,400千円
＝6,600千円

(3) B社株式（その他有価証券）

（投資有価証券）	74,000	（有 価 証 券）	60,000
		（繰延税金負債）＊1	5,600
		〈固　　定〉	
		（その他有価証券評価差額金）＊2	8,400

＊1（74,000千円－60,000千円）×40％＝5,600千円

＊2（74,000千円－60,000千円）－5,600千円
＝8,400千円

2．当期純利益の振替

（当期純利益）	30,000	（繰越利益剰余金）	30,000

問題3－7　自己株式(2)

解　答

(1) 1株当たり純資産の額………　417円12銭

(2) 1株当たり当期純利益の額…　43円93銭

解答への道

1．1株当たり純資産の額

※　1株当たり純資産の額は、以下のように求める。

1株当たり純資産

$$=\frac{\text{貸借対照表上の純資産の部の合計額}-\text{新株式申込証拠金}-\text{新株予約権}}{\text{期末発行済株式数}-\text{期末保有自己株式数（注）}}$$

（注）期末において自己株式を保有している場合には当該自己株式数を期末発行済株式数から控除して算定する。

第3章　純資産会計

計算上、円未満の端数が生じた場合には、円未満２位まで（円未満３位以下切捨て）求めるのが慣行である（例：「42.533…円」→「42円53銭」）。

１株当たり純資産の額

$$\frac{661,000千円-40,000千円-12,000千円}{(1,200千株+300千株)-40千株}$$

$$=\frac{609,000千円}{1,460千株}=417.1232\cdots円$$

∴　417円12銭

２．１株当たり当期純利益の額

※　１株当たり当期純利益の額は、以下のように求める。

$$１株当たり当期純利益=\frac{普通株式に係る当期純利益}{普通株式の期中平均株式数}$$

$$=\frac{損益計算書上の当期純利益}{普通株式の期中平均発行済株式数-普通株式の期中平均自己株式数}$$

計算上、円未満の端数が生じた場合には、円未満２位まで（円未満３位以下切捨て）求めるのが慣行である（例：「42.533…円」→「42円53銭」）。

また、期中平均発行済株式数は以下のように計算する。

$$期中平均発行済株式数=期首発行済株式数+期中発行株式数\times\frac{発行日から決算日までの月数}{12カ月}$$

(1)　期中平均発行済株式数

$$1,200千株+300千株\times\frac{6カ月}{12カ月}=1,350千株$$

(2)　期中平均自己株式数

$$40千株\times\frac{9カ月}{12カ月}=30千株$$

(3)　１株当たり当期純利益の額

$$\frac{58,000千円}{1,350千株-30千株}=43.9393\cdots円$$

∴　43円93銭

問題３－８　新株予約権(1)

解　答

（単位：千円）

科　　目	金　　額
純資産の部	
Ⅰ株　主　資　本	（　943,200　）
1資　　本　　金	635,000
2資　本　剰　余　金	（　162,760　）
(1)資　本　準　備　金	137,000
(2)その他資本剰余金	25,760
3利　益　剰　余　金	（　188,000　）
(1)利　益　準　備　金	48,000
(2)その他利益剰余金	（　140,000　）
別　途　積　立　金	**56,000**
繰越利益剰余金	84,000
4自　己　株　式	△　42,560
Ⅱ評価・換算差額等	（　×××　）
⋮	⋮
Ⅲ新　株　予　約　権	137,000
純資産の部合計	×××

解答への道　（仕訳の単位：千円）

１．剰余金の配当

(その他資本剰余金)	42,000	(仮　払　金)	40,000
		(資本準備金)＊	2,000

＊①　$40,000千円\times\frac{1}{10}=4,000千円$

②　$600,000千円\times\frac{1}{4}-(100,000千円+48,000千円)=2,000千円$

③　①＞②　∴　2,000千円

２．新株予約権の発行

(仮　受　金)	150,000	(新株予約権)	150,000

３．新株予約権の権利行使

(1)　×８年10月分

(仮　受　金)＊1	60,000	(資　本　金)＊3	35,000
(新株予約権)＊2	10,000	(資本準備金)＊3	35,000

＊１　100個×＠600千円＝60,000千円

＊2　150,000千円×$\frac{100個}{1,500個}$＝10,000千円

＊3（60,000千円＋10,000千円）×$\frac{1}{2}$

＝35,000千円

(2) ×9年2月分

（仮　受　金）＊1	18,000	（自 己 株 式）＊3	18,240
（新株予約権）＊2	3,000	（その他資本剰余金）	2,760

＊1　30個×@600千円＝18,000千円

＊2　150,000千円×$\frac{30個}{1,500個}$＝3,000千円

＊3　30個×4株×@152千円＝18,240千円

4．当期純利益の振替

（当期純利益）	24,000	（繰越利益剰余金）	24,000

問題3－9　新株予約権(2)

解　答

1．ストック・オプション付与時（×5年4月1日）

（単位：千円）

借方科目	金　額	貸方科目	金　額
「仕訳不要」			

2．決算日（×6年3月31日）　（単位：千円）

借方科目	金　額	貸方科目	金　額
株式報酬費用	＊　12,960	新株予約権	12,960

＊　@6,000円×30個×(150名－6名)×$\frac{12カ月}{2年×12カ月}$＝12,960千円

3．決算日（×7年3月31日）　（単位：千円）

借方科目	金　額	貸方科目	金　額
株式報酬費用	＊　11,880	新株予約権	11,880

＊　@6,000円×30個×（150名－12名）－12,960千円

＝11,880千円

4．権利行使時（×7年6月30日）　（単位：千円）

借方科目	金　額	貸方科目	金　額
現金及び預金	＊1 405,000	資　本　金	＊3 207,900
新株予約権	＊2　10,800	資本準備金	＊3 207,900

＊1　30個×150株×1,500円×60名＝405,000千円

＊2　6,000円×30個×60名＝10,800千円

＊3（405,000千円＋10,800千円）×$\frac{1}{2}$＝207,900千円

5．権利行使時（×8年10月31日）　（単位：千円）

借方科目	金　額	貸方科目	金　額
現金及び預金	＊1 405,000	自 己 株 式	400,000
新株予約権	＊2　10,800	その他資本剰余金	15,800

＊1　30個×150株×1,500円×60名＝405,000千円

＊2　6,000円×30個×60名＝10,800千円

6．権利行使期間終了時（×9年3月31日）

（単位：千円）

借方科目	金　額	貸方科目	金　額
新株予約権	＊　3,240	新株予約権戻入益	3,240

＊　6,000円×30個×（150名－12名－120名）

＝3,240千円

問題3－10　新株予約権(3)

解　答

貸　借　対　照　表　（単位：千円）

科　目	金額	科　目	金額
資産の部		負債の部	
⋮	⋮	⋮	⋮
		Ⅱ固定負債	（×××）
		社　債	430,000
		⋮	⋮
		負債の部合計	×××
		純資産の部	
		Ⅰ株主資本	（×××）
		1資　本　金	1,060,000
		2資本剰余金	（450,000）
		(1)資本準備金	310,000
		(2)その他資本剰余金	140,000
		⋮	⋮
		4自己株式	△　32,000
		⋮	⋮
		純資産の部合計	×××
資産の部合計	×××	負債及び純資産の部合計	×××

解答への道　（仕訳の単位：千円）

1．権利行使に係る処理

（社　　債）＊1	170,000	（自 己 株 式）＊2	40,000
		（その他資本剰余金）＊3	10,000

第3章　純資産会計

	(資　本　金) *4　60,000
	(資本準備金) *4　60,000

＊1　170,000個×@1,000円＝170,000千円

＊2　@800円×50,000株＝40,000千円

＊3　170,000千円×

$$\frac{50,000株}{170,000株} - 40,000千円 = 10,000千円$$

＊4　170,000千円×

$$\frac{120,000株}{170,000株} \times \frac{1}{2} = 60,000千円$$

2．決算整理事項

(社債発行費) 〈営業外費用〉	15,600	(社債発行費) 〈残高試算表〉	15,600

問題3－11　株主資本等変動計算書(1)

解　答

株主資本等変動計算書

自×5年4月1日

至×6年3月31日　（単位：千円）

株　主　資　本	
資　本　金	
当期首残高	(250,000)
当期変動額	
(新株の発行)	(25,000)
当期変動額合計	(25,000)
当期末残高	(275,000)
資本剰余金	
資本準備金	
当期首残高	(25,000)
当期変動額	
(新株の発行)	(25,000)
当期変動額合計	(25,000)
当期末残高	(50,000)
その他資本剰余金	
当期首残高	(2,500)
当期変動額	―
当期変動額合計	―
当期末残高	(2,500)
資本剰余金合計	
当期首残高	(27,500)
当期変動額	
(新株の発行)	(25,000)
当期変動額合計	(25,000)
当期末残高	(52,500)
利益剰余金	
利益準備金	
当期首残高	(12,500)
当期変動額	
(剰余金の配当)	(2,500)
当期変動額合計	(2,500)
当期末残高	(15,000)
その他利益剰余金	
事業拡張積立金	
当期首残高	(12,500)
当期変動額	
事業拡張積立金の(取崩し)	(△ 5,000)
事業拡張積立金の(積立て)	(2,500)
当期変動額合計	(△ 2,500)
当期末残高	(10,000)
繰越利益剰余金	
当期首残高	(112,500)
当期変動額	
(剰余金の配当)	(△27,500)
事業拡張積立金の(取崩し)	(5,000)
事業拡張積立金の(積立て)	(△ 2,500)
当期純利益	(50,000)
当期変動額合計	(25,000)
当期末残高	(137,500)
利益剰余金合計	
当期首残高	(137,500)
当期変動額	
(剰余金の配当)	(△25,000)
当期純利益	(50,000)
当期変動額合計	(25,000)
当期末残高	(162,500)
株主資本合計	
当期首残高	(415,000)
当期変動額	
(新株の発行)	(50,000)

（剰余金の配当）	（ △25,000 ）
当期純利益	（ 50,000 ）
当期変動額合計	（ 75,000 ）
当期末残高	（ 490,000 ）
純資産合計	
当期首残高	（ 415,000 ）
当期変動額	
（新株の発行）	（ 50,000 ）
（剰余金の配当）	（ △25,000 ）
当期純利益	（ 50,000 ）
当期変動額合計	（ 75,000 ）
当期末残高	（ 490,000 ）

解答への道 （仕訳の単位：千円）

1．新株発行

（現金及び預金）	50,000	（資　本　金）＊	25,000
		（資本準備金）＊	25,000

＊　$50{,}000\text{千円} \times \frac{1}{2} = 25{,}000\text{千円}$

2．剰余金の配当

（繰越利益剰余金）	27,500	（現金及び預金）	25,000
		（利益準備金）	2,500

3．事業拡張積立金の取崩し及び積立て

（事業拡張積立金）	5,000	（繰越利益剰余金）	5,000
（繰越利益剰余金）	2,500	（事業拡張積立金）	2,500

4．当期純利益の振替

（当期純利益）	50,000	（繰越利益剰余金）	50,000

問題３－12　株主資本等変動計算書(2)

解　答

（単位：千円）

	株主資本										評価・換算差額等			
	資本金	資本剰余金			利益剰余金				自己株式	株主資本合計	その他有価証券評価差額金	評価・換算差額等合計	新株予約権	純資産合計
		資本準備金	その他資本剰余金	資本剰余金合計	利益準備金	その他利益剰余金 新築積立金	その他利益剰余金 繰越利益剰余金	利益剰余金合計						
当期首残高	150,000	15,000	1,500	16,500	7,500	7,500	67,500	82,500	0	249,000	5,000	5,000	0	254,000
会計方針の変更による累積的影響額							△ 2,592	△ 2,592		△ 2,592				△ 2,592
遡及処理後当期首残高	150,000	15,000	1,500	16,500	7,500	7,500	64,908	79,908	0	246,408	5,000	5,000	0	251,408
当期変動額														
新株の発行（新株予約権の行使含む）	26,000	15,000		15,000						41,000				41,000
剰余金の配当					1,500		△16,500	△15,000		△15,000				△15,000
新築積立金の積立て						1,500	△ 1,500	—		—				—
新築積立金の取崩し						△3,000	3,000	—		—				—
当期純利益							30,000	30,000		30,000				30,000
自己株式の取得									△ 5,000	△ 5,000				△ 5,000
自己株式の処分			500	500					2,500	3,000				3,000
株主資本以外の項目の当期変動額（純額）											1,000	1,000	9,000	10,000
当期変動額合計	26,000	15,000	500	15,500	1,500	△ 1,500	15,000	15,000	△ 2,500	54,000	1,000	1,000	9,000	64,000
当期末残高	176,000	30,000	2,000	32,000	9,000	6,000	79,908	94,908	△ 2,500	300,408	6,000	6,000	9,000	315,408

解答への道　（仕訳の単位：千円）

1．新株発行

（現金及び預金）	30,000	（資　本　金）	15,000
		（資本準備金）	15,000

2．剰余金の配当

（繰越利益剰余金）	16,500	（現金及び預金）	15,000
		（利益準備金）	1,500

3．新築積立金の取崩し及び積立て

（新築積立金）	3,000	（繰越利益剰余金）	3,000
（繰越利益剰余金）	1,500	（新築積立金）	1,500

4．自己株式の取得

（自 己 株 式）	5,000	（現金及び預金）	5,000

5．自己株式の処分

（現金及び預金）	3,000	（自 己 株 式）	2,500
		（その他資本剰余金）	500

6．新株予約権の発行

（現金及び預金）	10,000	（新株予約権）	10,000

7．新株予約権の権利行使

（現金及び預金）	10,000	（資　本　金）	11,000
（新株予約権）＊	1,000		

＊　10,000千円×10％＝1,000千円

8．会計方針の変更による遡及適用

（繰越利益剰余金）＊1	9,804	（売　掛　金）	9,804
（商　　　品）	5,484	（繰越利益剰余金）＊2	5,484
（繰延税金資産）	1,728	（繰越利益剰余金）＊3	1,728

＊1　1,847,312千円（前期出荷基準）－1,837,508千円（前期検収基準）＝9,804千円

＊2　1,368,208千円（前期出荷基準）－1,362,724千円（前期検収基準）＝5,484千円

＊3　（9,804千円－5,484千円）×40％＝1,728千円

※　会計方針の変更による累積的影響額

5,484千円＋1,728千円－9,804千円＝△2,592千円

9．当期純利益の振替

（当期純利益）	30,000	（繰越利益剰余金）	30,000

第４章　税　　金

問題４－１　税　金(1)

解　答

［問１］

（単位：千円）

損益計算書			貸借対照表	
販売費及び一般管理費			Ⅰ流動負債	（×××）
租税公課	11,250		未払法人税等	99,600
⋮	⋮	⋮	⋮	⋮
税引前当期純利益		×××		
法人税、住民税及び事業税		168,750		
当期純利益		×××		

［問２］

（単位：千円）

損益計算書			貸借対照表	
販売費及び一般管理費			Ⅰ流動負債	（×××）
租税公課	6,024		未払法人税等	55,680
⋮	⋮	⋮	⋮	⋮
税引前当期純利益		×××		
法人税、住民税及び事業税		90,376		
当期純利益		×××		

解答への道

(1) 所得割（所得基準）に係る法人事業税

損益計算書上、税引前当期純利益の次に法人税、住民税及び事業税として表示する。

(2) 資本割及び付加価値割（外形基準）に係る法人事業税

損益計算書上、販売費及び一般管理費（租税公課）として表示する。

［問１］（仕訳の単位：千円）

１．外形標準課税（中間分）

（租税公課）	5,000	（法人税、住民税及び事業税）	5,000

２．源泉税

（法人税、住民税及び事業税）	400	（受取利息）	400

３．未払法人税等

（租税公課）＊1	6,250	（未払法人税等）	99,600
（法人税、住民税及び事業税）＊2	93,350		

＊１　11,250千円－5,000千円＝6,250千円

＊２　180,000千円－（80,000千円－5,000千円）－400千円－11,250千円＝93,350千円

＜法人税、住民税、事業税（所得割）＞

（単位：千円）

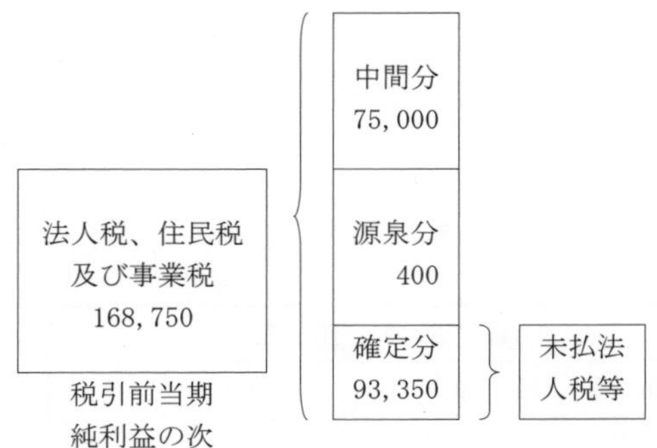

＜資本割、付加価値割に係る事業税＞

（単位：千円）

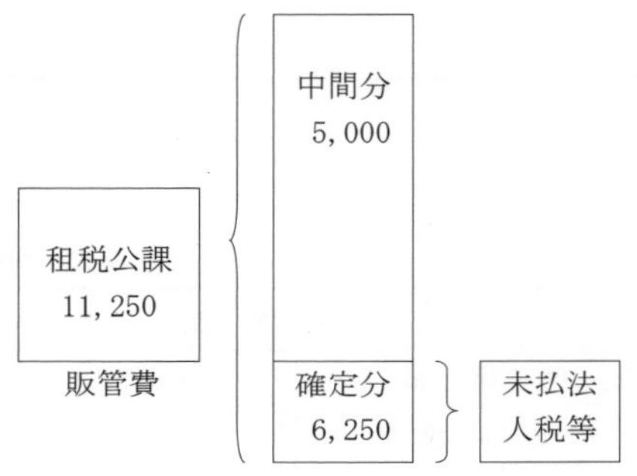

［問２］（仕訳の単位：千円）

１．仮払金

（租税公課）	2,376	（仮　払　金）	40,720
（法人税、住民税及び事業税）＊	38,344		

＊　(38,000千円－2,376千円)＋2,720千円＝38,344千円

２．未払法人税等

（租税公課）＊1	3,648	（未払法人税等）	55,680
（法人税、住民税及び事業税）＊2	52,032		

＊１　6,024千円－2,376千円＝3,648千円

＊２　96,400千円－（38,000千円－2,376千円）
－2,720千円－6,024千円＝52,032千円

＜法人税、住民税、事業税（所得割）＞

（単位：千円）

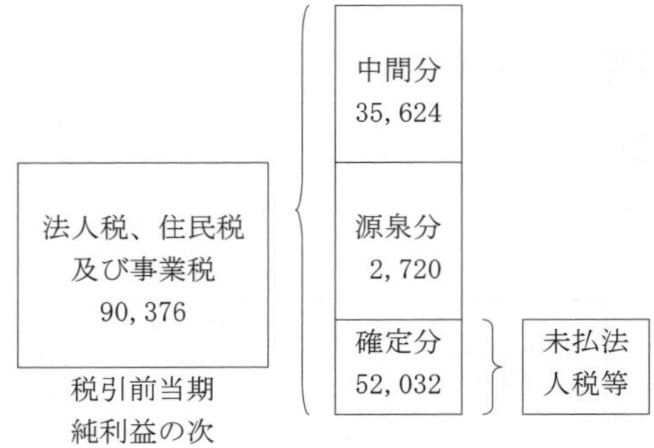

＜資本割、付加価値割に係る事業税＞

（単位：千円）

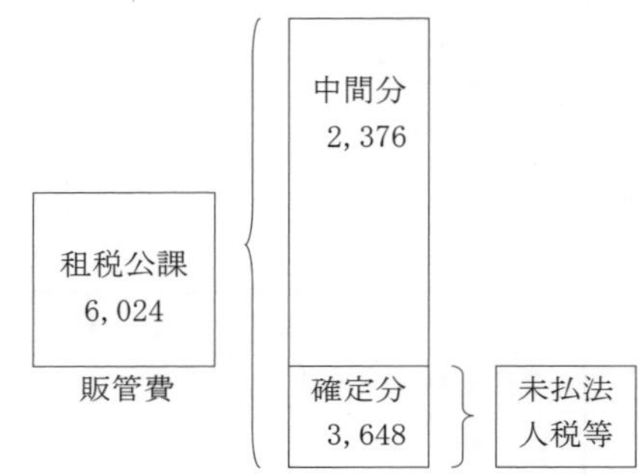

問題4－2　税　金(2)

解　答

（単位：千円）

貸借対照表		損益計算書		
Ⅰ流動資産	(×××)	Ⅲ販売費及び一般管理費		
貯蔵品	600	租税公課	22,500	
⋮	⋮	消耗品費	1,800	×××
Ⅰ流動負債	(×××)	⋮	⋮	⋮
支払手形	720,000	Ⅶ特別損失		
買掛金	570,000	――――		×××
未払金	13,800	⋮	⋮	⋮
未払法人税等	93,000	法人税、住民税及び事業税		178,500
⋮	⋮	⋮	⋮	⋮

解答への道　（仕訳の単位：千円）

1．中間納付額（事業税）

(法人税、住民税及び事業税)	29,250	(租税公課)	29,250

2．確定申告納付額（事業税）

(法人税、住民税及び事業税)	20,250	(未払法人税等)	27,000
(租税公課)	6,750		

3．消耗品の期末未使用額

(貯蔵品)	600	(消耗品費)	600

4．確定申告納付額（法人税・住民税）

(法人税、住民税及び事業税)＊	66,000	(未払法人税等)	66,000

＊　129,000千円（年税額）－63,000千円（中間納付額）＝66,000千円

問題4－3　税　金(3)

解　答

（単位：千円）

貸借対照表		損益計算書		
Ⅰ流動負債	(×××)	販売費及び一般管理費		
未払法人税等	20,380	租税公課	13,040	
未払消費税等	107,250	⋮	⋮	⋮
⋮	⋮	税引前当期純利益		×××
		法人税、住民税及び事業税		36,800
		当期純利益		×××

第4章　税金

解答への道　（仕訳の単位：千円）

1．消費税等

（仮受消費税等）	405,638	（仮払消費税等）	198,188
		（中間消費税等）	100,200
		（未払消費税等）＊	107,250

＊確定納付額

2．法人税、住民税及び事業税

（法人税、住民税及び事業税）＊1	36,800	（法　人　税　等）	21,820
（租　税　公　課）＊2	5,400	（未払法人税等）＊3	20,380
<販売費及び一般管理費>			

＊1　30,000千円＋3,800千円（法人税・住民税（年税額））＋3,000千円（事業税（所得割））
＝36,800千円

＊2　4,800千円＋7,560千円（外形年税額）－（2,800千円＋4,160千円）（外形中間納付額）
＝5,400千円

＊3　貸借差額

問題4－4　税　金(4)

解　答

（単位：千円）

貸借対照表		損益計算書		
Ⅰ流　動　資　産	（×××）	Ⅲ販売費及び一般管理費		
貯　　蔵　　品	200	**租　税　公　課**	2,002	
：	：	消　耗　品　費	600	×××
Ⅰ流　動　負　債	（×××）	：		：
支　払　手　形	**240,000**	Ⅶ特　別　損　失		
買　　掛　　金	**190,000**	―――	―	×××
未　　払　　金	**4,600**	：		：
未払法人税等	31,850	**法人税、住民税及び事業税**		65,000
未払消費税等	2,660	法人税等追徴税額		850

解答への道　（仕訳の単位：千円）

1．

（法人税、住民税及び事業税）	13,000	（租　税　公　課）	13,000

2．

（法人税等追徴税額）	850	（未払法人税等）	850

3．

（法人税、住民税及び事業税）	9,000	（未払法人税等）	9,000

4．

（貯　蔵　品）	200	（消　耗　品　費）	200

5．

（法人税、住民税及び事業税）＊	22,000	（未払法人税等）	22,000

＊　43,000千円（年税額）－21,000千円（中間納付額）＝22,000千円

6．

（仮払消費税等）	2,730	（仮　払　金）	2,730
（仮受消費税等）	28,578	（仮払消費税等）	25,920
（租　税　公　課）	2	（未払消費税等）＊	2,660

＊　5,390千円（年税額）－2,730千円（中間納付額）＝2,660千円

第5章　税効果会計

問題５－１　税効果会計(1)

解　答

(1) 仕訳処理

（単位：千円）

借方科目	金　額	貸方科目	金　額
繰延税金資産	41	法人税等調整額	41

(2) 損益計算書

損益計算書　（単位：千円）

⋮	⋮	⋮
Ⅶ特　別　損　失		
商品評価損	100	
⋮	⋮	×××
税引前当期純利益		1,000
法人税、住民税及び事業税	550	
法人税等調整額	△　41	509
当期純利益		491

解答への道

法人税等調整額

① 企業会計上の商品の簿価：商品2,000千円
－評価損100千円＝1,900千円

② 法人税法上の商品の簿価：商品2,000千円

③ 法人税等調整額：
（税法上2,000千円－会計上1,900千円）
×法定実効税率41％＝41千円

問題５－２　税効果会計(2)

解　答

個別貸借対照表　（単位：千円）

科　目	金　額	科　目	金　額
資産の部		負債の部	
Ⅰ流動資産	(×××)	Ⅰ流動負債	(×××)
⋮	⋮	未払法人税等	55,000
Ⅱ固定資産	(×××)	Ⅱ固定負債	(×××)
3投資その他の資産	(×××)	退職給付引当金	30,000
繰延税金資産	16,800	⋮	⋮

損益計算書　（単位：千円）

⋮	⋮	⋮
税引前当期純利益		×××
法人税、住民税及び事業税	95,000	
法人税等調整額	△ 2,600	92,400
当期純利益		×××

解答への道　（仕訳の単位：千円）

1．退職給付引当金

(1) 退職給付費用の計上

(退職給付費用)＊	2,000	(退職給付引当金)	2,000

＊　30,000千円－28,000千円＝2,000千円

(2) 税効果会計

(法人税等調整額)	11,200	(繰延税金資産)	11,200
(繰延税金資産)	12,000	(法人税等調整額)＊	12,000

＊（30,000千円－0千円）×40％＝12,000千円

2．未払税金

(1) 未払税金の計上

(法人税、住民税及び事業税)＊	55,000	(未払法人税等)	55,000

＊　35,000千円＋8,000千円＋12,000千円＝55,000千円

(2) 税効果会計

(法人税等調整額)	3,000	(繰延税金資産)	3,000
(繰延税金資産)	4,800	(法人税等調整額)＊	4,800

＊（12,000千円－０千円）×40％＝4,800千円

問題５－３　税効果会計(3)

解　答

個別貸借対照表　（単位：千円）

科　目	金　額
資産の部	
Ⅱ固定資産	(×××)
3投資その他の資産	(×××)
繰延税金資産	11,856
⋮	⋮
負債の部	
Ⅰ流動負債	(×××)

未払法人税等	126,190
⋮	⋮

損益計算書　(単位：千円)

摘要	金額	
販売費及び一般管理費		
租税公課	5,650	
⋮	⋮	⋮
税引前当期純利益		×××
法人税、住民税及び事業税	210,650	
法人税等調整額	△ 2,036	208,614
当期純利益		×××

解答への道　(仕訳の単位：千円)

1．仮払金

(租税公課)	2,250	(仮払金)	90,110
(法人税、住民税及び事業税)*	87,860		

＊　81,060千円＋9,050千円－2,250千円＝87,860千円

2．未払法人税等

(租税公課)*1	3,400	(未払法人税等)*2	126,190
(法人税、住民税及び事業税)	122,790		

＊1　5,650千円－2,250千円＝3,400千円

＊2　(193,670千円＋22,630千円)－90,110千円
＝126,190千円

3．税効果会計

(1) 貸倒引当金

(法人税等調整額)	3,936	(繰延税金資産)*1	3,936
(繰延税金資産)*2	4,612	(法人税等調整額)	4,612

＊1　9,840千円×40％＝3,936千円

＊2　11,530千円×40％＝4,612千円

(2) 賞与引当金

(法人税等調整額)	1,540	(繰延税金資産)*1	1,540
(繰延税金資産)*2	1,812	(法人税等調整額)	1,812

＊1　3,850千円×40％＝1,540千円

＊2　4,530千円×40％＝1,812千円

(3) 未払事業税

(法人税等調整額)	4,344	(繰延税金資産)*1	4,344
(繰延税金資産)*2	5,432	(法人税等調整額)	5,432

＊1　10,860千円×40％＝4,344千円

＊2　(22,630千円－9,050千円)×40％＝5,432千円

問題5－4　税効果会計(4)

解答

貸借対照表　(単位：千円)

科目	金額	科目	金額
資産の部		負債の部	
Ⅰ流動資産	(×××)	⋮	⋮
⋮	⋮	純資産の部	
Ⅱ固定資産	(×××)	⋮	⋮
3投資その他の資産	(×××)	(2) その他利益剰余金	(×××)
繰延税金資産	90,300	圧縮積立金	4,640
⋮	⋮	⋮	⋮
		Ⅱ評価・換算差額等	(×××)
		1 その他有価証券評価差額金	11,600
		⋮	⋮

法人税等調整額………　△ 63,000　千円

税効果会計に関する注記

繰延税金資産及び繰延税金負債の発生原因別の主な内訳

(単位：千円)

繰延税金資産	
将来減算一時差異	
棚卸資産	(3,360)
貸倒引当金	(8,400)
有形固定資産	(4,200)
未払事業税	(7,350)
退職給付引当金	(25,200)
役員退職慰労引当金	(52,500)
その他	(3,150)
繰延税金資産小計	(104,160)
〔評価性引当額〕	(△ 2,100)
繰延税金資産合計	(102,060)
繰延税金負債	
将来加算一時差異	
その他有価証券評価差額金	(8,400)
圧縮積立金	(3,360)
繰延税金負債合計	(11,760)
繰延税金資産の純額	(90,300)

解答への道　（仕訳の単位：千円）

1．その他有価証券

（投資有価証券）	20,000	（繰延税金負債）*1	8,400
		（その他有価証券評価差額金）*2	11,600

＊1　20,000千円×42％＝8,400千円

＊2　20,000千円－8,400千円＝11,600千円

2．圧縮積立金

（圧縮積立金）＊	1,160	（繰越利益剰余金）	1,160

＊（10,000千円－8,000千円）×（1－42％）

＝1,160千円

3．前期分

（法人税等調整額）	35,700	（繰延税金資産）	35,700

4．当期分

（繰延税金資産）＊	98,700	（法人税等調整額）	98,700

＊（8,000千円（棚卸）＋20,000千円（貸引）＋17,500千円（事業税）

＋7,500千円（その他）＋2,000千円（工具）＋（8,000千円－5,000千円）（減損損失）

＋60,000千円（退職）＋125,000千円（役退）－8,000千円（圧縮））×42％

＝98,700千円

5．財務諸表表示

(1) 損益計算書表示（法人税等調整額）

98,700千円（上記4）－35,700千円（上記3）＝63,000千円

（法人税、住民税及び事業税から減算）

(2) 貸借対照表表示（繰延税金資産）

投資その他の資産　98,700千円（上記4）－8,400千円（上記1）

＝90,300千円

6．税効果会計に関する注記

(1) 棚卸資産評価損

8,000千円×42％＝3,360千円

(2) 貸倒引当金

20,000千円×42％＝8,400千円

(3) 有形固定資産

（2,000千円（工具）＋8,000千円（減損損失））×42％＝4,200千円

(4) 未払事業税

17,500千円×42％＝7,350千円

(5) 退職給付引当金

60,000千円×42％＝25,200千円

(6) 役員退職慰労引当金

125,000千円×42％＝52,500千円

(7) その他

7,500千円×42％＝3,150千円

(8) 繰延税金資産小計

(1)＋(2)＋(3)＋(4)＋(5)＋(6)＋(7)

＝104,160千円

(9) 評価性引当額

5,000千円×42％＝2,100千円

(10) 繰延税金資産合計

(8)－(9)＝102,060千円

(11) その他有価証券評価差額金

20,000千円×42％＝8,400千円

(12) 圧縮積立金

8,000千円×42％＝3,360千円

(13) 繰延税金負債合計

(11)＋(12)＝11,760千円

(14) 繰延税金資産の純額

(10)－(13)＝90,300千円

問題5－5 税効果会計(5)

解答

(単位：千円)

貸借対照表		損益計算書		
Ⅰ流動資産	(×××)	⋮		
⋮		税引前当期純利益		
Ⅱ固定資産	(×××)	法人税、住民税及び事業税	×××	
繰延税金資産	15,300	法人税等調整額	△3,300	×××
⋮		当期純利益		×××

解答への道

(仕訳の単位：千円)

1．前期分

(法人税等調整額)	12,000	(繰延税金資産)	12,000

2．当期分

(繰延税金資産)＊	15,300	(法人税等調整額)	15,300

＊　51,000千円＜51,800千円(下記※参照)

∴51,000千円

51,000千円×30％=15,300千円

問題文に、「翌期の一時差異等加減算前課税所得の見積額に基づいて、翌期の一時差異等のスケジューリングの結果、繰延税金資産を見積る場合、当該繰延税金資産の回収可能性があるものとされる。」とあり、かつ、翌期における一時差異等加減算前課税所得が51,000千円と翌期にスケジューリングされる一時差異の解消見込額の合計額51,800千円より少ないため、翌期の一時差異等加減算前課税所得の見積額51,000千円に基づき繰延税金資産を計上することになる。

(※)翌期にスケジューリングされる一時差異の解消見込額

(単位：千円)

項　目	当期末	一時差異のうち、翌期のスケジューリング
未払事業税	3,500	(当期末残高と同額)
未払賞与	21,000	(当期末残高と同額)
貸倒引当金	12,300	(当期末残高と同額)
棚卸資産評価損	0	(当期末残高はスケジューリング不能)
退職給付引当金	15,000	15,000

第６章　外貨建取引

問題６－１　外貨建取引(1)

解答

（単位：千円）

表示科目	金額
現金及び預金	1,710
売掛金	5,149
未収金	760
短期貸付金	4,560
前渡金	2,040
長期預金	2,090
支払手形	4,845
長期借入金	11,400
社債	9,500

（単位：千円）

為替差益又は為替差損	金額
為替差益	288

解答への道　（仕訳の単位：千円）

1．外国通貨

(為替差損)＊	240	(現金及び預金)	240

＊　1,380千円－12,000ドル×95円/ドル＝240千円

2．外貨建預金

(為替差損)	322	(現金及び預金) ＊1	102
		(長期預金) ＊2	220

＊1　672千円－6,000ドル×95円/ドル＝102千円

＊2　2,310千円－22,000ドル×95円/ドル＝220千円

3．外貨建金銭債権・債務等

(1) 売掛金

(為替差損)＊	542	(売掛金)	542

＊　5,691千円－54,200ドル×95円/ドル＝542千円

(2) 未収金

(為替差損)＊	136	(未収金)	136

＊　896千円－8,000ドル×95円/ドル＝136千円

(3) 短期貸付金

(短期貸付金)	48	(為替差益)＊	48

＊　48,000ドル×95円/ドル－4,512千円＝48千円

(4) 前渡金

仕訳なし　＊

＊　前渡金は、金銭債権ではなく、商品請求権であり、取得時（発生時）の為替レートによることから換算の必要なし。

　なお、前受金も同様である。

(5) 支払手形

仕訳なし　＊

＊　4,845千円－51,000ドル×95円/ドル＝０千円

(6) 長期借入金

(長期借入金)	1,080	(為替差益)＊	1,080

＊　12,480千円－120,000ドル×95円/ドル＝1,080千円

(7) 社債

(社債)	400	(為替差益)＊	400

＊　9,900千円－100,000ドル×95円/ドル＝400千円

問題６－２　外貨建取引(2)

解答

（単位：千円）

		科目	金額	科目	金額
1．	(1)	売掛金	15,000	売上高	15,000
	(2)	売掛金	1,500	為替差益	600
				前受収益	900
	(3)	前受収益	600	為替差益	600
2．	(1)	売掛金	15,000	売上高	15,000
	(2)	売掛金	1,500	為替差益	600
				長期前受収益	900
	(3)	長期前受収益	288	為替差益	288

解答への道

1．

(1) 150,000ドル×100円/ドル＝15,000千円

　取引全体を取引発生時の直物為替レートで換算する。

第６章　外貨建取引

(2)

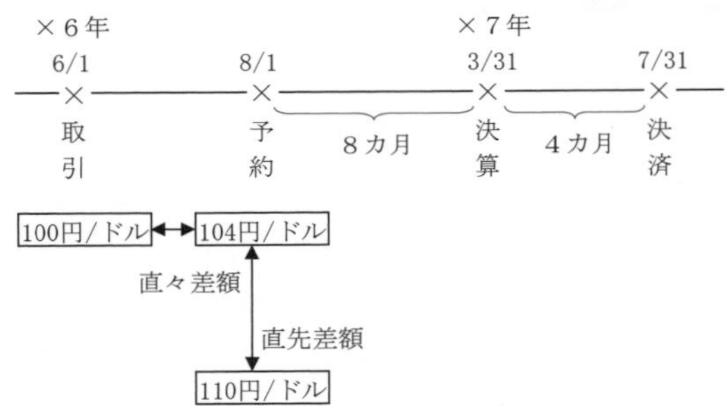

150,000ドル×（104円/ドル−100円/ドル）＝600千円

債権を予約時の直物レートで換算し、直々差額を為替差益として計上する。

150,000ドル×（110円/ドル−104円/ドル）＝900千円

債権をさらに予約レートで換算し、直先差額を前受収益として計上する。

(3) $900千円 \times \frac{8カ月}{12カ月} = 600円$（当期の為替差益）

直先差額のうち当期分を為替差益に振り替える。

2．

(1) 150,000ドル×100円/ドル＝15,000千円

取引全体を取引発生時の直物為替レートで換算する。

(2)

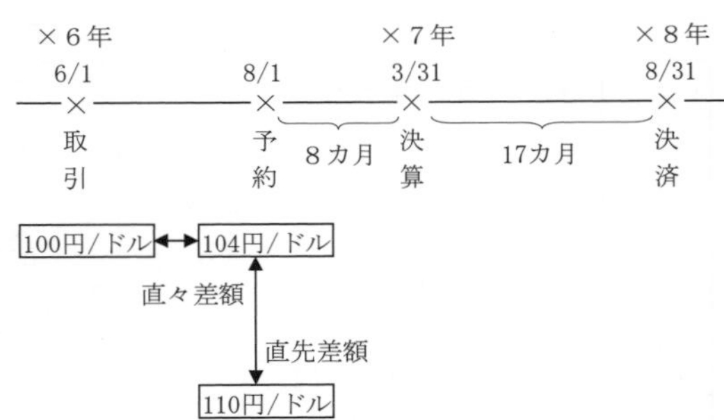

150,000ドル×（104円/ドル−100円/ドル）＝600千円

債権を予約時の直物レートで換算し、直々差額を為替差益として計上する。

150,000ドル×（110円/ドル−104円/ドル）＝900千円

債権をさらに予約レートで換算し、直先差額を長期前受収益として計上する。

(3) $900千円 \times \frac{8カ月}{25カ月} = 288円$（当期の為替差益）

直先差額のうち当期分を為替差益に振り替える。

※　為替予約については、独立処理が原則であるが、当分の間、特例として振当処理による方法が認められている（振当処理は従来の実務に対する配慮から経過措置としてその採用が認められるものである）。外貨建取引等会計処理基準によれば、振当処理では、外貨建金銭債権債務の取得時又は為替予約時による円貨額との差額（為替予約差額）のうち、予約の締結時までに生じている為替相場の変動による額（直々差額）は予約日の属する期の損益として処理し、債務（直先差額）は予約日の属する期から決済日の属する期までの期間にわたって、合理的な方法により配分し、各期の損益とすることとしており、原則として振当処理では直先差額は、期間配分することとなる。

直先差額のうち次期以降に配分する額は、貸借対照表上、長期前払費用又は長期前受収益として表示する。ただし、決済日が決算日の翌日から1年以内に到来するものは、前払費用又は前受収益として表示する。

問題6－3　外貨建取引(3)

解　答

（単位：千円）

貸借対照表		損益計算書	
Ⅰ流動資産	（×××）	Ⅳ営業外収益	
有価証券	14,850	⋮	⋮
Ⅱ固定資産	（×××）	Ⅴ営業外費用	
3投資その他の資産	（×××）	有価証券評価損	3,150
投資有価証券	25,190	為替差損	940
関係会社株式	6,600	Ⅶ特別損失	
⋮	⋮	投資有価証券評価損	24,150
		関係会社株式評価損	12,900

解答への道　（仕訳の単位：千円）

(1) A社株式（売買目的有価証券）

（有価証券） 〈流動資産〉	14,850	（有価証券）	18,000
（有価証券評価損）＊	3,150		

＊　18,000千円−135千ドル×110円/ドル＝3,150千円

(2) B社株式（その他有価証券）

（投資有価証券）	14,850	（有価証券）	39,000
（投資有価証券評価損）＊ 〈特別損失〉	24,150		

＊　39,000千円－135千ドル×110円/ドル＝24,150千円

(3) C社株式（子会社株式）

（関係会社株式）	6,600	（有価証券）	19,500
（関係会社株式評価損）＊ 〈特別損失〉	12,900		

＊　19,500千円－60千ドル×110円/ドル＝12,900千円

(4) D社社債（満期保有目的の債券）

（投資有価証券）	10,340	（有価証券）	11,280
（為替差損）＊	940		

＊　11,280千円－94千ドル×110円/ドル＝940千円

問題6－4　外貨建取引(4)

解　答

（単位：千円）

科　目	金　額	科　目	金　額
資産の部		純資産の部	
Ⅰ流動資産	(×××)	⋮	⋮
有価証券	8,100	Ⅱ評価・換算差額等	(×××)
⋮	⋮	1 その他有価証券評価差額金	1,965
Ⅱ固定資産	(×××)	摘　要	金　額
3 投資その他の資産	(×××)	Ⅳ営業外収益	
投資有価証券	34,775	有価証券評価益	95
関係会社株式	117,000	⋮	⋮
⋮	⋮		
負債の部			
Ⅰ流動負債	(×××)		
未払金	805		
Ⅱ固定負債	(×××)		
繰延税金負債	1,310		
⋮	⋮		

解答への道　（仕訳の単位：千円）

(1) 中野社株式（売買目的有価証券・帳簿に記録されている9,000株）

（有価証券）＊ 〈流動資産〉	7,290	（有価証券） 〈試算表〉	7,200
		（有価証券評価益）	90

＊　810円×9,000株＝7,290千円

(2) 中野社株式（売買目的有価証券・帳簿の記録を失念している1,000株）

（有価証券）＊	810	（未払金）	805
		（有価証券評価益）	5

＊　810円×1,000株＝810千円

(3) ワット社株式（市場価格のある外貨建その他有価証券）

（投資有価証券）＊1	11,375	（有価証券）	13,500
（繰延税金資産）＊2	850		
（その他有価証券評価差額金）＊3	1,275		

＊1　7ユーロ×12,500株＝87,500ユーロ（外貨時価）

87,500ユーロ×130円/ユーロ（決算日レート）＝11,375千円

＊2　(13,500千円－11,375千円)×40%＝850千円

＊3　(13,500千円－11,375千円)－850千円＝1,275千円

(4) ネル社株式（市場価格のない外貨建その他有価証券）

（投資有価証券）＊1	23,400	（有価証券）	18,000
		（繰延税金負債）＊2	2,160
		（その他有価証券評価差額金）＊3	3,240

＊1　18,000千円÷100円/ユーロ（発生時レート）×130円/ユーロ（決算日レート）

＝23,400千円

＊2　(23,400千円－18,000千円)×40%＝2,160千円

＊3　(23,400千円－18,000千円)－2,160千円＝3,240千円

(5) フジ社株式（関連会社株式）

（関係会社株式）	117,000	（有価証券）	117,000

第７章　分配可能額計算

問題７－１　分配可能額計算(1)

解　答

分配可能額………　225,000　千円

解答への道

＜計算過程＞

１．最終事業年度の末日の剰余金の額

105,000千円＋50,000千円＋112,500千円
その他資本剰余金　新築積立金　繰越利益剰余金

＝267,500千円

２．効力発生日までの剰余金の増減額

(1)　利益準備金の減少、繰越利益剰余金の増加
25,000千円を剰余金に加算

(2)　その他資本剰余金の配当及び準備金の積立て
55,000千円を剰余金から減算

(3)　繰越利益剰余金の減少、新築積立金の積立て
剰余金内部での計数の変動であるため、剰余金の増減なし。

(4)　(1)－(2)＝△30,000千円

３．効力発生日における剰余金の額

267,500千円－30,000千円＝237,500千円

４．分配可能額から控除すべき額

自己株式：12,500千円

５．分配可能額

237,500千円－12,500千円＝225,000千円

問題７－２　分配可能額計算(2)

解　答

分配可能額………　280,500　千円

解答への道

＜計算過程＞

１．最終事業年度の末日における剰余金の額

220,000千円　＋　275,000千円　＝495,000千円
その他資本剰余金　その他利益剰余金

２．効力発生日までの剰余金の増減額

０千円

３．効力発生日における剰余金の額

495,000千円

４．分配可能額から控除すべき額

①　自己株式：27,500千円

②　その他有価証券評価差額金（評価差損）：11,000千円

③　のれん等調整額

(ｲ)　のれん等調整額

55,000千円＋27,500千円＋836,000千円×$\frac{1}{2}$
株式交付費　開発費　のれん

＝500,500千円

(ﾛ)　資本等金額

275,000千円＋33,000千円＋16,500千円
資本金　資本準備金　利益準備金

＝324,500千円

(ﾊ)　資本等金額とその他資本剰余金の合計額

324,500千円＋220,000千円＝544,500千円
資本等金額　その他資本剰余金

(ﾆ)　(ﾛ)＜(ｲ)≦(ﾊ)

∴　500,500千円－324,500千円＝176,000千円
のれん等調整額　資本等金額

※　のれん等調整額が、資本等金額を超え、かつ、資本等金額とその他資本剰余金の合計額以下であるため、のれん等調整額から資本等金額を控除した額を分配可能額から控除する。

④　①＋②＋③＝214,500千円

５．分配可能額

495,000千円－214,500千円＝280,500千円

問題７－３　分配可能額計算(3)

解　答

分配可能額………　147,000　千円

解答への道

＜計算過程＞

１．最終事業年度の末日の剰余金の額

87,500千円＋367,500千円＝455,000千円
その他資本剰余金　その他利益剰余金

２．効力発生日までの剰余金の増減額

０千円

3．効力発生日における剰余金の額

455,000千円

4．分配可能額から控除すべき額

のれん等調整額

(イ) のれん等調整額

10,500千円（株式交付費）＋35,000千円（開業費）＋175,000千円（開発費）＋1,050,000千円（のれん）× $\frac{1}{2}$ ＝745,500千円

(ロ) のれんの２分の１の額

1,050,000千円（のれん）× $\frac{1}{2}$ ＝525,000千円

(ハ) 資本等金額

280,000千円（資本金）＋52,500千円（資本準備金）＋35,000千円（利益準備金）＝367,500千円

(ニ) 資本等金額とその他資本剰余金の合計額

367,500千円（資本等金額）＋87,500千円（その他資本剰余金）＝455,000千円

(ホ) (イ)＞(ニ)　かつ　(ロ)＞(ニ)

∴　10,500千円（株式交付費）＋35,000千円（開業費）＋175,000千円（開発費）＋87,500千円（その他資本剰余金）＝308,000千円

※　のれん等調整額が、資本等金額及びその他資本剰余金の額の合計額を超え、かつ、のれんの２分の１の額が資本等金額及びその他資本剰余金の合計額を超えているため、その他資本剰余金の額と繰延資産合計額を分配可能額から控除する。

5．分配可能額

455,000千円－308,000千円＝147,000千円

問題７－４　分配可能額計算(4)

解　答

分配可能額……… 96,600 千円

解答への道

<計算過程>

1．最終事業年度の末日の剰余金の額

112,000千円（その他資本剰余金）＋140,000千円（新築積立金）＋28,000千円（繰越利益剰余金）＝280,000千円

2．効力発生日までの剰余金の増減額

(1) 新築積立金の減少、繰越利益剰余金の増加

剰余金内部での計数の変動であるため、剰余金の増減なし。

(2) その他資本剰余金の減少、資本準備金の増加

15,400千円を剰余金から減算

(3) 自己株式の取得

剰余金の増減なし。

(4) 自己株式の消却

5,600千円を剰余金から減算。

(5) 自己株式の処分

4,200千円（処分対価）－5,600千円（帳簿価額）＝△1,400千円

1,400千円を剰余金から減算。

(6) (2)＋(4)＋(5)＝22,400千円

3．効力発生日における剰余金の額

280,000千円－22,400千円＝257,600千円

4．分配可能額から控除すべき額

① 自己株式：5,600千円＋8,400千円－5,600千円－5,600千円＝2,800千円

② その他有価証券評価差額金（評価差損）：8,400千円

③ のれん等調整額

(イ) のれん等調整額

14,000千円（開業費）＋84,000千円（開発費）＋425,600千円（のれん）× $\frac{1}{2}$ ＝310,800千円

(ロ) のれんの２分の１の額

425,600千円（のれん）× $\frac{1}{2}$ ＝212,800千円

(ハ) 資本等金額

140,000千円（資本金）＋16,800千円（資本準備金）＋ 8,400千円（利益準備金）＝165,200千円

(ニ) 資本等金額とその他資本剰余金の合計額

165,200千円（資本等金額）＋112,000千円（その他資本剰余金）＝277,200千円

(ホ) (イ)＞(ニ)　かつ　(ロ)≦(ニ)

∴　310,800千円（のれん等調整額）－165,200千円（資本等金額）＝145,600千円

※　のれん等調整額が、資本等金額及びその他資本剰余金の合計額を超え、かつ、のれんの２分の１の額が資本等金額とその他資本剰余金の合計額以下であるため、のれん等調整額から資本等金額を控除した

額を分配可能額から控除する。

④　自己株式の処分対価：4,200千円

⑤　①＋②＋③＋④＝161,000千円

5．分配可能額

257,600千円－161,000千円＝96,600千円

第８章　製造業会計

問題８－１　製造原価報告書(1)

解答

製造原価報告書

自×６年４月１日

甲株式会社　至×７年３月31日　（単位：千円）

科目	金額
Ⅰ材料費	615,000
Ⅱ労務費	148,200
Ⅲ経費	231,800
当期総製造費用	995,000
期首仕掛品たな卸高	60,000
合計	1,055,000
期末仕掛品たな卸高	81,000
当期製品製造原価	974,000

解答への道　（仕訳の単位：千円）

１．材料費

(期首材料たな卸高)	120,000	(材料)	120,000
(当期材料仕入高)	600,000	(材料仕入)	600,000
(材料)	105,000	(期末材料たな卸高)	105,000

２．仕掛品

(期首仕掛品たな卸高)	60,000	(仕掛品)	60,000
(仕掛品)	81,000	(期末仕掛品たな卸高)	81,000

３．労務費

(1) 退職給付引当金の設定

(退職給付費用)＊	25,000	(退職給付引当金)	25,000

＊　88,000千円－63,000千円＝25,000千円

(2) 賞与引当金の設定

(賞与引当金繰入額)	14,000	(賞与引当金)	14,000

(3) 労務費への振替

(労務費)	148,200	(賃金)	105,000
		(法定福利費)＊1	19,800
		(退職給付費用)＊2	15,000
		(賞与引当金繰入額)＊3	8,400

＊１　33,000千円×60％＝19,800千円

＊２　25,000千円×60％＝15,000千円

＊３　14,000千円×60％＝8,400千円

４．経費

(経費)	231,800	(減価償却費)＊1	41,400
		(修繕費)	14,000
		(電力料)＊2	48,600
		(外注加工費)	94,500
		(水道光熱費)＊3	33,300

＊１　69,000千円×60％＝41,400千円

＊２　81,000千円×60％＝48,600千円

＊３　55,500千円×60％＝33,300千円

(注)　製造原価報告書（C/R）は、製造業におけるP/Lの売上原価の内訳科目である「当期製品製造原価」の内訳明細を記載した一種の附属明細表の役割を果たすものであり、会社計算規則は特にその作成を義務づけていないが、財務諸表等規則においては、P/Lの添付書類としてその作成が義務づけられている。また、名称については、本問の場合従来より慣行的に用いられてきた「製造原価報告書」という名称を使用したが、現在では「製造原価明細書」という名称が多く用いられている。

なお、フォームについては、財務諸表等規則上は特に何らの規定も設けられていないため、実務上は企業会計審議会の旧財務諸表準則に掲げられていたC/Rの標準フォームに準じて作成するのが従来よりの慣行となっており、本問もこれによっている。なお、材料費、労務費、経費のそれぞれの内訳を示す方法も以下に示すので、参照してほしい。

《参　考》内訳明細を示す場合

製造原価報告書

自×６年４月１日

甲株式会社　至×７年３月31日　（単位：千円）

科目	金額	
Ⅰ材料費		
期首材料たな卸高	120,000	
当期材料仕入高	600,000	
合計	720,000	

期末材料たな卸高	105,000	
当期材料費		615,000
Ⅱ労務費		
賃金	105,000	
法定福利費	19,800	
退職給付費用	15,000	
賞与引当金繰入額	8,400	
当期労務費		148,200
Ⅲ経費		
減価償却費	41,400	
修繕費	14,000	
電力料	48,600	
外注加工費	94,500	
水道光熱費	33,300	
当期経費		231,800
当期総製造費用		995,000
期首仕掛品たな卸高		60,000
合計		1,055,000
期末仕掛品たな卸高		81,000
当期製品製造原価		974,000

問題8－2　製造原価報告書(2)

解答

製造原価報告書

自×6年2月1日

乙株式会社　至×7年1月31日　(単位：千円)

科目	金額	
Ⅰ材料費		
期首材料たな卸高	29,400	
当期材料仕入高	514,000	
合計	543,400	
期末材料たな卸高	48,000	
当期材料費		495,400
Ⅱ労務費		
賃金	140,000	
給料手当	63,000	
法定福利費	15,400	
当期労務費		218,400
Ⅲ経費		
電力料	15,820	
賃借料	49,000	
工場修繕費	17,680	
減価償却費	59,500	
特許権償却	3,000	
外注加工費	126,000	
材料評価損	400	
当期経費		271,400
当期総製造費用		985,200
期首仕掛品たな卸高		71,500
合計		1,056,700
期末仕掛品たな卸高		84,300
当期製品製造原価		972,400

損益計算書

自×6年2月1日

乙株式会社　至×7年1月31日　(単位：千円)

摘要	金額	
Ⅰ売上高		1,408,330
Ⅱ売上原価		
期首製品たな卸高	75,450	
当期製品製造原価	972,400	
合計	1,047,850	
期末製品たな卸高	76,400	971,450
売上総利益		436,880
Ⅲ販売費及び一般管理費		
給料手当	27,000	
法定福利費	6,600	
賃借料	98,000	
電力料	6,780	
減価償却費	25,500	163,880
営業利益		273,000

重要な会計方針に係る事項に関する注記

(1) 材料は総平均法による原価法（収益性の低下による簿価切下げの方法）により評価している。また、仕掛品及び製品は総平均法による原価法（収益性の低下による簿価切下げの方法）により評価している。

解答への道　（仕訳の単位：千円）

1．たな卸資産

(1) 材　料

(期首材料たな卸高)	29,400	(材　　料)	29,400
(当期材料仕入高)	514,000	(材料仕入)	520,000
(仕入値引)	6,000		
(材料評価損)(C/R)	400	(期末材料たな卸高)	48,000
(材　　料)	47,600		

(2) 仕掛品

(期首仕掛品たな卸高)	71,500	(仕　掛　品)	71,500
(仕　掛　品)	84,300	(期末仕掛品たな卸高)	84,300

(3) 製　品

(期首製品たな卸高)	75,450	(製　　品)	75,450
(製　　品)	76,400	(期末製品たな卸高)	76,400

注記　たな卸資産の評価基準及び評価方法につき、重要な会計方針に係る事項に関する注記が必要である。

2．労務費

(1) 給料手当

(給料手当)(C/R) *1	63,000	(給料手当)	90,000
(給料手当)(P/L) *2	27,000		

＊1　90,000千円×70%＝63,000千円

＊2　90,000千円－63,000千円＝27,000千円

(2) 法定福利費

(法定福利費)(C/R) *1	15,400	(法定福利費)	22,000
(法定福利費)(P/L) *2	6,600		

＊1　22,000千円×70%＝15,400千円

＊2　22,000千円－15,400千円＝6,600千円

3．経　費

(1) 減価償却費

(減価償却費)(C/R) *1	59,500	(減価償却費)	85,000
(減価償却費)(P/L) *2	25,500		

＊1　85,000千円×70%＝59,500千円

＊2　85,000千円－59,500千円＝25,500千円

(2) 電力料

(電力料)(C/R) *1	15,820	(電　力　料)	22,600
(電力料)(P/L) *2	6,780		

＊1　22,600千円×70%＝15,820千円

＊2　22,600千円－15,820千円＝6,780千円

(3) 賃借料

(賃借料)(C/R) *1	49,000	(賃　借　料)	147,000
(賃借料)(P/L) *2	98,000		

＊1　147,000千円×$\frac{1}{3}$＝49,000千円

＊2　147,000千円－49,000千円＝98,000千円

問題8－3　期末仕掛品の評価(1)

解　答

	＜ケース1＞	＜ケース2＞
材料費	388,695千円	390,000千円
加工費	131,931千円	131,707千円
合　計	520,626千円	521,707千円

解答への道

＜ケース1＞　平均法

(1) 材料費

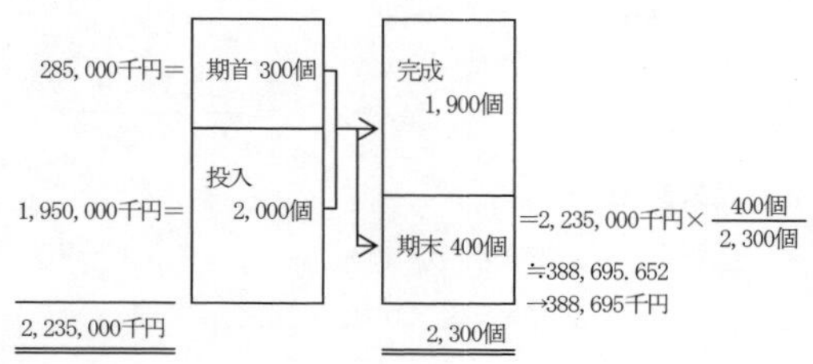

(2) 加工費

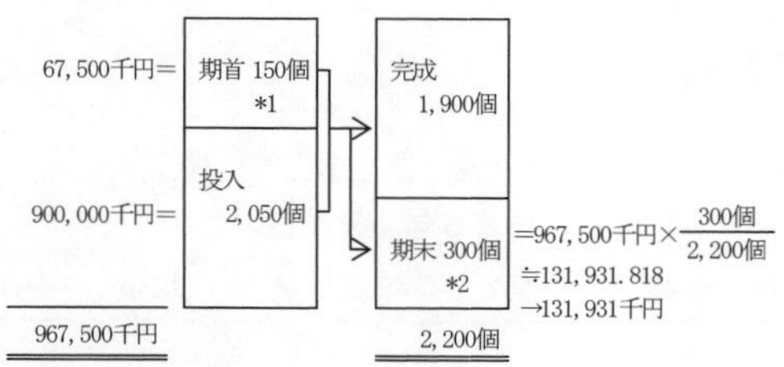

＊1　300個×50%＝150個

＊2　400個×75%＝300個

＜ケース2＞　先入先出法

(1) 材料費

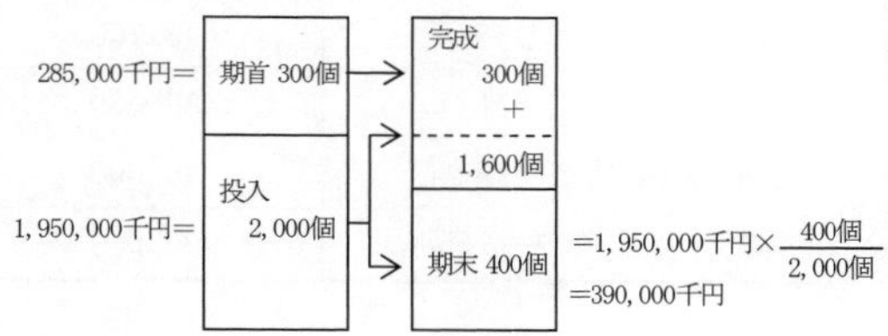

(2) 加工費

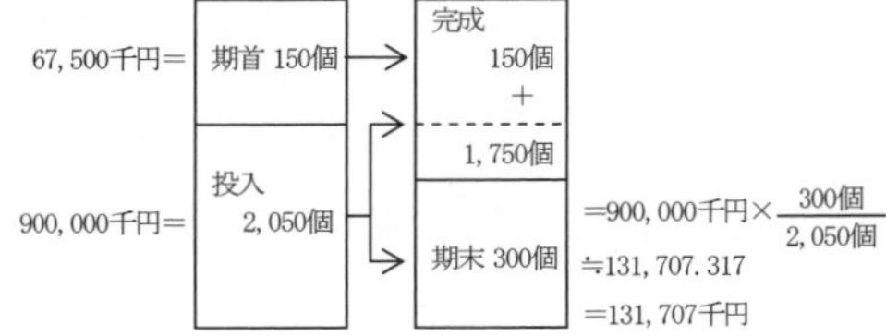

問題8－4　期末仕掛品の評価(2)

解　答

仕掛品……　9,936　千円

製　品……　14,724　千円

解答への道

1．原価率

$$原価率＝\frac{当期総製造費用＋期首仕掛品原価＋期首製品原価}{当期製品純売上高＋期末仕掛品売価＋期末製品売価}$$

$$\frac{143,360千円＋58,000千円＋86,350千円＋11,500千円＋13,450千円}{400,000千円＋17,250千円×80\%＋20,450千円}$$

$$＝\frac{312,660千円}{434,250千円}＝0.72$$

2．期末評価

(1) 仕掛品　17,250千円×80%×0.72＝9,936千円

(2) 製　品　20,450千円×0.72＝14,724千円

問題8－5　期末仕掛品の評価(3)

解　答

製造原価報告書

自×6年4月1日

甲株式会社　至×7年3月31日　(単位：千円)

科　目	金　額
Ⅰ材　料　費	201,000
Ⅱ労　務　費	92,100
Ⅲ経　費	102,200
当期総製造費用	395,300
期首仕掛品たな卸高	42,700
合　計	438,000
期末仕掛品たな卸高	48,000
当期製品製造原価	390,000

損益計算書

自×6年4月1日

甲株式会社　至×7年3月31日　(単位：千円)

摘　要	金	額
Ⅰ売　上　高		666,000
Ⅱ売　上　原　価		
期首製品たな卸高	72,000	
当期製品製造原価	390,000	
合　計	462,000	
期末製品たな卸高	36,000	426,000
売上総利益		240,000
Ⅲ販売費及び一般管理費		
減価償却費	2,700	
租税公課	4,020	
退職給付費用	2,400	
その他販売費	**128,600**	137,720
営業利益		102,280

重要な会計方針に係る事項に関する注記
(1) 材料は先入先出法による原価法（収益性の低下による簿価切下げの方法）により評価している。また、仕掛品及び製品は先入先出法による原価法（収益性の低下による簿価切下げの方法）により評価している。
(2) 有形固定資産のうち建物は定額法により、機械は定率法により減価償却している。
(3) 退職給付引当金は、期末の退職給付債務及び年金資産の見込額に基づき計上している。
(4) 修繕引当金は機械の定期修繕に備えるため、過去の実績により計上している。

解答への道　(仕訳の単位：千円)

1．材　料

(期首材料たな卸高)	7,300	(材　料)	7,300
(当期材料仕入高)	199,700	(材料仕入)	199,700
(材料減耗損)(C/R) *1	200	(期末材料たな卸高)	6,000
(材料評価損)(C/R) *2	150		
(材　料)	5,650		

＊1　6,000千円（帳簿）－5,800千円（実地）＝200千円

＊2　5,800千円（原価）－5,650千円（正味売却価額）＝150千円

2．仕掛品及び製品

(1) 仕掛品

(期首仕掛品たな卸高)	42,700	(仕　掛　品)	42,700
(仕　掛　品)	48,000	(期末仕掛品たな卸高)	48,000

① 材料費　期首7,300千円＋当期仕入199,700千円
　　　　　－期末6,000千円＝201,000千円

② 労務費　賃金76,000千円＋法定福利費6,500千円
　　　　　＋退給費9,600千円＝92,100千円

③ 経　費　経費81,020千円＋材減200千円
　　　　　＋材評150千円＋減費10,550千円
　　　　　＋福厚2,000千円＋租公5,280千円
　　　　　＋修引繰3,000千円＝102,200千円

④ 当期総製造費用　①＋②＋③＝395,300千円

※　仕掛品の数量（(　　) 内は完成品換算数量)

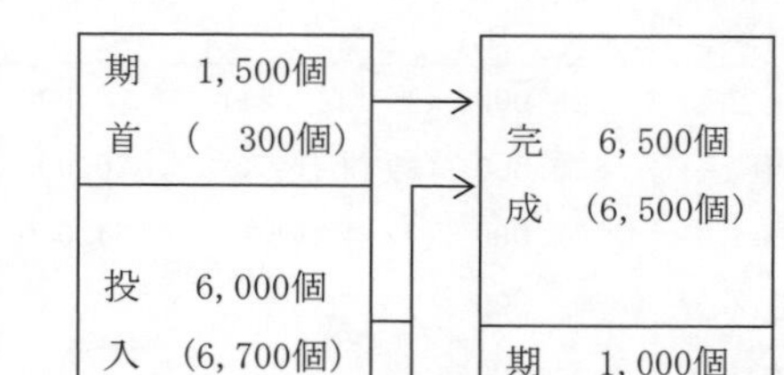

期末仕掛品原価　$201,000\text{千円} \times \dfrac{1,000\text{個}}{6,000\text{個}}$

$+ (92,100\text{千円} + 102,200\text{千円}) \times \dfrac{500\text{個}}{6,700\text{個}}$

＝48,000千円

当期製品製造原価　期首仕掛品42,700千円
　　　　　＋当期総製造費用395,300千円
　　　　　－期末仕掛品48,000千円
　　　　　＝390,000千円

(2) 製　品

(期首製品たな卸高)	72,000	(製　　品)	72,000
(製　　品)	36,000	(期末製品たな卸高)	36,000

※　製品の数量

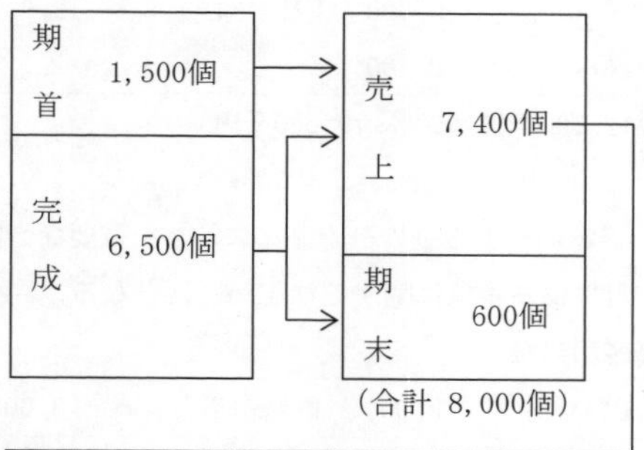

売上666,000千円÷90千円/個＝7,400個
なお、完成品数量は販売数量を求めた後、差額で求めることとなる。

期末製品たな卸高　$390,000\text{千円} \times \dfrac{600\text{個}}{6,500\text{個}}$

＝36,000千円

売上原価　期首製品72,000千円＋当期製品製造原価
　　　　　390,000千円－期末製品36,000千円
　　　　　＝426,000千円

注記　たな卸資産の評価基準及び評価方法につき、重要な会計方針に係る事項に関する注記が必要となる。

3．減価償却

(1) 建　物

(減価償却費)(C/R) *1	4,050	(減価償却累計額)	6,750
(減価償却費)(P/L) *2	2,700		

＊1　300,000千円×0.9×0.025×60％＝4,050千円

＊2　300,000千円×0.9×0.025－4,050千円＝2,700千円

(2) 機　械

(減価償却費)(C/R) *	6,500	(減価償却累計額)	6,500

＊（40,000千円－14,000千円）×0.250＝6,500千円

注記　有形固定資産の減価償却の方法につき、重要な会計方針に係る事項に関する注記が必要となる。

4．福利厚生費

(法定福利費)(C/R労務費)	6,500	(福利厚生費)	8,500
(福利厚生費)(C/R経　費)	2,000		

5．租税公課

(租税公課)(C/R) *	5,280	(租 税 公 課)	9,300
(租税公課)(P/L)	4,020		

＊　8,800千円×60％＝5,280千円

6．退職給付引当金

(退職給付費用)(C/R) *1	9,600	(退職給付引当金)	12,000
(退職給付費用)(P/L) *2	2,400		

＊1　12,000千円×80％＝9,600千円

＊2　12,000千円×20％＝2,400千円

注記　退職給付引当金の計上基準につき、重要な会計方針に係る事項に関する注記が必要となる。

7．修繕引当金

(修繕引当金繰入額)(C/R)	3,000	(修繕引当金)	3,000

注記　修繕引当金の計上基準につき、重要な会計方針に係る事項に関する注記が必要となる。

問題8－6　期末仕掛品の評価(4)

解　答

製造原価報告書　(単位：千円)

Ⅰ材料費	864,000
Ⅱ労務費	299,740
Ⅲ経費	299,810
当期総製造費用	1,463,550
期首仕掛品たな卸高	63,000
合計	1,526,550
期末仕掛品たな卸高	75,600
当期製品製造原価	1,450,950

損益計算書　(単位：千円)

Ⅰ売上高		1,858,600
Ⅱ売上原価		1,393,950
売上総利益		464,650
Ⅲ販売費及び一般管理費		213,280
営業利益		251,370
Ⅳ営業外収益		
投資不動産賃貸料	2,400	2,400
Ⅴ営業外費用		
投資建物減価償却費	1,980	1,980
経常利益		251,790

貸借対照表　(単位：千円)

Ⅰ流動資産	(×××)
売掛金	145,000
貸倒引当金	△2,900
製品	132,000
原材料	31,500
仕掛品	75,600
未収金	200
前払費用	6,000
⋮	⋮

解答への道　(仕訳の単位：千円)

1．たな卸資産

(1) 材料費

(期首材料たな卸高)	28,000	(原材料)	28,000
(当期材料仕入高)	870,000	(材料仕入)	870,000
(材料減耗損)(C/R)	2,000	(期末材料たな卸高)	34,000
(材料評価損)(C/R)	500		
(原材料)	31,500		

(2) 仕掛品

(期首仕掛品たな卸高)	63,000	(仕掛品)	63,000
(仕掛品)	75,600	(期末仕掛品たな卸高)	75,600

(3) 製品

(期首製品たな卸高)	75,000	(製品)	75,000
(製品)	132,000	(期末製品たな卸高)	132,000

① 当期材料費

期首28,000千円＋当期仕入870,000千円－期末34,000千円＝864,000千円

② 当期労務費

労務費(293,200千円＋4,000千円－3,200千円)＋賞繰入4,600千円＋退給費1,140千円＝299,740千円

③ 当期経費

経費(223,600千円＋2,470千円－2,800千円)＋材減2,000千円＋材評500千円＋減費61,540千円＋外注12,500千円＝299,810千円

④ 当期総製造費用　①＋②＋③＝1,463,550千円

⑤ 当期製品製造原価

期首63,000千円＋1,463,550千円－期末75,600千円

＝1,450,950千円

⑥ 売上原価

期首75,000千円＋1,450,950千円

－期末132,000千円＝1,393,950千円

2．売上高

(貸 倒 損 失)	2,600	(売　　上)	2,600

3．有形固定資産

(1) 建　物

① 本社建物

(減価償却費) *1	7,920	(減価償却累計額)	9,900
(投資建物減価償却費) *2	1,980		
(未　収　金)	200	(投資不動産賃貸料)	200

＊1　220,000千円×80%×0.9×$\frac{1年}{20年}$

＝7,920千円 (P/L)

＊2　220,000千円×20%×0.9×$\frac{1年}{20年}$＝1,980千円

② 工場建物

(減価償却費) *	30,600	(減価償却累計額)	30,600

＊　680,000千円×0.9×$\frac{1年}{20年}$＝30,600千円 (C/R)

(2) 機械装置

① 新規分

(減価償却費) *	3,600	(減価償却累計額)	3,600

＊　43,200千円×0.250×$\frac{4カ月}{12カ月}$＝3,600千円 (C/R)

② 従来分

(減価償却費) *	24,640	(減価償却累計額)	24,640

＊ {(150,000千円－43,200千円) －18,800千円}

×0.280＝24,640千円 (C/R)

(3) 工具・器具及び備品

(減価償却費) *	9,000	(減価償却累計額)	9,000

＊　本社分　35,000千円×0.9×$\frac{1年}{5年}$

＝6,300千円 (P/L)

工場分　15,000千円×0.9×$\frac{1年}{5年}$

＝2,700千円 (C/R)

計 9,000千円

4．外注加工費

全額製造原価 (経費) に算入する。

5．見越・繰延

(1) 労務費

(労　務　費)	4,000	(未 払 費 用)	4,000
(前 払 費 用)	3,200	(労　務　費)	3,200

(2) 経　費

(製 造 経 費)	2,470	(未 払 費 用)	2,470
(前 払 費 用)	2,800	(製 造 経 費)	2,800

6．引当金

(1) 賞与引当金

(賞与引当金繰入額) *	8,000	(賞与引当金)	8,000

＊　本社分　3,400千円 (P/L)

工場分　4,600千円 (C/R)

(2) 退職給付引当金

(退職給付費用) *	1,900	(退職給付引当金)	1,900

＊　本社分　1,900千円×40%＝　760千円 (P/L)

工場分　1,900千円×60%＝1,140千円 (C/R)

(3) 貸倒引当金

(貸倒引当金繰入額) *	2,900	(貸倒引当金)	2,900

＊　145,000千円×2%＝2,900千円

7．販売費及び一般管理費の内訳 (参考)

販売費及び一般管理費	189,400千円
貸　倒　損　失	2,600千円
減　価　償　却　費	14,220千円
賞 与 引 当 金 繰 入 額	3,400千円
退 職 給 付 費 用	760千円
貸 倒 引 当 金 繰 入 額	2,900千円
計	213,280千円

第９章　財務諸表等規則

問題９－１　債権・債務、有価証券の表示(1)

解　答

（単位：千円）

貸借対照表	
負債の部	
Ⅰ流動負債	（321,000）
支払手形	60,000
買掛金	140,000
短期借入金	76,000
預り金	4,000
株主預り金	25,000
修繕引当金	16,000
Ⅱ固定負債	（80,000）
関係会社長期借入金	50,000
役員長期借入金	30,000

（注）関係会社に対する買掛金が60,000千円ある。

解答への道

１．関係会社

甲社、乙社ともに関係会社に該当する。

２．関係会社に対する資産・負債

長期貸付金・長期借入金は、独立科目で表示し、その他の金銭債権・債務については、注記により開示する。したがって、甲社に対する長期借入金50,000千円は独立科目で表示し、乙社に対する買掛金60,000千円は注記により開示する。

３．株主・役員・従業員に対する資産・負債

独立科目で表示する。

したがって、株主からの一時的な預り金25,000千円及び役員に対する長期借入金30,000千円については、独立科目で表示する。

なお、従業員から源泉徴収した勤労所得税については、従業員に対する債務ではないことに注意を要する。国に対する債務である。

問題９－２　債権・債務、有価証券の表示(2)

解　答

〔資産の部〕　（単位：千円）

Ⅰ　流動資産

科目	金額
受取手形	40,000
売掛金	60,000
有価証券	3,650
親会社株式	700
短期貸付金	30,000
従業員短期貸付金	8,000

⋮

Ⅱ　固定資産

⋮

３．投資その他の資産

科目	金額
関係会社株式	17,500
関係会社社債	2,500
長期貸付金	10,000
関係会社長期貸付金	10,000

⋮

〔負債の部〕　（単位：千円）

Ⅰ　流動負債

科目	金額
支払手形	30,000
買掛金	70,000
預り金	2,000
株主預り金	10,000

⋮

Ⅱ　固定負債

科目	金額
長期借入金	25,000
役員長期借入金	15,000

⋮

注記	
	（注１）関係会社に対する資産
	受取手形 20,000千円 売掛金 10,000千円
	（注２）関係会社に対する買掛金が30,000千円ある。

解答への道

１．**有価証券**

Ａ社株式……有価証券 2,250千円

Ｂ社株式……関係会社株式（子会社）11,000千円

Ｃ社株式……関係会社株式（関連会社）2,000千円（実価法の適用）

Ｃ社社債……関係会社社債 2,500千円

Ｄ社株式……親会社株式 700千円

Ｅ社株式……関係会社株式(関連会社) 4,500千円

Ｆ社株式……有価証券 1,400千円

２．**債権・債務の表示**

"独立科目表示"によるものと"注記"によるものとをしっかりと整理すること。

問題９－３ キャッシュ・フロー計算書(1)

解　答

キャッシュ・フロー計算書
自 ×11年７月１日
至 ×12年６月30日 （単位：千円）

Ⅰ営業活動によるキャッシュ・フロー	
税引前当期純利益	10,620
減価償却費	（ 1,000）
貸倒引当金の減少額	－（ 20）
支払利息	（ 1,600）
社債発行費償却	（ 500）
株式交付費	（ 100）
売上債権の増加額	－（ 1,000）
有価証券評価損	（ 500）
投資有価証券評価損	700
有価証券売却損	500
小計	（14,500）
利息の支払額	－（ 1,400）
法人税等の支払額	－（10,000）
営業活動によるキャッシュ・フロー	（ 3,100）
Ⅱ（投資活動）によるキャッシュ・フロー	
有価証券の取得による支出	－（ 5,000）
有価証券の売却による収入	（ 1,100）
（投資活動）によるキャッシュ・フロー	－（ 3,900）
Ⅲ（財務活動）によるキャッシュ・フロー	
長期借入れによる収入	3,500
長期借入金の返済による支出	－（ 1,000）
株式発行による収入	（ 2,300）
（財務活動）によるキャッシュ・フロー	（ 4,800）
Ⅳ現金及び現金同等物の増加額	（ 4,000）
Ⅴ現金及び現金同等物の期首残高	（ 8,000）
Ⅵ現金及び現金同等物の期末残高	（12,000）

解答への道

１．**減価償却費**

税引前当期純利益を計算するうえで控除されているが、支出を伴わない費用であるため、キャッシュ・フローはプラスに働くこととなる。

２．**貸倒引当金の減少額**

当期末の貸倒引当金は、前期末の貸倒引当金と比較して20千円少ない。仮に前期末に計上した貸倒引当金を100千円とすると、当期で繰り入れられた貸倒引当金は80千円となる。前期に計上された貸倒引当金は、全額戻し入れられ、この戻入れは、支出を伴わない費用の戻入れであるため、その分キャッシュ・フローはマイナスに働くこととなる。

３．**支払利息** ⇒ 利息の支払額

税引前当期純利益を計算するうえで発生主義による費用が計上されているため、いったん小計欄の区分で、支払利息をプラスにしたうえで、小計欄以下で実際の支払額を「利息の支払額」としてマイナス計上する。

期首の未払利息の再振替及び期末の未払利息の計上により、支払利息の額が求められていることから、現金支払額は逆算により求めることになる。

当期末の未払利息は、前期末の未払利息と比較して200千円多い。仮に前期末に計上した未払利息を300千円とすると、当期末に計上した未払利息は500千円となる。損益計算書上の支払利息1,600千円は、この前期末の未払利息300千円の再振替と、当期の支払額及び当期末の未払利息500千円の見越計上により計算されるため、「利息の支払額」は次のようになる。

再振替	（未払利息）	300	（支払利息）	300
支　払	（支払利息）＊	1,400	（現金預金）	1,400
見越計上	（支払利息）	500	（未払利息）	500

＊　P/Lの計上金額1,600千円＋再振替仕訳300千円－経過勘定項目500千円＝1,400千円（実際支払額）

4．社債発行費償却

税引前当期純利益を計算するうえで控除されているが、支出を伴わない費用であるため、キャッシュ・フローはプラスに働くこととなる。

5．有価証券売却損　⇒　有価証券の売却による収入

税引前当期純利益を計算するうえで控除されている有価証券の売却損をいったんプラスしたうえで、「投資活動によるキャッシュ・フロー」の区分に有価証券の売却収入を「有価証券の売却による収入」として計上する。

なお、有価証券の売却収入については、次の仕訳から考える。

（有価証券売却損）＊	500	（有　価　証　券）	1,600
（現　金　預　金）	1,100		

↓

有価証券の売却収入

＊　有価証券売却損500千円は答案用紙に記載済である。

6．有価証券の取得による支出

当期末の有価証券は、前期末の有価証券と比較して2,900千円多い。当期の減少項目を逆算することにより、当期における有価証券の取得による支出額が求められることとなる。当期の減少項目は、期中売却による有価証券の簿価の減少1,600千円と評価損500千円である。算式で示すと次のようになる。

前期末の有価証券と比較した場合の増加額2,900千円＋期中売却による有価証券の簿価の減少1,600千円＋評価損500千円＝5,000千円（当期有価証券の取得に際して支払った額）

7．売上債権の増加額

期首と期末の売掛金（売上債権）を比較して、期末が増えている場合には、その分未回収の現金が増加したと考え、キャッシュ・フローはマイナスに働く。

8．小計の金額の意味

小計の金額は税引前当期純利益をスタートして、営業損益計算以外の損益を控除し、発生主義による営業損益を調整することにより求められる。このことから小計の金額は営業活動から生じたキャッシュの有高を示すことになる。

9．法人税等の支払額

法人税等の支払額は以下のように法人税、住民税及び事業税に未払法人税等の減少額を加算することにより求められ、キャッシュ・フローは小計欄以下でマイナスに働く。

当期末の未払法人税等は、前期末の未払法人税等と比較して1,000千円少ない。仮に前期末に計上した未払法人税等を3,000千円とすると、当期末に計上した未払法人税等は2,000千円となる。損益計算書上の法人税、住民税及び事業税9,000千円は、この前期末の未払法人税等3,000千円と、当期の支払額及び当期末の未払法人税等2,000千円により計算されるため、「法人税等の支払額」は次のようになる。

確定申告	（未払法人税等）	3,000	（現　金　預　金）	3,000
中間納付	（法人税、住民税及び事業税）＊	7,000	（現　金　預　金）	7,000
未払計上	（法人税、住民税及び事業税）	2,000	（未払法人税等）	2,000

＊　P/Lの計上金額9,000千円＋確定納付分3,000千円－未払計上分2,000千円＝10,000千円（実際支払額）
10,000千円－3,000千円＝7,000千円

10．長期借入れによる収入、長期借入金の返済による支出

「財務活動によるキャッシュ・フロー」の区分で、当期の実際の受払額を計上する。

11．株式発行による収入

新株の発行による資金調達の実質手取額は、発行価額から、株式交付費を控除した額である。

したがって、株式交付費に重要性がある場合は、「キャッシュ・フロー計算書」上、実質手取額によって表示する。

問題9－4　キャッシュ・フロー計算書(2)

解　答

現金及び現金同等物期末残高

539,320　千円

解答への道　（仕訳の単位：千円）

1　現金預金に関する事項

(1) 営業所の期末手元現金

(現金預金)	760	(仮　払　金)	760

(2) 当座預金

① A社に対する小切手（未取付小切手）

未取付小切手は、銀行側の修正事項であるため、当社においては処理は不要である。

② B社に対する小切手（未渡小切手）

(現金預金)	1,400	(未　払　金)＊	1,400

＊　固定資産の購入代金の支払のために振り出したものであるため、未払金として処理する。

(3) 普通預金

(為替差損)＊	1,000	(現金預金)	1,000

＊　21,000千円（帳簿価額）－200千ドル×100円／ドル（＝20,000千円）（貸借対照表価額）＝1,000千円（差損）

(4) 定期預金

① ×19年10月末預入分

満期日が翌期であるため、1年基準を適用して流動項目として取扱う。

② ×19年1月末預入分

満期日が翌期であるため、1年基準を適用して流動項目として取扱う。

③ ×20年3月末預入分

満期日が翌期であるため、1年基準を適用して流動項目として取扱う。

④ ×19年6月末預入分

(長期預金)＊	40,000	(現金預金)	40,000

＊　満期日が翌々期以降であるため、1年基準を適用して固定項目として取扱う。

2　有価証券に関する事項

公社債投資信託（預金と同様の性格）

(有価証券)＊ <流動資産>	30,000	(有価証券)	30,000

＊　問題文に「預金と同様の性格」とあるため、「有価証券」として流動資産に表示する。

3　現金及び現金同等物期末残高の金額

709,320千円（B/Sの現金預金）
△　120,000千円（×19年10月末預入定期預金）
△　80,000千円（×19年1月末預入定期預金）
＋　30,000千円（公社債投資信託）

539,320千円（現金及び現金同等物期末残高）

※　現金及び現金同等物の範囲について

「連結キャッシュ・フロー計算書等の作成基準の設定に関する意見書　三　2」において、現金及び現金同等物の範囲を次のように説明している。

『キャッシュ・フロー計算書』では、対象とする資金の範囲を現金（手許現金及び要求払預金）及び現金同等物とし、現金同等物は、「容易に換金可能であり、かつ、価値の変動について僅少なリスクしか負わない短期投資」であるとして、価格変動リスクの高い株式等は資金の範囲から除くこととしている。

なお、現金同等物に具体的に何を含めるかについては経営者の判断に委ねることが適当と考えられるが、『キャッシュ・フロー計算書』の比較可能性を考慮して、取得日から3カ月以内に満期日又は償還日が到来する短期的な投資を、一般的な例として示している。

問題9－5　連結財務諸表

解　答

科　目	金　額
①のれん	12,285千円
②買掛金	88,500千円
③資本金	225,000千円
④売上高	820,000千円
⑤売上原価	604,050千円

解答への道　（仕訳の単位：千円）

1　仙台商会が保有する土地の時価評価

(土　　地)＊	2,250	(評価差額)	2,250

＊　23,250千円（×29年3月31日時価）－21,000千円（簿価）＝2,250千円

土地の時価評価は支配獲得時のれんの金額を算定

第9章　財務諸表等規則

することを目的として行うため、支配獲得時（×29年３月31日）にのみ時価評価を行う。

2　開始仕訳（投資と資本の相殺）

(資　本　金)＊1	50,000	(関係会社株式)	174,150
(利益剰余金)＊1	108,250		
(評 価 差 額)＊2	2,250		
(の　れ　ん)＊3	13,650		

＊１　支配獲得時（×29年３月31日）の金額

＊２　上記１より

＊３　$\underset{\text{関係会社株式}}{\underline{174,150\text{千円}}} - (\underset{\text{資本金}}{\underline{50,000\text{千円}}} + \underset{\text{利益剰余金}}{\underline{108,250\text{千円}}} + \underset{\text{評価差額}}{\underline{2,250\text{千円}}}) = 13,650\text{千円}$

3　資本連結（のれんの償却）

(のれん償却額)＊	1,365	(の　れ　ん)	1,365

＊　$13,650\text{千円} \times \dfrac{1\text{年}}{10\text{年}} = 1,365\text{千円}$

4　成果連結

(1) 商品仕入の未達

(商　　　品)＊	2,250	(買　掛　金)	2,250

＊　商品仕入の未達は未販売の商品となるため、商品に計上する。

(2) 親会社・子会社間の債権と債務の相殺消去

(買　掛　金)	6,000	(売　掛　金)＊	6,000

＊　子会社の仙台商会における商品仕入の未達分は親会社の宮城商事では掛売上を計上済みであるため、当該売上に関する売掛金は宮城商事の個別貸借対照表の売掛金に含まれていることとなる。

(3) 親会社・子会社間の取引の相殺消去

(売　上　高)＊	67,500	(売 上 原 価)	67,500

＊　子会社の仙台商会における商品仕入の未達分は親会社の宮城商事では掛売上を計上済みであるため、当該売上に関する売上高は宮城商事の個別損益計算書の売上高に含まれていることとなる。

(4) 未実現損益の調整

(売 上 原 価)	1,050	(商　　　品)＊	1,050

＊　$(3,000\text{千円} + \underset{\text{未達分}}{\underline{2,250\text{千円}}}) \times (1 - 80\%) = 1,050\text{千円}$

(注) 子会社の仙台商会の商品には商品仕入の未達分が含まれていないため、未達分を加算する。

5　連結貸借対照表

(1) のれん

$\underset{\text{開始仕訳}}{\underline{13,650\text{千円}}} - \underset{\text{償却}}{\underline{1,365\text{千円}}} = 12,285\text{千円}$

(2) 買掛金

$(\underset{\text{宮城商事}}{\underline{70,500\text{千円}}} + \underset{\text{仙台商会}}{\underline{21,750\text{千円}}}) + \underset{\text{未達}}{\underline{2,250\text{千円}}} - \underset{\text{相殺消去}}{\underline{6,000\text{千円}}} = 88,500\text{千円}$

(3) 資本金

$(\underset{\text{宮城商事}}{\underline{225,000\text{千円}}} + \underset{\text{仙台商会}}{\underline{50,000\text{千円}}}) - \underset{\text{開始仕訳}}{\underline{50,000\text{千円}}} = 225,000\text{千円}$

6　連結損益計算書

(1) 売上高

$(\underset{\text{宮城商事}}{\underline{685,000\text{千円}}} + \underset{\text{仙台商会}}{\underline{202,500\text{千円}}}) - \underset{\text{相殺消去}}{\underline{67,500\text{千円}}} = 820,000\text{千円}$

(2) 売上原価

$(\underset{\text{宮城商事}}{\underline{513,000\text{千円}}} + \underset{\text{仙台商会}}{\underline{157,500\text{千円}}}) - \underset{\text{相殺消去}}{\underline{67,500\text{千円}}} + \underset{\text{未実現損益}}{\underline{1,050\text{千円}}} = 604,050\text{千円}$

第10章　収益認識基準

問題10－1　収益認識基準(1)

解　答

（単位：千円）

貸借対照表		損益計算書		
Ⅰ流動資産	（×××）	⋮		
現金及び預金	15,000	Ⅰ売上高		
⋮		⋮		
Ⅰ流動負債	（×××）	手数料収入	6,000	
買掛金	9,000	⋮		
⋮		⋮		

解答への道　（仕訳の単位：千円）

1．科目の振替

(1) 消化仕入契約

① 当社が行った仕訳

(現金及び預金)	15,000	(買　掛　金)	9,000
		(仮　受　金)	6,000

② 本来行うべき仕訳

(現金及び預金)	15,000	(買　掛　金)	9,000
		(手数料収入)	6,000

※　一般的に消化仕入とは、百貨店などにみられる取引形態をいい、テナント（百貨店からみると仕入先に該当）が顧客に商品を販売したときに、帳簿上、売上高と仕入高を同時に計上する取引のことを指す。

「収益認識に関する会計基準の適用指針」では以下のように規定しているため、当社が代理人に該当し自らの履行義務が、商品が提供されることを手配することであれば、売上と仕入を認識せずにその純額を認識することになる。

> 40．顧客への財又はサービスの提供に他の当事者が関与している場合において、顧客との約束が当該財又はサービスを当該他の当事者によって提供されるように企業が手配する履行義務であると判断され、企業が代理人に該当するときには、他の当事者により提供されるように手配することと交換に企業が権利を得ると見込む報酬又は手数料の金額（あるいは他の当事者が提供する財又はサービスと交換に受け取る額から当該他の当事者に支払う額を控除した純額）を収益として認識する。

③ 修正仕訳

(仮　受　金)	6,000	(手数料収入)	6,000

問題10－2　収益認識基準(2)

解　答

1　商品の販売時の仕訳

（単位：千円）

借方科目	金　額	貸方科目	金　額
現金及び預金	50,000	売上高	45,620
		契約負債	4,380

2　決算時の仕訳

（単位：千円）

借方科目	金　額	貸方科目	金　額
契約負債	2,099	売上高	2,099

解答への道　（仕訳の単位：千円）

1　商品の販売時の仕訳

(現金及び預金)	50,000	(売　上　高)*	45,620
		(契約負債)*	4,380

＊　取引価格50,000千円を商品とポイントに独立販売

価格の比率で次のとおり配分する。

商品:50, 000千円×

$$\frac{\text{商品の独立販売価格50,000千円}}{\text{独立販売価格合計（50,000千円＋4,800千円）}}$$

＝45, 620千円（千円未満四捨五入）

ポイント:50, 000千円×

$$\frac{\text{ポイントの独立販売価格4,800千円}}{\text{独立販売価格合計（50,000千円＋4,800千円）}}$$

＝4, 380千円（千円未満四捨五入）

2　決算時の仕訳

(契約負債)	2, 099	(売　上　高)＊	2, 099

＊　4, 380千円×

$$\frac{\times\text{1年度に使用されたポイント2,300P}}{\text{使用されると見込むポイント総数4,800P}}$$

＝2, 099千円（千円未満四捨五入）

税理士受験シリーズ

2025年度版　5　財務諸表論　個別計算問題集

（昭和60年度版　1985年1月10日　初版 第1刷発行）

2024年8月22日　初　版　第1刷発行

編 著 者　ＴＡＣ株式会社
（税理士講座）

発 行 者　多　田　敏　男

発 行 所　ＴＡＣ株式会社　出版事業部
（ＴＡＣ出版）

〒101-8383
東京都千代田区神田三崎町3-2-18
電話 03 (5276) 9492 (営業)
FAX 03 (5276) 9674
https://shuppan.tac-school.co.jp

印　　刷　株式会社 ワ　コ　ー

製　　本　株式会社 常　川　製　本

ISBN 978-4-300-11305-9
N.D.C. 336

乱丁・落丁による交換、および正誤のお問合せ対応は、該当書籍の改訂版刊行月末日までといたします。なお、交換につきましては、書籍の在庫状況等により、お受けできない場合もございます。
また、各種本試験の実施の延期、中止を理由とした本書の返品はお受けいたしません。返金もいたしかねますので、あらかじめご了承くださいますようお願い申し上げます。

「税理士」の扉を開くカギ

それは、合格できる教育機関を決めること!

あなたが教育機関を決める最大の決め手は何ですか?
通いやすさ、受講料、評判、規模、いろいろと検討事項はありますが、一番の決め手となること、それは「合格できるか」です。
TACは、税理士講座開講以来今日までの40年以上、「受講生を合格に導く」ことを常に考え続けてきました。そして、「最小の努力で最大の効果を発揮する、良質なコンテンツの提供」をもって多数の合格者を輩出し、今も厚い信頼と支持をいただいております。

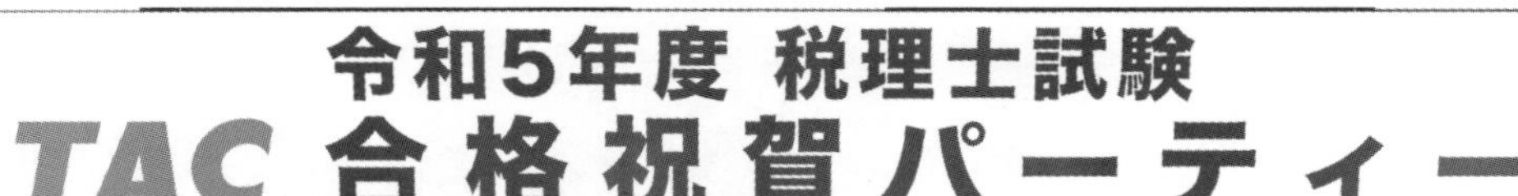

東京会場　ホテルニューオータニ

合格者から「喜びの声」を多数お寄せいただいています。

https://www.tac-school.co.jp/kouza_zeiri/zeiri_jisseki.html

2025年合格目標コース

反復学習でインプット強化！ & 豊富な演習量で実践力強化！

対象者：初学者／次の科目の学習に進む方

2024年 9月 10月 11月 12月 / 2025年 1月 2月 3月 4月 5月 6月 7月 8月（税理士試験）

9月入学 基礎マスター＋上級コース（簿記・財表・相続・消費・酒税・固定・事業・国徴）
3回転学習！年内はインプットを強化、年明けは演習機会を増やして実践力を鍛える！
※簿記・財表は5月・7月・8月・10月入学コースもご用意しています。

9月入学 ベーシックコース（法人・所得）
2回転学習！週2ペース、8ヵ月かけてインプットを鍛える！

9月入学 年内完結＋上級コース（法人・所得）
3回転学習！年内はインプットを強化、年明けは演習機会を増やして実践力を鍛える！

12月・1月入学 速修コース（全11科目）
7ヵ月～8ヵ月間で合格レベルまで仕上げる！

3月入学 速修コース（消費・酒税・固定・国徴）
短期集中で税法合格を目指す！

対象者：受験経験者（受験した科目を再度学習する場合）

2024年 9月 10月 11月 12月 / 2025年 1月 2月 3月 4月 5月 6月 7月 8月（税理士試験）

9月入学 年内上級講義＋上級コース（簿記・財表）
年内に基礎・応用項目の再確認を行い、実力を引き上げる！

9月入学 年内上級演習＋上級コース（法人・所得・相続・消費）
年内から問題演習に取り組み、本試験時の実力維持・向上を図る！

12月入学 上級コース（全10科目）
※住民税の開講はございません
講義と演習を交互に実施し、答案作成力を養成！

※2024年7月12日時点の情報です。最新の情報は、TAC税理士講座ホームページをご確認ください。

税理士講座のご案内

チャレンジコース

受験経験者・独学生待望のコース!

4月上旬開講!

開講科目	簿記・財表・法人 所得・相続・消費

基礎知識の底上げ  **徹底した本試験対策**

チャレンジ講義 ＋ チャレンジ演習 ＋ 直前対策講座 ＋ 全国公開模試

受験経験者・独学生向けカリキュラムが一つのコースに!

※チャレンジコースには直前対策講座(全国公開模試含む)が含まれています。

直前対策講座

5月上旬開講!

本試験突破の最終仕上げ!

学習メディア	教室講座・ビデオブース講座 Web通信講座・DVD通信講座・資料通信講座

＼ 全11科目対応 ／

開講科目	簿記・財表・法人・所得・相続・消費 酒税・固定・事業・住民・国徴

直前期に必要な対策が
すべて揃っています!

- 徹底分析!「試験委員対策」
- 即時対応!「税制改正」
- 毎年的中!「予想答練」

※直前対策講座には全国公開模試が含まれています。

チャレンジコース・直前対策講座ともに詳しくは2月下旬発刊予定の
「チャレンジコース・直前対策講座パンフレット」をご覧ください。

資料請求は こちらから!!

詳しい資料をお送りいたします。
右記電話番号もしくはTACホームページ
(https://www.tac-school.co.jp/)にてご請求ください。

通話無料 0120-509-117（ゴウカク イイナ）
受付時間 10:00〜19:00(月〜金) 10:00〜17:00(土・日・祝)
※営業時間短縮の場合がございます。詳細はHPでご確認ください。

全国公開模試

6月中旬実施!

全11科目実施

TACの模試はここがスゴイ!

1 信頼の母集団

2023年の受験者数は、会場受験・自宅受験合わせて10,316名！この大きな母集団を分母とした正確な成績（順位）を把握できます。

信頼できる実力判定

10,316名が受験!

※11科目延べ人数

2 本試験を擬似体験

全国の会場で緊迫した雰囲気の中「真の実力」が発揮できるかチャレンジ!

3 個人成績表

現時点での全国順位を確認するとともに「講評」等を通じて本試験までの学習の方向性が定まります。

4 充実のアフターフォロー

解説Web講義を無料配信。また、質問電話による疑問点の解消も可能です。

※TACの受講生はカリキュラム内に全国公開模試の受験料が含まれています（一部期別申込を除く）。

直前オプション講座

6月中旬〜8月上旬実施!

最後まで油断しない! ここからのプラス5点!

【重要理論確認ゼミ】
〜理論問題の解答作成力UP!〜

【ファイナルチェック】
〜確実な5点UPを目指す!〜

【最終アシストゼミ】
〜本試験直前の総仕上げ!〜

全国公開模試および直前オプション講座の詳細は4月中旬発刊予定の
「全国公開模試パンフレット」「直前オプション講座パンフレット」をご覧ください。

TAC出版 書籍のご案内

TAC出版では、資格の学校TAC各講座の定評ある執筆陣による資格試験の参考書をはじめ、資格取得者の開業法や仕事術、実務書、ビジネス書、一般書などを発行しています！

TAC出版の書籍

＊一部書籍は、早稲田経営出版のブランドにて刊行しております。

資格・検定試験の受験対策書籍

- 日商簿記検定
- 建設業経理士
- 全経簿記上級
- 税　理　士
- 公認会計士
- 社会保険労務士
- 中小企業診断士
- 証券アナリスト
- ファイナンシャルプランナー(FP)
- 証券外務員
- 貸金業務取扱主任者
- 不動産鑑定士
- 宅地建物取引士
- 賃貸不動産経営管理士
- マンション管理士
- 管理業務主任者
- 司法書士
- 行政書士
- 司法試験
- 弁理士
- 公務員試験(大卒程度・高卒者)
- 情報処理試験
- 介護福祉士
- ケアマネジャー
- 電験三種　ほか

実務書・ビジネス書

- 会計実務、税法、税務、経理
- 総務、労務、人事
- ビジネススキル、マナー、就職、自己啓発
- 資格取得者の開業法、仕事術、営業術

一般書・エンタメ書

- ファッション
- エッセイ、レシピ
- スポーツ
- 旅行ガイド（おとな旅プレミアム/旅コン）

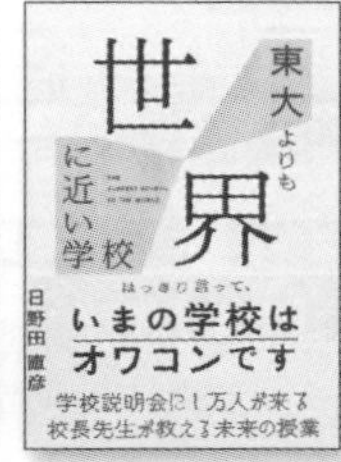

TAC出版

(2024年2月現在)

書籍のご購入は

1 全国の書店、大学生協、ネット書店で

2 TAC各校の書籍コーナーで

資格の学校TACの校舎は全国に展開!
校舎のご確認はホームページにて

資格の学校TAC ホームページ
https://www.tac-school.co.jp

3 TAC出版書籍販売サイトで

CYBER BOOK STORE TAC出版書籍販売サイト

24時間
ご注文
受付中

https://bookstore.tac-school.co.jp/

新刊情報を
いち早くチェック!

たっぷり読める
立ち読み機能

学習お役立ちの
特設ページも充実!

TAC出版書籍販売サイト「サイバーブックストア」では、TAC出版および早稲田経営出版から刊行されている、すべての最新書籍をお取り扱いしています。
また、会員登録(無料)をしていただくことで、会員様限定キャンペーンのほか、送料無料サービス、メールマガジン配信サービス、マイページのご利用など、うれしい特典がたくさん受けられます。

サイバーブックストア会員は、特典がいっぱい!(一部抜粋)

通常、1万円(税込)未満のご注文につきましては、送料・手数料として500円(全国一律・税込)頂戴しておりますが、1冊から無料となります。

専用の「マイページ」は、「購入履歴・配送状況の確認」のほか、「ほしいものリスト」や「マイフォルダ」など、便利な機能が満載です。

メールマガジンでは、キャンペーンやおすすめ書籍、新刊情報のほか、「電子ブック版TACNEWS(ダイジェスト版)」をお届けします。

書籍の発売を、販売開始当日にメールにてお知らせします。これなら買い忘れの心配もありません。

2025年度版 税理士試験対策書籍のご案内

みんなが欲しかった!
TAC税理士講座 編
第7版
税理士 財務諸表論
計算問題の解き方
これで本試験も怖くない!
現役講師の㊙テクニックを完全公開

TAC出版では、独学用、およびスクール学習の副教材として、各種対策書籍を取り揃えています。学習の各段階に対応していますので、あなたのステップに応じて、合格に向けてご活用ください!

（刊行内容、発行月、装丁等は変更することがあります）

●2025年度版 税理士受験シリーズ

「税理士試験において長い実績を誇るTAC。このTACが長年培ってきた合格ノウハウを“TAC方式”としてまとめたのがこの「税理士受験シリーズ」です。近年の豊富なデータをもとに傾向を分析、科目ごとに最適な内容としているので、トレーニング演習に欠かせないアイテムです。」

簿記論

No.	科目	書名	発行月
01	簿記論	個別計算問題集	（8月）
02	簿記論	総合計算問題集 基礎編	（9月）
03	簿記論	総合計算問題集 応用編	（11月）
04	簿記論	過去問題集	（12月）
	簿記論	完全無欠の総まとめ	（11月）

財務諸表論

No.	科目	書名	発行月
05	財務諸表論	個別計算問題集	（8月）
06	財務諸表論	総合計算問題集 基礎編	（9月）
07	財務諸表論	総合計算問題集 応用編	（12月）
08	財務諸表論	理論問題集 基礎編	（9月）
09	財務諸表論	理論問題集 応用編	（12月）
10	財務諸表論	過去問題集	（12月）
33	財務諸表論	重要会計基準	（8月）
	※財務諸表論	重要会計基準 暗記音声	（8月）
	財務諸表論	完全無欠の総まとめ	（11月）

法人税法

No.	科目	書名	発行月
11	法人税法	個別計算問題集	（11月）
12	法人税法	総合計算問題集 基礎編	（10月）
13	法人税法	総合計算問題集 応用編	（12月）
14	法人税法	過去問題集	（12月）
34	法人税法	理論マスター	（8月）
	※法人税法	理論マスター 暗記音声	（9月）
35	法人税法	理論ドクター	（12月）
	法人税法	完全無欠の総まとめ	（12月）

所得税法

No.	科目	書名	発行月
15	所得税法	個別計算問題集	（9月）
16	所得税法	総合計算問題集 基礎編	（10月）
17	所得税法	総合計算問題集 応用編	（12月）
18	所得税法	過去問題集	（12月）
36	所得税法	理論マスター	（8月）
	※所得税法	理論マスター 暗記音声	（9月）
37	所得税法	理論ドクター	（12月）

相続税法

No.	科目	書名	発行月
19	相続税法	個別計算問題集	（9月）
20	相続税法	財産評価問題集	（9月）
21	相続税法	総合計算問題集 基礎編	（9月）
22	相続税法	総合計算問題集 応用編	（12月）
23	相続税法	過去問題集	（12月）
38	相続税法	理論マスター	（8月）
	※相続税法	理論マスター 暗記音声	（9月）
39	相続税法	理論ドクター	（12月）

酒税法

No.	科目	書名	発行月
24	酒税法	計算問題+過去問題集	（2月）
40	酒税法	理論マスター	（8月）

書籍の正誤に関するご確認とお問合せについて

書籍の記載内容に誤りではないかと思われる箇所がございましたら、以下の手順にてご確認とお問合せをしてくださいますよう、お願い申し上げます。
なお、正誤のお問合せ以外の**書籍内容に関する解説および受験指導などは、一切行っておりません。**
そのようなお問合せにつきましては、お答えいたしかねますので、あらかじめご了承ください。

1 「Cyber Book Store」にて正誤表を確認する

TAC出版書籍販売サイト「Cyber Book Store」の
トップページ内「正誤表」コーナーにて、正誤表をご確認ください。

CYBER BOOK STORE TAC出版書籍販売サイト

URL:https://bookstore.tac-school.co.jp/

2 1の正誤表がない、あるいは正誤表に該当箇所の記載がない ⇒ 下記①、②のどちらかの方法で文書にて問合せをする

★ご注意ください★

お電話でのお問合せは、お受けいたしません。
①、②のどちらの方法でも、お問合せの際には、「お名前」とともに、
「対象の書籍名(○級・第○回対策も含む)およびその版数(第○版・○○年度版など)」
「お問合せ該当箇所の頁数と行数」
「誤りと思われる記載」
「正しいとお考えになる記載とその根拠」
を明記してください。
なお、回答までに1週間前後を要する場合もございます。あらかじめご了承ください。

① ウェブページ「Cyber Book Store」内の「お問合せフォーム」より問合せをする

【お問合せフォームアドレス】

https://bookstore.tac-school.co.jp/inquiry/

② メールにより問合せをする

【メール宛先 TAC出版】

syuppan-h@tac-school.co.jp

※土日祝日はお問合せ対応をおこなっておりません。
※正誤のお問合せ対応は、該当書籍の改訂版刊行月末日までといたします。

乱丁・落丁による交換は、該当書籍の改訂版刊行月末日までといたします。なお、書籍の在庫状況等により、お受けできない場合もございます。
また、各種本試験の実施の延期、中止を理由とした本書の返品はお受けいたしません。返金もいたしかねますので、あらかじめご了承くださいますようお願い申し上げます。

TACにおける個人情報の取り扱いについて
■お預かりした個人情報は、TAC(株)で管理させていただき、お問合せへの対応、当社の記録保管にのみ利用いたします。お客様の同意なしに業務委託先以外の第三者に開示、提供することはございません(法令等により開示を求められた場合を除く)。その他、個人情報保護管理者、お預かりした個人情報の開示等及びTAC(株)への個人情報の提供の任意性については、当社ホームページ(https://www.tac-school.co.jp)をご覧いただくか、個人情報に関するお問い合わせ窓口(E-mail:privacy@tac-school.co.jp)までお問合せください。

(2022年7月現在)

答案用紙の使い方

この冊子には、答案用紙がとじ込まれています。下記を参照してご利用ください。

STEP1

一番外側の色紙（本紙）を残して、答案用紙の冊子を取り外してください。

STEP2

取り外した冊子の真ん中にあるホチキスの針は取り外さず、冊子のままご利用ください。

- 作業中のケガには十分お気をつけください。
- 取り外しの際の損傷についてのお取り替えはご遠慮願います。

答案用紙はダウンロードもご利用いただけます。
TAC出版書籍販売サイト、サイバーブックストアにアクセスしてください。

TAC出版 検索

税理士受験シリーズ❺

財務諸表論　個別計算問題集

別冊答案用紙

目　次

第１章　資産会計…………………………………………………… 1

第２章　負債会計…………………………………………………… 37

第３章　純資産会計………………………………………………… 43

第４章　税　金……………………………………………………… 53

第５章　税効果会計………………………………………………… 56

第６章　外貨建取引………………………………………………… 60

第７章　分配可能額計算…………………………………………… 62

第８章　製造業会計………………………………………………… 63

第９章　財務諸表等規則…………………………………………… 68

第10章　収益認識基準……………………………………………… 72

第１章　資産会計

問題１－１　現金及び預金(1)

貸借対照表

Ｓ株式会社　　×６年３月31日　　(単位：千円)

科　　目	金　　額	科　　目	金　　額
資　産　の　部		負　債　の　部	
Ⅰ流　動　資　産	(×××)	Ⅰ流　動　負　債	(×××)
		⋮	⋮

問題１－２　現金及び預金(2)

貸借対照表

Ｋ株式会社　　×６年３月31日　　(単位：千円)

科　　目	金　　額	科　　目	金　　額
資　産　の　部		負　債　の　部	
Ⅰ流　動　資　産	(×××)	Ⅰ流　動　負　債	(×××)
Ⅱ固　定　資　産	(×××)	⋮	⋮
３投資その他の資産	(×××)		
(注)			

問題１－３　現金及び預金(3)

貸借対照表　(単位：千円)

Ⅰ流動資産	(×××)	Ⅰ流動負債	(×××)
Ⅱ固定資産	(×××)	⋮	⋮
１有形固定資産	(×××)		

損益計算書（単位：千円）

Ⅰ売　上　高	
Ⅳ営業外収益	
Ⅵ特別利益	

問題１－４　現金及び預金(4)

貸　借　対　照　表

W株式会社　　　　　　×14年３月31日　　　　　　(単位：千円)

科　　　　目	金　　額	科　　　　目	金　　額
資　産　の　部		負　債　の　部	
Ⅰ流　動　資　産	(×××)	Ⅰ流　動　負　債	(×××)
		⋮	⋮
⋮	⋮		

問題１－５　現金及び預金(5)

貸　借　対　照　表

C株式会社　　　　　　×14年６月30日　　　　　　(単位：千円)

科　　　　目	金　　額	科　　　　目	金　　額
資　産　の　部		負　債　の　部	
Ⅰ流　動　資　産	(×××)	Ⅰ流　動　負　債	(×××)
現金及び預金			
⋮	⋮		
Ⅱ固　定　資　産	(×××)		
３投資その他の資産	(×××)	⋮	⋮
⋮	⋮		

問題１－６　現金及び預金(6)

（単位：千円）

貸借対照表		損益計算書	
Ⅰ流動資産	（　×××　）	⋮	
現金及び預金	（　　　）	Ⅲ販売費及び一般管理費	
受取手形	（　　　）	⋮	
⋮		旅費交通費	（　　　）
Ⅰ流動負債	（　×××　）	接待交際費	（　　　）
未払金	（　　　）	⋮	
⋮		Ⅴ営業外費用	
		⋮	
		為替差損	（　　　）
		⋮	

問題１－７　現金及び預金(7)

（単位：千円）

貸借対照表		損益計算書	
Ⅰ流動資産	（　×××　）	⋮	
現金及び預金	（　　　）	Ⅲ販売費及び一般管理費	
⋮		⋮	
⋮		修繕費	（　　　）
Ⅰ流動負債	（　×××　）	Ⅳ営業外収益	（　　　）
買掛金	（　　　）	⋮	
短期借入金	（　　　）	受取利息	（　　　）
前受収益	（　　　）	Ⅴ営業外費用	
		⋮	
		為替差損	（　　　）
		⋮	

問題１－８　**現金及び預金(8)**

貸借対照表　（単位：千円）

Ⅰ 流動資産	(×××)	Ⅰ 流動負債	(×××)
現金預金		未払金	
貯蔵品		⋮	⋮
未収入金		⋮	⋮

損益計算書　（単位：千円）

科目	金額
Ⅲ 販売費及び一般管理費	⋮
支払手数料	
租税公課	
通信費	

問題１－９　**金銭債権(1)**

貸借対照表

甲株式会社　×７年３月31日　（単位：千円）

科目	金額	科目	金額
資産の部		⋮	⋮
Ⅰ流動資産	(×××)		
受取手形			
Ⅱ固定資産	(×××)		
3投資その他の資産	(×××)		
(注)			

問題１－10　金銭債権(2)

貸借対照表

丙株式会社　　×７年３月31日　　(単位：千円)

科　　目	金　　額
資　産　の　部	
Ⅰ流　動　資　産	(×××)
現金及び預金	
Ⅱ固　定　資　産	(×××)
３投資その他の資産	(×××)

(次頁に続く)

損益計算書

丙株式会社　　自×6年4月1日　至×7年3月31日　　(単位：千円)

摘　　要	金	額
⋮	⋮	⋮
Ⅲ販売費及び一般管理費		
減 価 償 却 費	3,800	
⋮	⋮	×××
営 業 利 益		×××
⋮	⋮	
Ⅴ営 業 外 費 用		
⋮	⋮	×××
経 常 利 益		×××
⋮	⋮	
Ⅶ特 別 損 失		
固 定 資 産 売 却 損	500	
⋮	⋮	×××

重要な会計方針に係る事項に関する注記
(1)

損益計算書に関する注記
(1)

問題１－11　金銭債権(3)

（単位：千円）

科　　　　目	金　額	科　　　　目	金　額
資　産　の　部		負　債　の　部	
Ⅰ流　動　資　産	(×××)	Ⅰ流　動　負　債	(×××)
		⋮	⋮
		⋮	⋮
		摘　　　　要	金　額
		Ⅲ販売費及び一般管理費	
⋮	⋮	⋮	⋮
Ⅱ固　定　資　産	(×××)		
３投資その他の資産	(×××)	Ⅳ営　業　外　収　益	
		⋮	⋮
		Ⅴ営　業　外　費　用	
		⋮	⋮
⋮	⋮	⋮	⋮

問題1－12　**金銭債権(4)**

貸借対照表　(単位：千円)

科　　　　目	金　　額
資　産　の　部	
Ⅰ流　動　資　産	(×××)
受　取　手　形	300,000
Ⅱ固　定　資　産	(×××)
3投資その他の資産	(×××)

損益計算書　(単位：千円)

摘　　　　要	金　　額
Ⅲ販売費及び一般管理費	
⋮	⋮
⋮	⋮
Ⅶ特　別　損　失	
⋮	⋮

問題1－13　**金銭債権(5)**

(単位：千円)

科　　　　目	金　　額	摘　　　　要	金　　額
資　産　の　部		Ⅲ販売費及び一般管理費	
Ⅰ流　動　資　産	(×××)		
売　　掛　　金			
		Ⅳ営　業　外　収　益	
		Ⅴ営　業　外　費　用	
Ⅱ固　定　資　産	(×××)	⋮	⋮
3投資その他の資産	(×××)		

(注)

問題1－14　**金銭債権(6)**

（単位：千円）

科　　　目	金　　額	科　　　目	金　　額
資　産　の　部		負　債　の　部	
Ⅰ流　動　資　産	(×××)	Ⅰ流　動　負　債	(×××)
現　金　預　金		支　払　手　形	
受　取　手　形		買　　掛　　金	430,163
売　　掛　　金			
⋮	⋮	⋮	⋮
貸　倒　引　当　金	△	Ⅱ固　定　負　債	(×××)
Ⅱ固　定　資　産	(×××)	長期預り保証金	15,000
3投資その他の資産	(×××)	⋮	⋮
⋮	⋮		
貸　倒　引　当　金	△		
⋮	⋮		

摘　　　要	金　　額
Ⅲ販売費及び一般管理費	
⋮	⋮
Ⅶ特　別　損　失	
⋮	⋮

問題1－15　金銭債権(7)

（単位：千円）

科　　　　目	金　　額	科　　　　目	金　　額
資　産　の　部		負　債　の　部	
Ⅰ流　動　資　産	(×××)	Ⅰ流　動　負　債	(×××)
受　取　手　形			
貸　倒　引　当　金	△		
売　　掛　　金		Ⅱ固　定　負　債	(×××)
貸　倒　引　当　金	△		
Ⅱ固　定　資　産	(×××)		
3投資その他の資産	(×××)		
⋮	⋮		

摘　　　　要	金　　額
Ⅲ販売費及び一般管理費	
Ⅳ営　業　外　収　益	
受　取　利　息	
その他営業外収益	
Ⅴ営　業　外　費　用	

問題1－16　金銭債権(8)

（単位：千円）

科　　目	金　額	科　　目	金　額
資　産　の　部		Ⅲ販売費及び一般管理費	
Ⅰ流　動　資　産	（×××）	貸倒引当金繰入額	
受　取　手　形		⋮	⋮
売　掛　金		Ⅴ営　業　外　費　用	
⋮	⋮	貸倒引当金繰入額	
貸　倒　引　当　金	△	⋮	⋮
Ⅱ固　定　資　産	（×××）	Ⅶ特　別　損　失	
3投資その他の資産	（×××）	貸倒引当金繰入額	
長　期　貸　付　金			
破産更生債権等		⋮	⋮
⋮	⋮		
貸　倒　引　当　金	△		
⋮	⋮		

問題1－17　**金銭債権(9)**

(単位：千円)

科　　　　目	金　　額	科　　　　目	金　　額
資　産　の　部		負　債　の　部	
Ⅰ流　動　資　産	(×××)	Ⅰ流　動　負　債	(×××)
受　取　手　形		⋮	⋮
売　掛　金		Ⅱ固　定　負　債	(×××)
⋮	⋮	営　業　保　証　金	8,500
貸　倒　引　当　金	△	⋮	⋮
Ⅱ固　定　資　産	(×××)		
3投資その他の資産	(×××)		
長　期　貸　付　金			
破産更生債権等			
⋮	⋮		
貸　倒　引　当　金	△		
⋮	⋮		

(単位：千円)

科　　　　目	金　　額
Ⅲ販売費及び一般管理費	
貸倒引当金繰入額	
⋮	⋮
Ⅴ営　業　外　費　用	
貸倒引当金繰入額	
⋮	⋮
Ⅶ特　別　損　失	
貸倒引当金繰入額	
⋮	⋮

問題1－18　**有価証券(1)**

貸　借　対　照　表（単位：千円）		損　益　計　算　書（単位：千円）	
Ⅰ流　動　資　産	（×××）	Ⅳ営　業　外　収　益	
		⋮	⋮
Ⅱ固　定　資　産	（×××）		
3投資その他の資産	（×××）		

問題1－19　**有価証券(2)**

貸　借　対　照　表（単位：千円）		
Ⅰ流　動　資　産	（×××）	⋮
Ⅱ固　定　資　産	（×××）	
3投資その他の資産	（×××）	

貸借対照表等に関する注記

問題1－20　**有価証券(3)**

（単位：千円）

科　　　　目	金　　額	科　　　　目	金　　額
資　産　の　部		負　債　の　部	
Ⅰ流　動　資　産	(×××)	Ⅱ固　定　負　債	(×××)
Ⅱ固　定　資　産	(×××)	⋮	⋮
3投資その他の資産	(×××)	純　資　産　の　部	
		⋮	⋮
		Ⅱ評価・換算差額等	(×××)
		1その他有価証券評価差額金	
⋮	⋮	摘　　　　要	金　　額
		Ⅳ営　業　外　収　益	
		Ⅴ営　業　外　費　用	

重要な会計方針に係る事項に関する注記

有価証券の評価基準及び評価方法は以下のとおりである。

① 売買目的有価証券は時価法（売却原価は総平均法により算定）により評価している。

② 満期保有目的の債券は、

③ 子会社株式は、

④ 市場価格のあるその他有価証券は、

問題1－21 有価証券(4)

（単位：千円）

科目	金額	科目	金額
資産の部		⋮	⋮
Ⅰ流動資産	(×××)		
		純資産の部	
		⋮	⋮
Ⅱ固定資産	(×××)	Ⅱ評価・換算差額等	(×××)
3投資その他の資産	(×××)	1その他有価証券評価差額金	

科目	金額
⋮	⋮

摘要	金額
Ⅳ営業外収益	
Ⅶ特別損失	

問題1－22 有価証券(5)

貸借対照表（単位：千円）		損益計算書（単位：千円）	
Ⅰ流動資産	(×××)	Ⅳ営業外収益	
⋮	⋮		
		Ⅴ営業外費用	
⋮	⋮		
Ⅱ固定資産	(×××)		
3投資その他の資産	(×××)	Ⅵ特別利益	
		Ⅶ特別損失	

問題1－23　有価証券(6)

（単位：千円）

科目	金額	科目	金額
資産の部		純資産の部	
Ⅰ流動資産	(×××)	⋮	⋮
有価証券		Ⅱ評価・換算差額等	(×××)
未収金		1その他有価証券評価差額金	
⋮	⋮	摘要	金額
Ⅱ固定資産	(×××)	Ⅳ営業外収益	
3投資その他の資産	(×××)		
		Ⅴ営業外費用	
繰延税金資産			
⋮	⋮	⋮	⋮
		Ⅶ特別損失	

問題1－24　有価証券(7)

（単位：千円）

科目	金額	科目	金額
資産の部		負債の部	
Ⅰ流動資産	(×××)	Ⅱ固定負債	(×××)
		純資産の部	
Ⅱ固定資産	(×××)	Ⅱ評価・換算差額等	(×××)
3投資その他の資産	(×××)	1その他有価証券評価差額金	
		摘要	金額
		Ⅳ営業外収益	
⋮	⋮		
		Ⅴ営業外費用	
		Ⅵ特別利益	
		Ⅶ特別損失	

問題１－25　**有価証券(8)**

（単位：千円）

科　　　　目	金　　額	科　　　　目	金　　額
資　産　の　部		純　資　産　の　部	
Ⅰ流　動　資　産	(×××)	⋮	⋮
		Ⅱ評価・換算差額等	(×××)
⋮	⋮	1	
Ⅱ固　定　資　産	(×××)	摘　　　　要	金　　額
3投資その他の資産	(×××)	Ⅳ営　業　外　収　益	
		受取利息配当金	
⋮	⋮		
負　債　の　部		⋮	⋮
Ⅱ固　定　負　債	(×××)	Ⅶ特　別　損　失	
⋮	⋮	⋮	⋮

重要な会計方針に係る事項に関する注記

有価証券の評価基準及び評価方法は以下のとおりである。

(1)　売買目的有価証券は

(2)　満期保有目的の債券は

(3)　子会社株式は

(4)　市場価格のあるその他有価証券は

問題1－26　有価証券(9)

（単位：千円）

科　　　　目	金　額	摘　　　要	金　額
Ⅰ流　動　資　産	(×××)	Ⅵ特　別　利　益	
Ⅱ固　定　資　産	(×××)	Ⅶ特　別　損　失	
3投資その他の資産	(×××)		
		⋮	⋮
純資産の部			
⋮	⋮		
Ⅱ評価・換算差額等	(×××)		
1			
⋮	⋮		

問題1－27　有価証券(10)

（単位：千円）

貸借対照表		損益計算書	
Ⅰ流　動　資　産	(　×××　)	⋮	
⋮	⋮	Ⅳ営　業　外　収　益	(　×××　)
⋮	⋮	有価証券利息	(　　　)
Ⅱ固　定　資　産		⋮	
3投資その他の資産	(　×××　)	Ⅴ営　業　外　費　用	(　×××　)
投資有価証券	(　　　)	投資有価証券評価損	(　　　)
関係会社株式	(　　　)	⋮	
⋮		Ⅶ特　別　損　失	(　×××　)
⋮		関係会社株式評価損	(　　　)
⋮		⋮	

問題1－28　有価証券(11)

（単位：千円）

科　　　　目	金　　額
資　産　の　部	
I 流　動　資　産	(×××)
⋮	⋮
⋮	⋮
II 固　定　資　産	(×××)
3 投資その他の資産	(×××)
貸　倒　引　当　金	
⋮	⋮

科　　　　目	金　　額
負　債　の　部	
⋮	⋮
II 固　定　負　債	(×××)
⋮	⋮
純　資　産　の　部	
⋮	⋮
II 評価・換算差額等	(×××)
1	

摘　　　　要	金　　額
VI 特　別　利　益	
VII 特　別　損　失	

問題1−29 **棚卸資産(1)**

(単位：千円)

貸借対照表	
資産の部	
Ⅰ流動資産	(×××)
⋮	⋮
商品	
⋮	⋮

損益計算書		
売上高		
売上原価		
合計		
差引		
売上総利益		
販売費及び一般管理費		
営業外収益		
仕入割引	38,000	
営業外費用		
⋮	⋮	
特別損失		

問題1−30 **棚卸資産(2)**

①売上原価	②期末評価額
千円	千円

問題1－31　棚卸資産(3)

貸借対照表（単位：千円）	
流動資産	（×××）
⋮	⋮
商品	
⋮	⋮
〔注記事項〕	
(1) 商品は	
⋮	

損益計算書（単位：千円）		
売上高		
売上原価		
合計		
売上総利益		
販売費及び一般管理費		
特別損失		
商品災害損失		

問題1－32　棚卸資産(4)

損益計算書　（単位：千円）

摘要	金額	
Ⅰ売上高		3,016,260
Ⅱ売上原価		
期首商品たな卸高		
当期商品仕入高		
合計		
期末商品たな卸高		
差引		
売上総利益		
Ⅲ販売費及び一般管理費		
⋮		
事務用消耗品費		
⋮		

問題１－33 **棚卸資産(5)**

B/S商　　品	千円
P/L売上原価	千円

問題１－34 **棚卸資産(6)**

問１

P/L売上原価	千円

問２

B/S商　　品	千円

問題１－35 **棚卸資産(7)**

B商品売上原価　千円

C商品売上原価　千円

問題1－36　有形固定資産(1)

貸借対照表

F株式会社　　×7年3月31日　　(単位：千円)

科　　目	金　額	科　　目	金　額
資産の部			
Ⅰ流動資産	(×××)		
Ⅱ固定資産	(×××)		
1有形固定資産	(×××)		
建物			
減価償却累計額			
機械装置			
減価償却累計額			
土地			
建設仮勘定			
⋮	⋮		
3投資その他の資産	(×××)		

注記事項	
	重要な会計方針に係る事項に関する注記
	(1)

問題１－37　有形固定資産(2)

貸借対照表

M株式会社　　×15年３月31日　　(単位：千円)

科　　目	金　額	科　　目	金　額
資産の部		⋮	⋮
⋮	⋮		
Ⅱ固定資産	(×××)		
1有形固定資産	(　　)		
建物			
減価償却累計額			
車両			
減価償却累計額			
機械装置			
減価償却累計額			

問題１－38　有形固定資産(3)

貸借対照表 (単位：千円)	
有形固定資産	(　　)
建物	

損益計算書 (単位：千円)	
販売費及び一般管理費	
営業外費用	
特別損失	

貸借対照表等に関する注記
(1)
(2)
損益計算書に関する注記
(1)

問題1－39　有形固定資産(4)

貸借対照表

A株式会社　×13年6月30日　(単位：千円)

科　目	金　額	科　目	金　額
資産の部		⋮	⋮
⋮	⋮		
Ⅱ固定資産	(×××)		
1有形固定資産	(×××)		
建物			
減価償却累計額			
車両			
減価償却累計額			
備品			
減価償却累計額			

問題1－40　有形固定資産(5)

貸借対照表（単位：千円）

有形固定資産	(×××)
建物	
減価償却累計額	
機械装置	
減価償却累計額	
車両	
減価償却累計額	
備品	
減価償却累計額	

損益計算書（単位：千円）

販売費及び一般管理費	
⋮	⋮
特別損失	
⋮	⋮

問題１－41　**有形固定資産(6)**

貸借対照表　(単位：千円)

科目	金額
Ⅱ固定資産	(×××)
1有形固定資産	(　　　)
建物	
減価償却累計額	
構築物	
減価償却累計額	
車両	
減価償却累計額	
器具備品	
減価償却累計額	
リース資産	
減価償却累計額	

重要な会計方針に係る事項に関する注記
(1)

問題１－42　**有形固定資産(7)**

(単位：千円)

科目	金額	摘要	金額
資産の部		Ⅲ販売費及び一般管理費	
Ⅱ固定資産	(×××)		
1有形固定資産	(　　　)		
建物			
減価償却累計額	△	Ⅵ特別利益	
		Ⅶ特別損失	
		⋮	⋮
土地	443,589		
⋮	⋮		

重要な会計方針に係る事項に関する注記
重要な会計方針
貸借対照表等に関する注記

問題1－43　有形固定資産(8)

（単位：千円）

科　　目	金　額	科　　目	金　額
資　産　の　部		負　債　の　部	
Ⅰ流　動　資　産	(×××)	Ⅰ流　動　負　債	(×××)
		支　払　手　形	
⋮	⋮		
Ⅱ固　定　資　産	(×××)	⋮	⋮
1有形固定資産	(×××)	Ⅱ固　定　負　債	(×××)
建　　物			
減価償却累計額	△		
構　築　物		⋮	⋮
減価償却累計額	△		
車　　両		**摘　　要**	**金　額**
減価償却累計額	△	Ⅲ販売費及び一般管理費	
備　　品			
減価償却累計額	△	⋮	⋮
リース資産		Ⅴ営　業　外　費　用	
減価償却累計額	△		
土　　地		⋮	⋮
⋮	⋮	Ⅵ特　別　利　益	
3投資その他の資産	(×××)		
⋮	⋮	⋮	⋮

問題1－44　**有形固定資産(9)**

（単位：千円）

貸借対照表		損益計算書		
Ⅰ流動資産	（×××）	⋮		
⋮		Ⅲ販売費及び一般管理費		
		⋮		
⋮		減価償却費		
Ⅱ固定資産	（×××）	⋮		
⋮		Ⅵ特別利益		
建物		⋮		
車両運搬具		固定資産売却益		
器具備品		⋮		
⋮		Ⅶ特別損失		
⋮		⋮		
⋮		器具備品圧縮損		
⋮		⋮		

問題１－45　有形固定資産(10)

(1) 株式会社南与野産業（第25期）の貸借対照表及び損益計算書

貸　借　対　照　表

×21年６月30日現在　　　　（単位：千円）

資産の部		負債の部	
科目	金額	科目	金額
流動資産	×××	流動負債	×××
⋮	⋮	⋮	⋮
固定資産	×××		
有形固定資産		⋮	⋮
建物		固定負債	×××
機械装置		⋮	⋮
器具備品			
土地		⋮	⋮
⋮	⋮	⋮	⋮
投資その他の資産	×××	⋮	⋮
⋮	⋮	⋮	⋮
		⋮	⋮
⋮	⋮	⋮	⋮

（次頁に続く）

損　益　計　算　書
自　×20年７月１日
至　×21年６月30日　　　（単位：千円）

科　　　目	金　　額	
⋮		
販売費及び一般管理費		
⋮		
減　価　償　却　費		
⋮		
営　業　外　収　益		
⋮		
投資不動産賃貸料		
権　利　金　収　入		
⋮		
営　業　外　費　用		
⋮		
雑　　損　　失		
⋮		
特　別　損　失		
⋮		
固定資産取壊損		
⋮		

(2) 貸借対照表等に関する注記

減価償却累計額
千円

(3) 製造経費に含まれる減価償却費

千円

問題１－46　有形固定資産(11)

（単位：千円）

科　　　　　目	金　　額
資　産　の　部	
⋮	⋮
Ⅱ固　定　資　産	(×　×　×)
1 有 形 固 定 資 産	(　　　　)
減 価 償 却 累 計 額	△
土　　　　地	
3 投資その他の資産	(×　×　×)
差 入 保 証 金	

科　　　　　目	金　　額
負　債　の　部	
Ⅰ流　動　負　債	(×　×　×)
Ⅱ固　定　負　債	(×　×　×)

摘　　　　　要	金　　額
Ⅲ販売費及び一般管理費	
Ⅴ営　業　外　費　用	
Ⅶ特　別　損　失	

問題１－47　**有形固定資産(12)**

（単位：千円）

科　　　目	金　　額	科　　　目	金　　額
資　産　の　部		負　債　の　部	
Ⅰ流　動　資　産	(×××)	Ⅰ流　動　負　債	(×××)
⋮	⋮	⋮	⋮
Ⅱ固　定　資　産	(×××)		
1有 形 固 定 資 産	(×××)		
建　　　物		⋮	⋮
器　具　備　品		Ⅱ固　定　負　債	(×××)
		⋮	⋮
減 価 償 却 累 計 額	△		
3投資その他の資産	(×××)	⋮	⋮
⋮	⋮		
差 入 敷 金 保 証 金			
⋮	⋮		

（単位：千円）

科　　　目	金　　額
⋮	⋮
Ⅲ 販売費及び一般管理費	
⋮	⋮
減　価　償　却　費	
⋮	⋮
Ⅴ 営　業　外　費　用	
支　払　利　息	
⋮	⋮

問題1－48　有形固定資産(13)

（単位：千円）

科　　　　　目	金　　額	科　　　　　目	金　　額
資　産　の　部		負　債　の　部	
：	：	Ⅰ流　動　負　債	(×××)
Ⅰ固　定　資　産	(×××)		
1有形固定資産	(×××)		
		Ⅱ固　定　負　債	(×××)
：	：		
		摘　　　　　要	金　　額
		Ⅲ販売費及び一般管理費	
		Ⅴ営　業　外　費　用	

問題1－49　無形固定資産(1)

（単位：千円）

貸借対照表 ×6年6月30日		損益計算書 自×5年7月1日 至×6年6月30日
資　産　の　部		Ⅲ販売費及び一般管理費
Ⅱ固　定　資　産	(×××)	
2無形固定資産	(×××)	
		：
：		

問題１－50　**無形固定資産(2)**

（単位：千円）

貸借対照表 ×６年９月30日		損益計算書 自×５年10月１日 至×６年９月30日
資産の部		Ⅲ販売費及び一般管理費
Ⅱ固定資産	(×××)	
2無形固定資産	(×××)	
のれん		
		長期前払費用償却
3投資その他の資産	(×××)	Ⅶ特別損失
長期前払費用		借地権償却
⋮		⋮

問題１－51　**無形固定資産(3)**

（単位：千円）

科目	金額	摘要	金額
Ⅱ固定資産	(×××)	Ⅲ販売費及び一般管理費	
⋮	⋮		
2無形固定資産	(×××)		
のれん			
ソフトウェア		⋮	⋮
商標権		Ⅶ特別損失	
		固定資産廃棄損	
⋮	⋮	⋮	⋮

問題１－52　**繰延資産・研究開発費(1)**

（単位：千円）

貸借対照表 ×２年３月31日	損益計算書 自×１年４月１日 至×２年３月31日
資産の部	Ｖ営業外費用
Ⅲ繰延資産　(×××)	
	⋮
⋮	

重要な会計方針に係る事項に関する注記
(1)

問題１－53　**繰延資産・研究開発費(2)**

（単位：千円）

貸借対照表 ×８年９月30日	損益計算書 自×７年10月１日 至×８年９月30日
資産の部	Ⅲ販売費及び一般管理費
Ⅲ繰延資産　(×××)	
	Ｖ営業外費用
⋮	

重要な会計方針に係る事項に関する注記
(1)
(2)
(3)

問題1－54　繰延資産・研究開発費(3)

（単位：千円）

科　　目	金　額	摘　　要	金　額
資　産　の　部		Ⅲ販売費及び一般管理費	
⋮	⋮	⋮	⋮
Ⅱ固　定　資　産	(×××)		
⋮	⋮		
2無形固定資産	(×××)	⋮	⋮
		Ⅴ営　業　外　費　用	
⋮	⋮	⋮	⋮
Ⅲ繰　延　資　産	(×××)		
		⋮	⋮
⋮	⋮		

問題1－55　税務上の繰延資産

（単位：千円）

貸借対照表		損益計算書	
Ⅰ　流　動　資　産	(×××)	Ⅲ　販売費及び一般管理費	
⋮	⋮	⋮	⋮
Ⅱ　固　定　資　産	(×××)		
⋮	⋮	⋮	⋮
長期前払費用			
⋮	⋮		

第２章　負債会計

問題２－１　金銭債務(1)

貸借対照表　　(単位：千円)

負　債　の　部	
Ⅰ流　動　負　債	(　　　　　)
Ⅱ固　定　負　債	(　　　　　)
(注)	

問題２－２　金銭債務(2)

［問１］

（単位：千円）

科　　　　　目	金　　額
負 債 の 部	
Ⅰ 流　動　負　債	（ ××× ）
支　払　手　形	350,000
未　払　費　用	4,280
Ⅱ 固　定　負　債	（ ××× ）

［問２］

(1)
(2)
(3)

［問３］

支払利息………［　　　　］千円

問題2－3　金銭債務(3)

（単位：千円）

貸借対照表		損益計算書		
Ⅰ流　動　負　債	（×××）	⋮		
未　払　費　用		Ⅳ営　業　外　費　用		
Ⅱ固　定　負　債	（×××）	社　債　利　息		
社　　　債				
⋮		⋮		

問題2－4　引当金(1)

（単位：千円）

貸借対照表		損益計算書		
Ⅰ流　動　負　債	（×××）	Ⅲ販売費及び一般管理費		
⋮	⋮			
		⋮	⋮	⋮
		Ⅴ営　業　外　費　用		
		⋮	⋮	⋮
		Ⅶ特　別　損　失		

問題２－５　引当金(2)

（単位：千円）

科　　　　目	金　　額	摘　　　　要	金　　額
Ⅰ流　動　負　債	（×××）	Ⅲ販売費及び一般管理費	
Ⅱ固　定　負　債	（×××）		
		Ⅶ特　別　損　失	
⋮	⋮		

問題２－６　退職給付引当金(1)

退職給付引当金の額………　[　　　　]千円

退職給付費用の額………　[　　　　]千円

問題２－７　退職給付引当金(2)

退職給付引当金の額………　[　　　　]千円

退職給付費用の額………　[　　　　]千円

問題２－８　退職給付引当金(3)

（単位：千円）

貸借対照表		損益計算書	
Ⅱ固　定　資　産		⋮	
1投資その他の資産	（　×××　）	Ⅴ販売費及び一般管理費	（　×××　）
⋮		退職給付費用	（　　　　）
繰延税金資産	（　　　　）	⋮	
Ⅱ固　定　負　債	（　×××　）	⋮	
退職給付引当金	（　　　　）	⋮	

問題2－9　退職給付引当金(4)

貸借対照表　　(単位：千円)

科　　　目	金　額
負　債　の　部	
Ⅱ固　定　負　債	(×××)

損益計算書　　(単位：千円)

摘　　　要	金　額
Ⅲ 販売費及び一般管理費	

問題2－10　退職給付引当金(5)

(単位：千円)

科　　　目	金　額	摘　　　要	金　額
負　債　の　部		Ⅲ販売費及び一般管理費	
⋮	⋮	⋮	⋮
Ⅱ固　定　負　債	(×××)		
⋮	⋮	⋮	⋮
		Ⅶ特　別　損　失	
⋮	⋮	⋮	⋮
		⋮	⋮

問題2－11　退職給付引当金(6)

(単位：千円)

科　　　目	金　額	摘　　　要	金　額
負　債　の　部		Ⅲ販売費及び一般管理費	
⋮	⋮	⋮	⋮
Ⅱ固　定　負　債	(×××)		
⋮	⋮	⋮	⋮
⋮	⋮		

問題2－12　退職給付引当金(7)

退職給付引当金の金額……　[　　　　]　千円

退職給付費用の金額……　[　　　　]　千円

問題2－13　退職給付引当金(8)

貸借対照表　（単位：千円）

科　　　目	金　額
負債の部	
Ⅱ 固定負債	（×××）

損益計算書　（単位：千円）

科　　　目	金　額
Ⅲ 販売費及び一般管理費	

第３章　純資産会計

問題３－１　株主資本(1)

	ケース１	ケース２
資本金の額	千円	千円
資本準備金の額	千円	千円

問題３－２　株主資本(2)

（単位：千円）

科目	金額
純資産の部	
Ⅰ株主資本	（　　　）
1資本金	
2	（　　　）
(1)	
(2)	
3	（　　　）
(1)	
(2)	（　　　）
純資産の部合計	
負債及び純資産の部合計	×××

問題３－３　株主資本(3)

（単位：千円）

科　　　　　　　　　　目	金　　　　額
純　資　産　の　部	
Ⅰ株　主　資　本	（　　　　　）
1	
2	
3	（　　　　　）
(1)	
4	（　　　　　）
(1)	
(2)	（　　　　　）
5	
純　資　産　の　部　合　計	
負債及び純資産の部合計	×××

株主資本等変動計算書に関する注記

（注１）当該事業年度末日における発行済株式の数	普通株式	株
（注２）当該事業年度末日における自己株式の数	普通株式	株
（注３）当該事業年度中に行った剰余金の配当に関する事項	配当の総額	千円

１株当たり情報に関する注記

（注１）１株当たり純資産額	円	銭
（注２）１株当たり当期純利益	円	銭

問題３－４　株主資本の計数の変動(1)

貸借対照表　（単位：千円）

科目	金額	科目	金額
資産の部		純資産の部	
⋮	⋮	Ⅰ株主資本	(　　)
		1資本金	
		2資本剰余金	(　　)
		(1)資本準備金	
		(2)その他資本剰余金	
		3利益剰余金	(　　)
		(1)利益準備金	
		(2)その他利益剰余金	(　　)
		別途積立金	
Ⅲ繰延資産	(　　)	繰越利益剰余金	
		純資産の部合計	
資産の部合計	×××	負債及び純資産の部合計	×××

問題３－５　株主資本の計数の変動(2)

（単位：千円）

科目	金額
純資産の部	
Ⅰ株主資本	(　　)
1資本金	
2資本剰余金	(　　)
(1)資本準備金	
(2)その他資本剰余金	
3利益剰余金	(　　)
(1)利益準備金	
(2)その他利益剰余金	(　　)
新築積立金	
別途積立金	
繰越利益剰余金	
純資産の部合計	

問題3－6　自己株式(1)

（単位：千円）

科　　目	金　　額
純　資　産　の　部	
Ⅰ株　　主　　資　　本	（　　　　　　　　　）
1資　　　本　　　金	300,000
2資　本　剰　余　金	（　　　　　　　　　）
(1)資　本　準　備　金	50,000
(2)その他資本剰余金	
3利　益　剰　余　金	（　　　　　　　　　）
(1)利　益　準　備　金	15,000
(2)その他利益剰余金	（　　　　　　　　　）
別　途　積　立　金	28,000
繰越利益剰余金	
4	
Ⅱ評価・換算差額等	（　　　　　　　　　）
1	
Ⅲ新　株　予　約　権	×××
純資産の部合計	×××

問題3－7　自己株式(2)

(1)　1株当たり純資産の額………　[　　　　　　]

(2)　1株当たり当期純利益の額…　[　　　　　　]

問題3－8　新株予約権(1)

(単位：千円)

科　　　目	金　　額	
純　資　産　の　部		
Ⅰ株　　主　　資　　本		(　　　　　　　　)
1資　　　本　　　金		
2資　本　剰　余　金		(　　　　　　　　)
(1)資　本　準　備　金		
(2)その他資本剰余金		
3利　益　剰　余　金		(　　　　　　　　)
(1)利　益　準　備　金		
(2)その他利益剰余金	(　　　　　)	
別　途　積　立　金	56,000	
繰越利益剰余金		
4自　　己　　株　　式		
Ⅱ評価・換算差額等	(　　×××　　)	
⋮	⋮	
Ⅲ		
純資産の部合計	×××	

問題3－9　新株予約権(2)

1．ストック・オプション付与時（×5年4月1日）　(単位：千円)

借方科目	金額	貸方科目	金額

2．決算日（×6年3月31日）　(単位：千円)

借方科目	金額	貸方科目	金額

3．決算日（×7年3月31日）　(単位：千円)

借方科目	金額	貸方科目	金額

4．権利行使時（×7年6月30日）　(単位：千円)

借方科目	金額	貸方科目	金額

5．権利行使時（×8年10月31日）　(単位：千円)

借方科目	金額	貸方科目	金額

6．権利行使期間終了時（×9年3月31日）　(単位：千円)

借方科目	金額	貸方科目	金額

問題3－10　新株予約権(3)

貸借対照表　（単位：千円）

科目	金額	科目	金額
資産の部		負債の部	
⋮	⋮	⋮	⋮
		Ⅱ固定負債	（×××）
		社債	
		⋮	⋮
		負債の部合計	×××
		純資産の部	
		Ⅰ株主資本	（×××）
		1資本金	
		2資本剰余金	（　）
		(1)資本準備金	
		(2)その他資本剰余金	
		⋮	⋮
		4自己株式	
		⋮	⋮
		純資産の部合計	×××
資産の部合計	×××	負債及び純資産の部合計	×××

問題３－11　株主資本等変動計算書(1)

株主資本等変動計算書

自×５年４月１日

至×６年３月31日

（単位：千円）

株　主　資　本	
資　本　金	
当期首残高	(　　　)
当期変動額	
(　　　)	(　　　)
当期変動額合計	(　　　)
当期末残高	(　　　)
資本剰余金	
資本準備金	
当期首残高	(　　　)
当期変動額	
(　　　)	(　　　)
当期変動額合計	(　　　)
当期末残高	(　　　)
その他資本剰余金	
当期首残高	(　　　)
当期変動額	—
当期変動額合計	—
当期末残高	(　　　)
資本剰余金合計	
当期首残高	(　　　)
当期変動額	
(　　　)	(　　　)
当期変動額合計	(　　　)
当期末残高	(　　　)
利益剰余金	
利益準備金	
当期首残高	(　　　)
当期変動額	
(　　　)	(　　　)
当期変動額合計	(　　　)
当期末残高	(　　　)
その他利益剰余金	

（次頁に続く）

事業拡張積立金	
当期首残高	(　　　　)
当期変動額	
事業拡張積立金の(　　　)	(　　　　)
事業拡張積立金の(　　　)	(　　　　)
当期変動額合計	(　　　　)
当期末残高	(　　　　)
繰越利益剰余金	
当期首残高	(　　　　)
当期変動額	
(　　　　　)	(　　　　)
事業拡張積立金の(　　　)	(　　　　)
事業拡張積立金の(　　　)	(　　　　)
当期純利益	(　　　　)
当期変動額合計	(　　　　)
当期末残高	(　　　　)
利益剰余金合計	
当期首残高	(　　　　)
当期変動額	
(　　　　　)	(　　　　)
当期純利益	(　　　　)
当期変動額合計	(　　　　)
当期末残高	(　　　　)
株主資本合計	
当期首残高	(　　　　)
当期変動額	
(　　　　　)	(　　　　)
(　　　　　)	(　　　　)
当期純利益	(　　　　)
当期変動額合計	(　　　　)
当期末残高	(　　　　)
純資産合計	
当期首残高	(　　　　)
当期変動額	
(　　　　　)	(　　　　)
(　　　　　)	(　　　　)
当期純利益	(　　　　)
当期変動額合計	(　　　　)
当期末残高	(　　　　)

問題３－12　株主資本等変動計算書(2)

(単位：千円)

	株主資本										評価・換算差額等		新株予約権	純資産合計
		資本剰余金			利益剰余金									
						その他利益剰余金								
	資本金	資本準備金	その他資本剰余金	資本剰余金合計	利益準備金	新築積立金	繰越利益剰余金	利益剰余金合計	自己株式	株主資本合計	その他有価証券評価差額金	評価・換算差額等合計		
当期首残高	150,000	15,000	1,500	16,500	7,500	7,500	67,500	82,500	0	249,000	5,000	5,000	0	254,000
会計方針の変更による累積的影響額														
遡及処理後当期首残高														
当期変動額														
新株の発行（新株予約権の行使含む）														
剰余金の配当														
新築積立金の積立て														
新築積立金の取崩し														
当期純利益														
自己株式の取得														
自己株式の処分														
株主資本以外の項目の当期変動額（純額）														
当期変動額合計														
当期末残高														

第４章　税　金

問題４－１　税　金(1)

[問１]

（単位：千円）

損益計算書			貸借対照表	
販売費及び一般管理費			Ⅰ流動負債	(×××)
⋮	⋮	⋮	⋮	⋮
税引前当期純利益		×××		
当期純利益		×××		

[問２]

（単位：千円）

損益計算書			貸借対照表	
販売費及び一般管理費			Ⅰ流動負債	(×××)
⋮	⋮	⋮	⋮	⋮
税引前当期純利益		×××		
法人税、住民税及び事業税				
当期純利益		×××		

問題４－２　税　金(2)

（単位：千円）

貸借対照表		損益計算書		
Ⅰ流動資産	(×××)	Ⅲ販売費及び一般管理費		
		租税公課		
⋮	⋮			×××
Ⅰ流動負債	(×××)	⋮	⋮	⋮
支払手形	720,000	Ⅶ特別損失		
買掛金	570,000			×××
未払金		⋮	⋮	⋮
		法人税、住民税及び事業税		
⋮	⋮	⋮	⋮	⋮

問題４－３　税　金(3)

（単位：千円）

貸借対照表		損益計算書		
Ⅰ流動負債	(×××)	販売費及び一般管理費		
未払法人税等		租税公課		
		⋮	⋮	⋮
⋮	⋮	税引前当期純利益		×××
		法人税、住民税及び事業税		
		当期純利益		×××

問題4－4　税　金(4)

（単位：千円）

貸借対照表	
Ⅰ流　動　資　産	（×××）
⋮	⋮
Ⅰ流　動　負　債	（×××）
支　払　手　形	240,000
買　掛　金	190,000
未　払　金	4,600

損益計算書		
Ⅲ販売費及び一般管理費		
租　税　公　課		
		×××
⋮		⋮
Ⅶ特　別　損　失		
		×××
⋮		⋮
法人税、住民税及び事業税		

第５章　税効果会計

問題５－１　税効果会計(1)

(1) 仕訳処理

（単位：千円）

借　方　科　目	金　　額	貸　方　科　目	金　　額

(2) 損益計算書

損 益 計 算 書　　（単位：千円）

⋮	⋮	⋮
Ⅶ特　別　損　失		
⋮	⋮	×××
税引前当期純利益		1,000
当　期　純　利　益		

問題5－2　税効果会計(2)

個 別 貸 借 対 照 表　(単位：千円)

科　目	金　額	科　目	金　額
資 産 の 部		負 債 の 部	
Ⅰ流 動 資 産	(×××)	Ⅰ流 動 負 債	(×××)
⋮	⋮		
Ⅱ固 定 資 産	(×××)	Ⅱ固 定 負 債	(×××)
3投資その他の資産	(×××)		
		⋮	⋮

損 益 計 算 書　(単位：千円)

⋮	⋮	⋮
税引前当期純利益		×××
法人税、住民税及び事業税		
法人税等調整額		
当 期 純 利 益		×××

問題5－3　税効果会計(3)

個別貸借対照表（単位：千円）

科　目	金　額
資 産 の 部	
Ⅱ固 定 資 産	(×××)
3投資その他の資産	(×××)
⋮	⋮
負 債 の 部	
Ⅰ流 動 負 債	(×××)
⋮	⋮

損 益 計 算 書（単位：千円）

摘　要	金　額	
販売費及び一般管理費		
租 税 公 課		
⋮	⋮	⋮
税引前当期純利益		×××
法人税、住民税及び事業税		
法人税等調整額		
当 期 純 利 益		×××

問題5－4　税効果会計(4)

貸借対照表　(単位：千円)

科目	金額	科目	金額
資産の部		負債の部	
I 流動資産	(×××)	⋮	⋮
⋮	⋮	純資産の部	
II 固定資産	(×××)	⋮	⋮
3 投資その他の資産	(×××)	(2)その他利益剰余金	(×××)
繰延税金資産		圧縮積立金	
⋮	⋮	⋮	⋮
		II 評価・換算差額等	(×××)
		1	
		⋮	⋮

法人税等調整額………　[　　　]　千円

税効果会計に関する注記

繰延税金資産及び繰延税金負債の発生原因別の主な内訳

(単位：千円)

繰延税金資産	
将来減算一時差異	
棚卸資産	(　　　)
貸倒引当金	(　　　)
有形固定資産	(　　　)
未払事業税	(　　　)
退職給付引当金	(　　　)
役員退職慰労引当金	(　　　)
その他	(　　　)
繰延税金資産小計	(　　　)
〔　　　〕	(　　　)
繰延税金資産合計	(　　　)
繰延税金負債	
将来加算一時差異	
その他有価証券評価差額金	(　　　)
圧縮積立金	(　　　)
繰延税金負債合計	(　　　)
繰延税金資産の純額	(　　　)

問題5－5　税効果会計(5)

（単位：千円）

貸　借　対　照　表		損　益　計　算　書		
Ⅰ流　動　資　産	（×××）	⋮		
⋮		税引前当期純利益		
Ⅱ固　定　資　産	（×××）	法人税、住民税及び事業税	×××	
繰延税金資産		法人税等調整額		×××
⋮		当　期　純　利　益		×××

第６章　外貨建取引

問題６－１　外貨建取引(1)

（単位：千円）

表示科目	金額
現金及び預金	
売掛金	
未収金	
短期貸付金	
前渡金	
長期預金	
支払手形	
長期借入金	
社債	

（単位：千円）

為替差益又は為替差損	金額

問題６－２　外貨建取引(2)

（単位：千円）

		科目	金額	科目	金額
1．	(1)				
	(2)				
	(3)				
2．	(1)				
	(2)				
	(3)				

問題6－3　外貨建取引(3)

(単位：千円)

貸借対照表		損益計算書	
Ⅰ流動資産	(×××)	Ⅳ営業外収益	
		⋮	⋮
Ⅱ固定資産	(×××)	Ⅴ営業外費用	
3投資その他の資産	(×××)		
		Ⅶ特別損失	
⋮	⋮		

問題6－4　外貨建取引(4)

(単位：千円)

科目	金額	科目	金額
資産の部		純資産の部	
Ⅰ流動資産	(×××)	⋮	⋮
有価証券		Ⅱ評価・換算差額等	(×××)
⋮	⋮	1	
Ⅱ固定資産	(×××)	摘要	金額
3投資その他の資産	(×××)	Ⅳ営業外収益	
投資有価証券			
		⋮	⋮
⋮	⋮		
負債の部			
Ⅰ流動負債	(×××)		
Ⅱ固定負債	(×××)		
⋮	⋮		

第７章　分配可能額計算

問題７－１　**分配可能額計算(1)**

分配可能額………　[　　　　　　]　千円

問題７－２　**分配可能額計算(2)**

分配可能額………　[　　　　　　]　千円

問題７－３　**分配可能額計算(3)**

分配可能額………　[　　　　　　]　千円

問題７－４　**分配可能額計算(4)**

分配可能額………　[　　　　　　]　千円

第８章　製造業会計

問題8－1　製造原価報告書(1)

製造原価報告書

甲株式会社　　自×６年４月１日　至×７年３月31日　　(単位：千円)

科目	金額
Ⅰ材料費	
Ⅱ労務費	
Ⅲ経費	
合計	

問題8－2　**製造原価報告書(2)**

製造原価報告書

乙株式会社　　自×6年2月1日　至×7年1月31日　（単位：千円）

科　目	金　額	
Ⅰ材　料　費		
合　計		
当期材料費		
Ⅱ労　務　費		
当期労務費		
Ⅲ経　費		
当期経費		
合　計		

（次頁に続く）

損　益　計　算　書

乙株式会社　　自×6年2月1日　至×7年1月31日　　(単位：千円)

摘　　要	金　　額	
Ⅰ売　上　高		
Ⅱ売　上　原　価		
合　　計		
売上総利益		
Ⅲ販売費及び一般管理費		
営業利益		

重要な会計方針に係る事項に関する注記

(1)

問題8－3　期末仕掛品の評価(1)

	<ケース1>	<ケース2>
材　料　費	千円	千円
加　工　費	千円	千円
合　　計	千円	千円

問題8－4　期末仕掛品の評価(2)

仕掛品……［　　　　］千円

製　品……［　　　　］千円

問題8－5　**期末仕掛品の評価(3)**

製造原価報告書

甲株式会社　　自×6年4月1日　至×7年3月31日　　(単位：千円)

科目	金額
Ⅰ材料費	
Ⅱ労務費	
Ⅲ経費	
合計	

損益計算書

甲株式会社　　自×6年4月1日　至×7年3月31日　　(単位：千円)

摘要	金額	
Ⅰ売上高		
Ⅱ売上原価		
合計		
売上総利益		
Ⅲ販売費及び一般管理費		
その他販売費	128,600	
営業利益		

(次頁に続く)

重要な会計方針に係る事項に関する注記
(1)
(2)
(3)
(4)

問題8－6　**期末仕掛品の評価(4)**

製造原価報告書　(単位：千円)

Ⅰ材料費	
Ⅱ労務費	
Ⅲ経費	
合計	

損益計算書　(単位：千円)

Ⅰ売上高		
Ⅱ売上原価		
売上総利益		
Ⅲ販売費及び一般管理費		
営業利益		
Ⅳ営業外収益		
Ⅴ営業外費用		
経常利益		

貸借対照表　(単位：千円)

Ⅰ流動資産	(×××)
⋮	⋮

第 9 章　財務諸表等規則

問題9－1　債権・債務、有価証券の表示(1)

（単位：千円）

貸　借　対　照　表	
負　　債　　の　　部	
Ⅰ流　　動　　負　　債	（　　　　　　　）
Ⅱ固　　定　　負　　債	（　　　　　　　）

（注）

問題9－2　債権・債務、有価証券の表示(2)

〔資 産 の 部〕（単位：千円）

Ⅰ 流 動 資 産

受 取 手 形	

⋮

Ⅱ 固 定 資 産

⋮

3．投資その他の資産

⋮

〔負 債 の 部〕（単位：千円）

Ⅰ 流 動 負 債

支 払 手 形	

⋮

Ⅱ 固 定 負 債

⋮

注記	
	(注1)
	(注2)

問題9－3　キャッシュ・フロー計算書(1)

キャッシュ・フロー計算書

自　×11年7月1日　至　×12年6月30日　(単位：千円)

Ⅰ営業活動によるキャッシュ・フロー	
税引前当期純利益	10,620
減価償却費	(　　)
貸倒引当金の減少額	－(　　)
支払利息	(　　)
社債発行費償却	(　　)
株式交付費	(　　)
売上債権の増加額	－(　　)
有価証券評価損	(　　)
投資有価証券評価損	700
有価証券売却損	500
小計	(　　)
利息の支払額	－(　　)
法人税等の支払額	－(　　)
営業活動によるキャッシュ・フロー	(　　)
Ⅱ(　　)によるキャッシュ・フロー	
有価証券の取得による支出	－(　　)
有価証券の売却による収入	(　　)
(　　)によるキャッシュ・フロー	－(　　)
Ⅲ(　　)によるキャッシュ・フロー	
長期借入れによる収入	3,500
長期借入金の返済による支出	－(　　)
株式発行による収入	(　　)
(　　)によるキャッシュ・フロー	(　　)
Ⅳ現金及び現金同等物の増加額	(　　)
Ⅴ現金及び現金同等物の期首残高	(　　)
Ⅵ現金及び現金同等物の期末残高	(　　)

問題９－４　キャッシュ・フロー計算書(2)

現金及び現金同等物期末残高

千円

問題９－５　連結財務諸表

科　　目	金　　額
①のれん	千円
②買掛金	千円
③資本金	千円
④売上高	千円
⑤売上原価	千円

第10章　収益認識基準

問題10－1　収益認識基準(1)

（単位：千円）

貸借対照表		損益計算書		
Ⅰ流動資産	（×××）	⋮		
現金及び預金		Ⅰ売上高		
⋮		⋮		
Ⅰ流動負債	（×××）	手数料収入		
買掛金		⋮		
⋮		⋮		

問題10－2　収益認識基準(2)

1　商品の販売時の仕訳　（単位：千円）

借方科目	金額	貸方科目	金額

2　決算時の仕訳　（単位：千円）

借方科目	金額	貸方科目	金額